Y0-CCF-806

COMMENT JÉSUS A-T-IL VÉCU SA MORT ?

LECTIO DIVINA

93

HEINZ SCHÜRMANN

COMMENT JÉSUS A-T-IL VÉCU SA MORT ?

Exégèse et théologie

traduit de l'allemand
par Albert Chazelle

LES ÉDITIONS DU CERF

29, bd Latour-Maubourg, Paris

1977

L'original allemand a paru aux Éditions Herder, Fribourg-en-Brisgau, sous le titre *Jesu ureigener Tod*, avec la permission des Éditions St. Benno, Leipzig, © 1975.
ISBN 3-451-17087-6

ISBN 2-204-01069-3

TABLE DES SIGLES ET ABRÉVIATIONS

AAH	Abhandlungen der Heidelberger Akademie der Wissenschaften. Phil.-hist. Klasse, Heidelberg.
AThANT	Abhandlungen zur Theologie des Alten und Neuen Testaments, Bâle-Zurich.
AWANT	Abhandlungen zur Wissenschaft vom Alten und Neuen Testament, Leipzig.
BeihEvTh	Beihefte zur Evangelischen Theologie.
BeihZnW	Beihefte zur Zeitschrift für die Neutestamentliche Wissenschaft.
BHTh	Beiträge zur historischen Theologie, Tübingen.
BSt	Biblische Studien, Fribourg en Br.
BuLit	Bibel und Liturgie, Klosterneuburg-près-Vienne.
BZ	Biblische Zeitschrift, Paderborn.
Cath	Catholica. Jahrbuch (Vierteljahresschrift) für Kontroverstheologie, Münster.
Conc	Concilium, revue internationale de Théologie, éd. fr., Paris.
EB	Études Bibliques, Paris.
EKU	Evangelische Kirche der (preussischen) Union.
ErfThSt	Erfurter Theologische Studien.
EThL	Ephemerides Theologicae Lovanienses, Bruges.
EvKomm	Evangelische Kommentare, Stuttgart.
EvTh	Evangelische Theologie, Munich.
ExVuB	E. Käsemann, Exegetische Versuche und Besinnungen, 2 vol., Göttingen 1960 et 1964.
FrankfThSt	Frankfurter Theologische Studien, Francfort.
FreibThSt	Freiburger Theologische Studien, Fribourg en Br.
FRLANT	Forschungen zur Religion und Literatur des Alten und Neuen Testaments, Göttingen.
FZThPh	Freiburger Zeitschrift für Theologie und Philosophie (avant 1914 : Jahrbuch für Philosophie und spekulative Theologie; 1914-1954 : Divus Thomas), Fribourg, Suisse.
GuL	Geist und Leben. Zeitschrift für Aszese und Mystik, Wurtzbourg (jusqu'à 1947 : ZAM).
HDG	Handbuch der Dogmengeschichte, édité par M. Schmaus,

	A. Grillmeier, L. Scheffczyk,... Fribourg en Br. 1951 ss, trad. franç. : Histoire des dogmes, Paris 1966 ss.
HerKorr	Herder-Korrespondenz, Fribourg en Br.
HThK	Herders Theologischer Kommentar zum Neuen Testament, édité par A. Wikenhauser, Fribourg en Br.
IntKathZ	Internationale Katholische Zeitschrift « Communio », Rodenkirchen, Allemagne. Éd. fr., Paris.
IKZ	Internationale Kirchliche Zeitschrift, Berne.
JBL	Journal of Biblical Literature (society of Biblish Literature and Exegesis), Boston.
KatBl	Katechetische Blätter, Munich.
LThK	Lexikon für Theologie und Kirche, Fribourg en Br.
LumV	Lumière et Vie, Lyon.
MüThZ	Münchener Theologische Zeitschrift, Munich.
NRTh	Nouvelle Revue Théologique, Tournai, Louvain, Paris.
NT	Novum Testamentum, Leiden, Pays-Bas.
NTA	Neutestamentliche Abhandlungen, éditées par M. Meinertz, Münster.
NTD	Das Neue Testament Deutsch, édité par P. Althaus et J. Behm, Göttingen.
NTS	New Testament Studies, Cambridge, Washington.
Ök. Rundschau	Ökumenische Rundschau, Stuttgart.
P	après une citation des Évangiles = *bien propre* à l'évangéliste cité.
QD	Quaestiones Disputatae, Herder, Fribourg en Br.
RGG	Die Religion in Geschichte und Gegenwart, Tübingen.
SchrzTh	K. Rahner, Schriften zur Theologie, I-VIII, Einsiedeln 1954-1967.
StANT	Studien zum Alten und Neuen Testament, Munich.
StBM	Stuttgarter Biblische Monographien, Stuttgart.
SBS	Stuttgarter Bibelstudien, Stuttgart.
StdZ	Stimmen der Zeit, Fribourg en Br.
ThdG	Theologie der Gegenwart in Auswahl, Bergen-Enkheim.
TheolBull	Theologisches Bulletin, Berlin/DDR.
ThHk	Theologischer Handkommentar zum Neuen Testament, Leipzig
ThLZ	Theologische Literaturzeitung, Leipzig.
ThQ	Theologische Quartalschrift, Stuttgart.
ThW	Theologisches Wörterbuch zum Neuen Testament, Stuttgart 1933-1973.
ThZ	Theologische Zeitschrift, Bâle.
ThuPh	Theologie und Philosophie, Fribourg en Br.
TrU	H. Schürmann, Traditionsgeschichtliche Untersuchungen zu den synoptischen Evangelien. Beiträge, Dusseldorf 1968.
TThZ	Trierer Theologische Zeitschrift, Trèves.
WiWei	Wissenschaft und Weisheit, Düsseldorf.
WMANT	Wissenschaftliche Monographien zum Alten und Neuen Testament, Neukirchen.
WUNT	Wissenschaftliche Untersuchungen zum Neuen Testament, éditées par J. Jeremias et O. Michel, Tübingen.

ZAM	Zeitschrift für Aszese und Mystik, Wurtzbourg.
ZevE	Zeitschrift für Evangelische Ethik, Gütersloh.
ZNW	Zeitschrift für die Neutestamentliche Wissenschaft und die Kunde der älteren Kirche, Giessen, Berlin.
ZThK	Zeitschrift für Theologie und Kirche, Tübingen.

INTRODUCTION

LE THÈME DE LA CROIX REDEVIENT ACTUEL

La mort sur la croix de Jésus de Nazareth est redevenue un *thème* de réflexion. Selon H.-G. Link, « nous assistons à un phénomène étonnant auquel on ne se serait pas attendu, il y a seulement quelques années : la recherche théologique qui, chez les catholiques comme chez les protestants, avait entrepris de longues excursions sur le territoire presque illimité des problèmes posés par le monde du travail, l'aménagement de la société, le pouvoir politique et la révolution, se concentre de plus en plus ces derniers temps sur le sujet qui lui revient en propre, à savoir le problème de Dieu étudié en référence à la passion et à la mort de Jésus-Christ »; « ces excursions lointaines n'ont d'ailleurs pas été vaines » ; elles ont apporté « une riche moisson de connaissances, d'expériences et de questions qui viendront alimenter la réflexion théologique sur la voie étroite où elle s'est de nouveau engagée »[1].

1. H.-G. Link, « Gegenwärtige Probleme einer Kreuzestheologie », dans EvTh 33 (1973), pp. 337-345 (cit. p. 337); il s'agit d'un compte rendu du congrès des éditeurs de travaux théologiques de l'Église évangélique, tenu à Grafrath/Fürstenfeldbruck du 12 au 14 octobre 1972; le congrès de 1973 devait revenir sur ce thème, mais avec des perspectives différentes : l'accent fut mis sur les problèmes exégétiques, d'une part, et sur les orientations pratiques, d'autre part. La livraison de EvTh (« Zur Kreuzestheologie ») citée ci-dessus reproduit une partie des travaux et donne un aperçu sur la problématique de l'époque; cf. aussi *Lumière et Vie* 20 (1971) n° 101 : « La mort du Christ »; plus récemment, la livraison 1/2 de EvTh 34 (1974), spécialement les pp. 116-141 : U. Lutz, « Theologia crucis als Mitte der Theologie im Neuen Testament ». Mentionnons également la session des exégètes du Nouveau Testament, de langue allemande, qui a eu lieu à Munich du 17 au 21 mars 1975 et dont le thème était la théologie de la croix; cf. aussi le congrès international de Rome (du 13 au 18 oct. 1975), centré sur *La sapienza della croce.*

Si je ne me trompe, ce n'est pas seulement comme un à-côté, ni pour une brève période, que le thème de la croix va influencer les échanges théologiques; car lorsqu'il s'agit d'exprimer la foi chrétienne d'une manière qui soit adaptée aux besoins de l'époque, il est nécessaire, aujourd'hui comme il le sera à l'avenir, de penser la foi en Dieu en liaison avec la souffrance du monde. C'est cela que tentent à leur manière les trois grandes « Weltanschauungen », ou « religions du monde », qui touchent l'humanité d'aujourd'hui avec le plus d'efficacité. Le matérialisme athée — sous ses formes orientales et occidentales — est décidé à supprimer, par une lutte active, l'exploitation et l'injustice; mais ni la souffrance, quand elle n'a pas de cause sociale, ni la mort n'entrent en fin de compte dans son champ de réflexion, et il essaie d'écarter — comme étant une entrave pour les luttes sociales — le problème de Dieu, qui se pose pourtant au plan de la pensée comme au plan de la vie. Embrasser dans un même regard le problème de Dieu et celui de la souffrance du monde, c'est ce qu'essaient, chacune à sa manière, toutes ces formes religieuses dont le bouddhisme (avec ses nombreuses variétés et ses dérivés, y compris dans le néoplatonisme occidental et dans la gnose) représente l'expression la plus haute; ici, c'est en s'abîmant dans les profondeurs du moi — et même au-delà — que l'on cherche le fondement (divin) du monde; quant au monde matériel, chargé d'injustices et de souffrances, il est considéré comme une ombre et une apparence, et par là même, supprimé. Dieu et la souffrance : c'est aussi le problème de la foi chrétienne (avec son étape préparatoire dans l'Ancien Testament); ici, Dieu, sous une forme « humanisée » (dans l'Ancien Testament)[2], et par l'Incarnation (dans le Nouveau Testament), se révèle en se dépouillant et en s'abaissant lui-même[3] au point d'assumer le destin de l'homme — avec ses souffrances, ses injustices et son

2. Cf. U. Mauser, *Gottesbild und Menschwerdung. Eine Untersuchung zur Einheit des Alten und Neuen Testament,* Tübingen, 1971 : l'Incarnation se prépare dans les anthropomorphismes de l'Ancien Testament, mais aussi dans une « théomorphie » de l'homme.

3. Dans l'Ancien Testament déjà, cf. A. Heschel, *Die Prophetie,* Cracovie, 1936 (voir aussi la note précédente) et pour la période intertestamentaire P. Kuhn, *Gottes Selbsterniedrigung* (cf. p. 172 n. 40).

péché — jusqu'à la mort, la mort du Fils de Dieu sur la croix : tel est l'engagement absolu dans lequel s'exprime l'amour (trinitaire) de Dieu [4]; c'est lui qui peut rendre les chrétiens capables de l'engagement le plus haut, dans l'action lorsque cela est possible et dans la souffrance si cela est nécessaire [5].

L'histoire de la passion de l'humanité atteint son sommet dans le « souvenir de la passion et de la mort (et de la résurrection) de Jésus » [6], qui sont aussi le symbole de cette souffrance; elle s'exprime au maximum dans la déréliction de Jésus abandonné par son Père (Mc 15,34), dans laquelle, selon la foi chrétienne éclairée par la résurrection de Jésus, Dieu se définit et se révèle comme un Dieu en trois personnes. Ce n'est pas un hasard si, de nos jours, les réflexions staurologiques cherchent à réunir dans la croix ces deux pôles extrêmes [7] : la souffrance du monde, d'une part, et la gloire de Dieu, d'autre part, cette gloire étant conçue comme l'amour qui s'abaisse; il reste toutefois que ce qui est au centre de toute théologie de la croix — à savoir le rôle du jugement de Dieu, le rôle du péché et de la culpabilité de l'humanité dans l'abandon de Jésus par son Père — n'est pas encore bien perçu en dehors des milieux théologiques spécialisés [8]. (Peut-être que l'humanité n'accédera

4. Sur ce point, cf. *infra* pp. 171-178.

5. Sur ce point, cf. *infra* pp. 178-184 et la note 6.

6. Cf. spéc. J. B. Metz, *Befreiendes Gedächtnis Jesu Christi,* Mayence, 1970; Id., Zukunft aus dem Gedächtnis des Leidens, dans Conc. 8 (1972), pp. 399-407 = « La mémoire de la souffrance, facteur de l'avenir », édit. fr. Conc. n° 76 (1972), pp. 9-25; Id., « Erinnerung des Leidens als Kritik eines teleologisch-technologischen Zukunftsbegriffs », dans EvTh 32 (1972), pp. 333 ss.; Id., Erlösung und Emanzipation, dans StdZ 98 (1973), pp. 171-184; Id., Article « Erinnerung », dans *Handb. philos. Grundbegriffe* I, Munich, 1973, pp. 386 ss.; Id., « Kleine Apologie des Erzählens », dans : Conc. 9 (1973), pp. 334-341 = « Petite apologie du récit », édit. fr. Conc. n° 85 (1973), pp. 57-69. — Sur la « théologie narrative », cf. aussi G. Lohfink, « Erzählung als Theologie. Zur sprachlichen Rundstruktur des Evangeliums », dans StdZ 192 (1974), pp. 521-532.

7. Comme exemple caractéristique (en plus des travaux de J. B. Metz, cités à la note 6), cf. J. Moltmann (cf. p. 175 n. 49), mais aussi H. Urs von Balthasar déjà (cf. p. 173, n. 41) et H. Mühlen (cf. p. 173, n. 41); cf. encore p. 171, n. 35.

8. Surtout dans la théologie luthérienne des dernières décades marquée par la « Renaissance de Luther »; cf. la littérature citée dans EvTh 33 (1973), n° 4 (voir n. 1); ces dernières années, il y a eu surtout les échanges de vues du Comité théologique de l'EKU, cf. Fr. Viering (édit.), *Zur Bedeutung des Todes Jesu. Exegetische Beiträge* (de E. Käsemann, H. Conzelmann, E. Haenchen, E. Flessmann - van Leer, E. Lohse), Gütersloh, ¹ ²1967; Fr. Viering (édit.),

de nouveau à ces profondeurs que dans une expérience apocalyptique de l'histoire.)

Il ne suffit pas de dire que la staurologie est au centre de la théologie spéculative en tant que celle-ci cherche à renouveler son intelligence de Dieu (comme Trinité) [9] et que, ce faisant, elle ne perd pas de vue le problème de la théodicée et voudrait reconsidérer la christologie à la lumière de la croix tout en proposant à cette lumière une nouvelle anthropologie ainsi qu'un projet nouveau de vie sociale et de critique de la société. Il faut ajouter que, tout au moins dans les régions où des communautés chrétiennes prolongent leur existence à l'ombre de la croix, dans la pauvreté ou dans la persécution, le sens de la croix redevient une réalité vécue. Cela n'a rien de comparable, il est vrai, à ce qu'on pourrait appeler un « mouvement », comme par exemple le mouvement charismatique qui est plutôt centré sur Pâques et sur la Pentecôte [10], et qui de nos jours fait une percée surprenante ou bien le

Das Kreuz Jesu Christi als Grund des Heils (contributions de E. Bizer, J. F. G. Goeters, W. Schrage, W. Kreck, W. Fürst), Gütersloh, 1967; Berlin, 1969; Fr. VIERING (édit.), *Zum Verständnis des Todes Jesu. Stellungnahme des Theologischen Ausschusses und Beschluss der Synode der Evangelischen Kirche der Union*, Gütersloh, 1-31968; Fr. VIERING, *Der Kreuzestod Jesu. Interpretation eines theologischen Gutachtens*, Gütersloh, 1969, 21970. En relation avec ce travail il faut citer aussi : G. DELLING, *Der Kreuzestod Jesu in der urchristlichen Verkündigung*, Göttingen, 1971. Cf. aussi P. RIEGER (édit.), *Das Kreuz Jesu. Theologische Überlegungen*, Göttingen, 1969. D'un point de vue historique et critique, cf. l'étude récente de H.-W. KUHN, « Jesus als Gekreuzigter in der frühchristlichen Verkündigung bis zur Mitte des 2. Jahrhunderts », dans ZThK 72 (1975), pp. 1-46.

9. H.-G. LINK présente ainsi les points sur lesquels on fut d'accord au congrès mentionné à la note 1 : « Dans l'appréciation sur la situation de l'histoire de la théologie, on fut unanime à estimer que le temps de la conception traditionnelle de Dieu, empreinte d'un (mono-)théisme non dialectique, est irrévocablement révolu et que l'une des tâches principales de la théologie à venir sera d'opérer une christianisation énergique dans le concept de Dieu. On fut également d'accord pour penser que le point de départ décisif d'un discours sur Dieu, vraiment chrétien, fondé christologiquement et développé dans sa dimension trinitaire, ne peut pas être la vie de Jésus ni sa résurrection, mais sa mort sur la croix où se rencontrent les deux aspects précédents. »

10. Voir par exemple O. SIMMEL, « Die Katholische Pfingstbewegung in den USA », dans IKZ 2 (1973), pp. 148-157. On trouvera d'autres éléments de bibliographie chez J. KREMER, « Begeisterung und Besonnenheit. Zur heutigen Berufung auf Pfingsten, Geisterfahrung und Charisma », dans *Diakonia* 5

mouvement pour un retour à la méditation [11], (une méditation qui pénètre rarement jusqu'aux ténèbres de la croix), ou encore (et souvent orchestré par la propagande) le « mouvement-Jésus » avec, d'une part, les partisans de Jésus [12] engagés dans l'action et, d'autre part, un *Jesus-people* enthousiaste. Cependant, il s'agit bien là d'un fait de vie, discret mais efficace, et qu'il ne faut pas ignorer. On ne peut pas dire encore ce qu'il en adviendra ni les répercussions qu'il aura sur le monde et sur l'Église [13].

Avec le thème de la croix en tout cas il semble que nous abordions un thème tout à fait actuel, qui devrait avoir un avenir considérable car il concerne à la fois l'Église et le monde pour autant que la relation de l'Église au monde, ou du monde à l'Église, y renouvelle son orientation — sous la forme certes d'une opposition fondamentale, mais aussi sous la forme d'une tension dialectique où l'histoire pourrait trouver une impulsion nouvelle.

La situation et le langage de la nouvelle recherche sur Jésus ont suggéré le *titre* de cet ouvrage [13a].

(1974), pp. 155-168 (notes 3 et 4) et chez W. KASPER, *Einmaligkeit* (cf. p. 153, n. 8), p. 8, n. 19. E. D. O'CONNOR, *Spontaner Glaube*, Fribourg en B., 1974; S. GROSSMANN (édit.), *Der Aufbruch. Charismatische Erneuerung in der katholischen Kirche*, Kassel, 1974; H. MÜHLEN, « Charismatisches und sakramentales Verständnis der Kirche. Dogmatische Aspekte der charismatischen Erneuerung », dans Cath 20 (1974), pp. 169-187 (avec bibliographie récente).

11. Dans le genre information, cf. par exemple J. SAUER, « Neues Bewusstsein durch Meditation? Methode, Motive und Ziele gegenwärtiger Meditationsbewegung », dans HerKorr 27 (1973), pp. 304-310.

12. Voir par exemple N. GREINACHER (édit.), « Rückfrage nach der Sache Jesu », dans *In Sachen Synode*, Düsseldorf, 1970, pp. 164-167; H.-G. LINK, « Die Geschichte Jesu als Modell und Kritik Gegenwärtiger Protestbewegungen », dans J. SCHIERSE (édit.), *Jesus von Nazareth*, Mayence, 1972, pp. 97-109; J. NOLTE, « Die Sache Jesu und die Zukunft der Kirche », *ibid.*, pp. 214-233. — Position critiquée par W. KASPER, « Die Sache Jesu. Recht und Grenzen eines Interpretationsversuches », dans HerKorr 26 (1972), pp. 185-189; ID., « Der Glaube an die Auferstehung Jesu vor dem Forum historischer Kritik », dans ThQ 153 (1973), pp. 231-235 (contre R. Pesch).

13. Dans le genre « informations » cf. par exemple W. KROLL, *Jesus kommt. Report der « Jesus-Revolution » und der Hippies und Studenten in USA und anderswo*, Wuppertal, [4]1971.

13a. Pour faciliter l'intelligence de ce paragraphe et des suivants, précisons que le titre allemand de l'ouvrage était : « Jesu ureigener Tod. Exegetische

Le titre principal d'abord demande quelques explications. Depuis une vingtaine d'années, les exégètes, les théologiens, mais aussi les chrétiens, par leur comportement et en vue de mieux comprendre leur propre situation, s'interrogent avec un intérêt croissant sur le Jésus pré-pascal [14]. Au commencement, on croyait ne pouvoir émettre des affirmations quelque peu sûres qu'en référence aux « paroles prononcées par Jésus lui-même » (les *ipsissima verba Jesu*) [15]. Mais on prit de plus en plus conscience qu'il était très important de comprendre les paroles de Jésus à la lumière de ses actions (bien que, naturellement, ses actions ne s'éclairent en fin de compte qu'à partir de ses paroles, qui les interprètent) [16]. Il devint donc important de s'interroger sur les « actions propres de Jésus » [17] (les *ipsissima facta Jesu*) [18]. Comme l'accès aux *ipsissima verba et facta* de Jésus présente, au niveau de la méthode, des difficultés considérables, on s'interroge avec plus de chances de succès sur l' « orientation » [19] de son activité (et de ses discours), et plus profondément encore sur l' « intention » (l'*ipsissima intentio* [20]) qui l'animait. Mais il n'y a pas de doute que les paroles, les actions et l'intention de Jésus, nous ne les

Besinnungen und Ausblick »; ce qui peut se traduire d'une manière très littérale : La mort tout à fait personnelle de Jésus. Réflexions exégétiques et perspectives. (N. d. T.)

14. A titre d'introduction, cf. notre aperçu : « Zur aktuellen Situation der Leben-Jesu-Forschung », dans : GuL 46 (1973), pp. 300-310 (avec bibliographie). On trouvera d'autres comptes rendus sur la recherche néotestamentaire dans W. KASPER, Einmaligkeit (cf. p. 153 n. 8) p. 2 n. 3; E. GRÄSSER, « Motive und Methoden der neueren Jesus-Literatur. An Beispielen dargestellt », dans BeihEvTh 18 (1973), pp. 3-45.

15. C'est J. JEREMIAS surtout qui, à la suite de son maître G. DALMAN et en avance sur son temps, a contribué à établir la solidité historique de ces paroles; cela a été la grande tâche de sa vie. Pour un exposé synthétique, voir maintenant sa *Neutestamentliche Theologie.* Erster Teil : *Die Verkündigung Jesu,* Gütersloh, 1971 = Tr., *Théologie du Nouveau Testament,* I. : *La Prédication de Jésus,* Paris, édit. du Cerf, 1973.

16. Sur ce point, voir les pp. 83 s. et 117-127.

17. C'est le titre de l'ouvrage de R. PESCH (QD 52), Fribourg-Bâle-Vienne, 1970.

18. Sur cette expression, cf. *infra* p. 85, n. 4a.

19. Cf. A. VÖGTLE, dans R. KOTTJE-B. MÖLLER (édit.), *Ökumenische Kirchengeschichte* I, Mayence-Munich, 1970, p. 23.

20. Cf. W. THÜSING, dans K. RAHNER - W. THÜSING, *Christologie - systematisch und exegetisch* (QD 55), Fribourg-Bâle-Vienne, 1972, pp. 182-184.

connaissons en fin de compte qu'à partir du contexte dans lequel s'est joué le destin de Jésus et à partir du comportement qu'il a eu face à ce destin, surtout à partir de la mort qui lui a été dévolue et à laquelle il s'est lui-même voué [21]; si bien que, pour comprendre Jésus, le problème de sa mort a une importance capitale [22].

Mais nous voudrions que le titre de notre ouvrage soit compris d'une manière encore plus profonde : tout homme, à la fin de sa vie, affronte sa propre mort; et celle-ci lui est d'autant plus personnelle que sa vie a été plus authentique et plus riche. En ce sens déjà, on pourrait parler d'une mort de Jésus qui lui est « absolument personnelle » (*ureigenem*); quand on songe, en effet, à ce qu'a été sa vie, on ne peut s'empêcher de penser que Jésus a affronté la mort — qui a été son destin comme elle est le destin de tout homme — dans une attitude d'authenticité et de don de soi tout à fait unique, c'est-à-dire d'une manière tout à fait personnelle; si bien que cette mort nous offre l'exemple le plus haut qu'on puisse imaginer d'une attitude humaine ouverte sur la transcendance, sur Dieu. En ce sens, la mort de Jésus aurait été un événement unique; elle signifierait l'ouverture de la création sur Dieu dans une attitude théocentrique parfaite. Bien sûr, une telle mort, achevant une existence totalement verticale, totalement donnée à Dieu, ne suffirait pas à expliquer la « pro-existence » [22a] parfaite de Jésus au plan horizontal : son engagement « pour nous » en tant qu' « homme pour les autres », pour « le salut du monde » [23] (cette pro-existence ne s'expliquerait pas davantage en vertu de la solidarité de Jésus avec l'humanité, au plan naturel et au plan de l'histoire du salut). La croix, écartèlement de cette « pro-existence » verticale et horizontale de Jésus, ne pouvait faire de cette mort une mort salutaire qu'à une condition : à condition que ce soit Dieu lui-même qui, dans cette « pro-existence » déchirée, se donne comme l'Emmanuel.

21. Sur ce point, cf. *infra* pp. 21 ss., spéc. pp. 42-51.

22. H.-G. LINK, Probleme (cf. n. 1) note que, au congrès de Grafrath, « on put remarquer une ligne d'interprétation commune sur le fond des choses, dans la mise en relief de l'amour qui a porté Jésus à se dépouiller lui-même et à se donner jusqu'à mourir sur la croix ».

22a. Ce mot est la simple transcription du terme « Proexistenz » qui revient souvent dans le texte allemand au sens de « existence-pour-les-autres », vécue au service des autres. (N. d. T.).

23. Sur ce point, cf. *infra* pp. 164-178.

En tant que mort du Fils « livré » par le Père (Rom 8,32; cf. Jn 3,16), du Fils qui se « livra » lui-même (Gal 2,20; Ep 5,2.25 et passim)[24], la mort de Jésus fut d'une manière exceptionnelle une mort salutaire et la plus personnelle qui soit. Or dans l'acte de « livrer » par amour celui « qui se livre lui-même par amour », Dieu se définit comme amour (1 Jn 4,8); et ce don identique (du Père et du Fils) peut être désigné comme l' « Esprit »[25]; c'est tout cela que la foi découvre dans cette « mort absolument personnelle » de Jésus[26].

Le *sous-titre* de ce livre demande, lui aussi, une explication. Les quatre articles réunis dans ce volume ont pour origine des conférences qui se situent à la lisière de ce discours (ou de ce silence) dans lequel la mort de Jésus est présente. Elles ont ceci de commun qu'elles ont toutes été données dans le cadre d'une communication théologique ou kérygmatique. Elles ont été complétées en vue de l'impression, les notes en particulier; pour la présente édition, elles ont été revues une fois encore en fonction de la littérature récente, et plus ou moins élargies. Le genre littéraire de ces conférences était passablement varié : la première fut donnée devant des collègues, la deuxième comme leçon d'hôte invité, la troisième a été élaborée avec des étudiants en théologie, la quatrième fut donnée devant des ecclésiastiques et dans des organismes culturels. Ces études ont d'abord paru dans des périodiques et des volumes d'hommages; même réunies, elles ne peuvent ni ne veulent aucunement présenter une théologie complète de la croix; mais elles voudraient fonder et étayer ce que nous pouvons apprendre de la tradition pré-pascale sur l'attitude de Jésus devant sa mort (I), rendre intelligible et vraisemblable le don que Jésus a fait de lui-même dans l'Eucharistie (II), montrer que cet abaissement de

24. Pour plus de détails, cf. W. POPKES, *Christus traditus. Eine Untersuchung zum Begriff der Dahingabe im Neuen Testament* (AThANT 49), Zurich, 1967.

25. Sur ce point voir par exemple H. MÜHLEN, *Die Veränderlichkeit Gottes als Horizont einer zukünftigen Christologie. Auf dem Wege zu einer Kreuzestheologie in Auseinandersetzung mit der altkirchlichen Christologie*, Münster, 1969, spéc. pp. 23 ss. : « Das Pneuma als das Wesen des Wesens Gottes »; ID., *Der Heilige Geist als Person*, Münster, 1963.

26. Sur ce point, cf. *infra* pp. 170-178.

Jésus est la règle déterminante de la vie morale (III) et qu'il est une réalité prégnante pour l'avenir (Perspectives).

Les articles ici réunis n'ont pas été conçus dès le point de départ en fonction du titre de cet ouvrage; c'est plus ou moins par hasard qu'ils se sont rencontrés sur ce thème. Mais au-delà de cette parenté de sujet, ils ont encore ceci de commun qu'ils indiquent des possibilités de solution qui, dans la recherche exégétique ou théologique actuelle, sont loin d'être unanimement reconnues. Ils ne voudraient pas être davantage qu'une contribution à la discussion en cours. La thèse de la *première étude,* selon laquelle Jésus, dès avant Pâques, a compris et affronté sa mort dans une attitude « pro-existante », n'est pas du tout considérée par la recherche critique comme allant de soi. Mais lorsque les études actuelles sur Jésus cherchent un lien de continuité entre la proclamation post-pascale centrée sur la résurrection du Crucifié et la proclamation de l'Évangile par Jésus, avant Pâques, c'est bien sur ce point d'abord qu'il faudrait chercher un terme susceptible d'assurer cette continuité, — en dépit, évidemment de toutes les ruptures [27]. La thèse de la *deuxième étude* n'est pas davantage un bien commun de la recherche critique; on n'admet pas communément que, dès la dernière Cène déjà, Jésus, en rompant le pain et en tendant la coupe, a voulu offrir, dans une attitude de service, le salut eschatologique; salut que, malgré sa mort imminente — bien plus : par cette mort — il a effectivement réalisé, et qui certes ne pouvait donner tout son fruit eschatologique qu'après l'événement de Pâques. Enfin, aux yeux des exégètes et des moralistes d'aujourd'hui, il ne va nullement de soi qu'il y a un contenu spécifiquement biblique de la moralité chrétienne, ou tout au moins que celle-ci a un caractère propre qui lui vient essentiellement de la mort de Jésus, ce qui est à peu près la thèse de la *troisième étude,* fondée sur le comportement et l'enseignement de Jésus.

Aux trois études d'exégèse ici rassemblées, on a joint une « méditation théologique »; cela demande une explication particulière, d'autant plus que cette méditation se situe plutôt dans le domaine de la « haute vulgarisation » [27a] et abandonne le terrain solide du travail exégétique fondé sur le texte. Mais il

27. Sur ce point, cf. le résultat du congrès de Grafrath; cf. aussi *infra* p. 80, n. 174.

27a. En Français dans le texte (N. d. T.).

arrive souvent aujourd'hui que des théologiens écrivent des travaux exégétiques qu'il faut prendre au sérieux, tandis que les spécialistes de l'exégèse, consciemment ou inconsciemment, apportent souvent dans leur travail — à titre de précompréhension herméneutique tout au moins — une dose respectable de réflexion systématique. Les éditeurs ont exprimé le désir de publier aussi cette « méditation théologique », se référant au projet de la collection qui prévoit un certain dialogue interdisciplinaire. Ces « perspectives » peuvent donc dans une certaine mesure servir d' « horizon » aux trois études exégétiques, en ce sens qu'elles leur offrent une perspective plus large (et permettent aussi peut-être d'accéder à une vision plus profonde).

Les trois études exégétiques ont paru pour la première fois dans des volumes d'hommages dédiés à des professeurs et collègues : (I) à *Joseph Schmid* (Munich), (II) à *Gerhard Delling* (Halle/Saale) et (III) à *Rudolf Schnackenburg* (Wurtzbourg). La théologie veut contribuer pour sa part à la proclamation de l'Évangile. Aussi nous dédions la « méditation théologique » finale aux proclamateurs de la parole qui, en un temps marqué par l' « absence de Dieu », s'efforcent de prêcher d'une manière qui réponde aux besoins de la situation.

Erfurt, le 28 août 1974

Heinz Schürmann.

CHAPITRE I

COMMENT JÉSUS A-T-IL AFFRONTÉ ET COMPRIS SA MORT?

Réflexions critiques sur la méthode *

« La gêne la plus grande qu'éprouve celui qui veut tenter de reconstruire le portrait moral de Jésus tient au fait que nous ne pouvons pas savoir comment Jésus a compris sa fin, sa mort... Lui a-t-il trouvé un sens? Et si oui, lequel? Nous ne pouvons pas le savoir [1]. » Telle est sous sa forme lapidaire la position de Rudolph Bultmann, que nous trouvons dans le champ de la recherche néo-testamentaire au milieu d'un amas de ruines qui semblent rendre vain tout essai de reconstruction. Comment

* Publié pour la première fois dans : *Orientierung an Jesus. Zur Theologie der Synoptiker* (Mélanges offerts à J. Schmid), Fribourg en Br., 1973, pp. 325-363. Ce travail est repris ici avec de légères corrections et des apports nouveaux, spécialement dans les notes (encore augmentées dans la traduction française).

1. Cf. R. BULTMANN, *Das Verhältnis der urchristlichen Christusbotschaft zum historischen Jesus* (AAH, H. 3), Heidelberg, 1960, p. 11 s. Parmi ceux qui ont exprimé leur accord avec Bultmann, notons W. SCHRAGE, « Das Verständnis des Todes Jesu Christi im Neuen Testament », dans *Das Kreuz Jesu Christi als Grund des Heils* (édit. par F. VIERING), Berlin, 1969, pp. 45-86, ici p. 51, n. 17; G. KLEIN, « Bibel und Heilsgeschichte », dans ZNW 62 (1961), p. 20, n. 76; E. JÜNGEL, *Tod*, Stuttgart-Berlin, 1971, p. 133. W. MARXSEN est plus prudent, cf. « Erwägungen zum Problem des verkündigten Kreuzes » (1961/62), dans *Der Exeget als Theologe* (recueil d'articles), Gütersloh, 1968, pp. 160-170; p. 163 : « La position personnelle de Jésus sur sa mort ne peut pas être atteinte *directement* (souligné par l'auteur), mais seulement d'une manière indirecte, à partir de ' ce qu'ont attesté les témoins ' ».

R. Bultmann — et avec lui une grande partie des chercheurs actuels — en vient-il à un tel jugement? Celui-ci, il n'y a pas de doute, est motivé par la situation très délicate des sources, qui ne jettent qu'une lumière parcimonieuse sur cette zone obscure de l'histoire. Mais le point décisif est ailleurs : ce jugement est commandé par un préjugé théologique qui fait que, dans cette recherche du « portrait moral de Jésus » — s'agit-il vraiment de cela? —, on est intéressé davantage par un résultat négatif que par un acquis véritable.

Nous ne pouvons répondre à la question posée dans le titre de cette étude que si nous faisons d'abord, en guise d'*introduction,* quelques remarques critiques sur la méthode.

A) Commençons par la *question théologique et herméneutique :*

1. R. Bultmann — et avec lui une certaine théologie kérygmatique unilatérale — est tellement préoccupé par le souci de couper court à toute tentative de « prouver la légitimité du kérygme par une recherche scientifique »[2] que déjà la question de savoir si Jésus a affronté sa mort dans une attitude « pro-existante » ne présente pour lui aucun intérêt; bien plus, elle représente un danger pour la notion de kérygme et la notion de foi. Selon W. Schrage[3], « Il est presque inévitable qu'une théologie qui a conscience de ce qu'elle doit à la critique historique et à la *theologia crucis* des origines chrétiennes, se heurte sans cesse à une position théologique » qui tend à « domestiquer la critique historique et à enlever sa force au kérygme ». C'est pourquoi celui qui comprend le kérygme de cette manière n'interprétera pas « la mort de Jésus et sa signification pour le salut à partir de l'horizon du Jésus pré-pascal, mais uniquement à partir de Pâques[4] ». Nous nous demanderons ci-dessous (dans la conclusion pp. 78 ss.) si cette manière de comprendre la révélation et le kérygme « unique-

2. R. BULTMANN, *Verhältnis* (cf. n. 1) p. 13.

3. W. SCHRAGE, *Verständnis* (cf. n. 1) p. 49.

4. *Ibid.*, p. 49 (cf. également pp. 56-65). — Mais voir aussi les déclarations plus récentes de W. SCHRAGE, rapportées par H.-G. LINK (cf. *infra* n. 174).

ment à partir de Pâques » est tenable au point de vue exégétique et théologique. Il suffit ici de constater qu'il est possible de s'intéresser aussi à la « pro-existence » du Jésus terrestre, à condition de ne pas abuser de la recherche historique dans le but de « justifier » (*legitimieren*) le kérygme et par là même lui « enlever sa force ». « La foi vient de la prédication et la prédication, c'est l'annonce de la parole du Christ » (Rm 10,17). Mais tôt après Pâques déjà, on rencontre une prédication qui ne permet pas de douter que dans la mort de Jésus ce n'est pas uniquement Dieu qui se révèle « comme celui qui, d'une manière paradoxale, agit dans la croix de Jésus en vue du salut du monde[5] »; Jésus également s'y révèle comme celui qui meurt « pour nos péchés » (cf. seulement 1 Co 15,3)[6]. Dans les anciennes formules de foi déjà, l'action de Dieu pour le salut du monde est proclamée comme une action que Jésus a reprise dans sa vie et dans sa mort : Celui qui est « livré » (Rm 8,32 et souvent) est celui qui « se livre » (Ga 1,4; 2,20; Ep 5,2.25; 1 Tm 2,6; Tt 2,14; Mc 10,45). La foi — et surtout la foi d'aujourd'hui — ne s'intéresse pas seulement au « fait que » Jésus est mort; elle s'intéresse aussi foncièrement à la question de savoir comment Jésus a compris sa mort et l'a affrontée; et cela, non pas parce qu'elle s'intéresse d'un point de vue biographique « au portrait moral de Jésus », mais parce qu'elle a une conception de la révélation plus complète que celle d'une certaine théologie kérygmatique unilatérale.

2. De nos jours on s'interroge de nouveau avec beaucoup d'intérêt sur la « cause de Jésus » (« *Sache Jesu* »)[6a]; or celle-ci

5. W. SCHRAGE, *Verständnis*, p. 57.

6. Cf. là-dessus W. POPKES, *Christus traditus. Eine Untersuchung zum Begriff der Dahingabe im Neuen Testament* (AThANT 49), Zurich-Stuttgart, 1967; G. DELLING, *Der Kreuzestod Jesu in der urchristlichen Verkündigung*, Berlin, 1971, spéc. p. 72. Avec plus de nuances, J. ROLOFF, « Anfänge der soteriologischen Deutung des Todes Jesu » (Mc X.45 et Lc XXII.27), dans NTS 19 (1972/73), pp. 38-64. — Pour plus de détails cf. le chap. II et le dernier paragraphe (« *Perspectives* ») de ce volume.

6a. Cette expression, qui est de Willi Marxsen, a été traduite de différentes manières : la « cause de Jésus », la « réalité de Jésus », l' « affaire Jésus » et, d'une manière pas très heureuse, la « chose » de Jésus. — Rappelons simplement que Willi Marxsen emploie cette expression en référence à l'expérience pascale, et plus précisément, à la rencontre du Ressuscité avec les disciples. « L'essence de la rencontre avec Jésus serait un « voir », et un voir est justement comprise comme engagement « pro-existant » de Jésus, engagement dans lequel il a persévéré à travers la souffrance jusqu'à la fin, jusqu'à l'extrême (cf. Jn 13,1). On s'interroge à ce sujet non seulement dans la recherche exégétique savante, qui fait preuve d'ailleurs d'une certaine timidité, mais encore et surtout dans la poursuite du plein accomplissement de la vie chrétienne[7]; il est vrai que ces recherches sont empreintes d'un certain « jésuanisme » superficiel qui, dans une grande mesure, enlève au kérygme sa force et vide la christologie de sa substance[8]. Mais cela ne devrait pas être.

Le Jésus de l'engagement, le Jésus en tant qu' « homme pour les autres » — et il faut ajouter : « pour le Tout-Autre »[9] — en qui on découvre l'engagement de Dieu pour le monde : voilà une donnée qu'il est peut-être bien permis d'introduire, à titre de pré-compréhension herméneutique, pour reposer la question de l'*hyper* en se demandant s'il n'a pas une origine pré-pascale; il faut naturellement toujours procéder avec une grande souplesse critique et rester prêt à mettre en question cette pré-compréhension si l'état des sources historiques le demande. S'il y a une « continuité de l'évangile dans la discontinuité des temps et les variations du kérygme »[10], ou en

fonctionnel orienté sur une mission. Il s'ensuivrait que l'expérience de la rencontre du Ressuscité avec ses disciples consiste proprement dans la continuation de l'œuvre de Dieu en Jésus (*Die Sache Jesu geht weiter*) ». Ainsi s'exprime le P. Xavier Léon-Dufour, dans une brève présentation et une appréciation critique du point de vue de Willi Marxsen (cf. *La Résurrection du Christ et l'exégèse moderne* (Lectio divina 50), Paris, Éd. du Cerf, 1969, p. 161. Voir aussi *infra* pp. 61 s. (N. d. T.)

7. Cf. par ex. N. Brox, « Zur unterrichtlichen Notwendigkeit der Frage nach dem historischen Jesus », dans KatBl 92 (1967), pp. 35-40; cette étude prolonge celle de H. Stock, « Das Verhältnis der Christusbotschaft der synoptischen Evangelien zum historischen Jesus als Problem des biblischen Unterrichts in der Schule », dans *Zeit und Geschichte* (Mélanges offerts à R. Bultmann pour son 80e anniversaire),Tübingen, 1964, pp. 703-717.

8. Cf. *supra* p. 15, n. 12; voir par contre l'étude très éclairante de W. Kasper, « Die Sache Jesu. Recht und Grenzen eines Interpretationsversuches », dans HerKorr 26 (1972), pp. 185-189.

9. On trouvera l'esquisse d'un programme (problématique, bien sûr) dans R. Schäfer, *Jesus und der Gottesglaube*, Tübingen, 1970. — Voir aussi plus loin p. 164 s.

10. Cf. E. Käsemann, « Das Problem des historischen Jesus (1953) », dans ExVub I, Göttingen, 61970, pp. 187-214, ici p. 213 (Tr., « Le Problème du

d'autres termes, si malgré toutes les variations il existe tout de même une continuité entre la prédication pré-pascale de Jésus et le kérygme d'après Pâques, cette continuité (dans la réalité tout au moins, sinon dans les mots) devrait pouvoir être montrée au cœur du kérygme : dans le *hyper* christologique [11]. Est-il vrai que « la croix établit une discontinuité particulièrement tranchante entre la prédication *de* Jésus et la prédication *sur* Jésus », comme le pense W. Schrage [12]? Quand on s'interroge sur la continuité de l'*hyper* dans le kérygme, il ne suffit pas sans doute de montrer l'existence d'une certaine conformité entre la période qui précède Pâques et celle qui suit; plus précisément : il ne suffit pas de montrer « que, effectivement, certains traits de la prédication et du comportement de Jésus relatifs à l'interprétation de sa mort se retrouvent dans le kérygme primitif [13] ». Il ne suffit pas non plus de reconnaître simplement, comme c'est le cas le plus souvent dans la *New Quest* [14] de Jésus, que la conception de l'existence de Jésus, présentée par le kérygme, correspond à celle qui est contenue implicitement dans l'histoire de Jésus. Lorsque nous nous interrogeons sur la continuité de l'*hyper* dans la discontinuité des temps et les variations du kérygme, nous ne voudrions donc d'aucune manière « justifier » [15] le kérygme et la foi par

Jésus historique », dans *Essais exégétiques,* Neuchâtel, Delachaux et Niestlé, 1972, pp. 145-173, ici p. 172.

11. Chez E. LOHSE, par exemple, *Märtyrer und Gottesknecht,* Göttingen, 1955, pp. 131-135 et chez W. POPKES, *Christus traditus* (cf. *supra* n. 6), il apparaît nettement que ce « hyper » peut très bien être compris comme le résumé central du message du Nouveau Testament. Cf. aussi H. RIESENFELD, Article « hyper » dans ThW VIII (1969), pp. 510-518.

12. W. SCHRAGE, Verständnis (cf. n. 1), p. 49; le point de vue adopté ici est répandu.

13. W. SCHRAGE, *ibid.*

14. Cf. J. M. ROBINSON, *Kerygma und historischer Jesus,* Zurich-Stuttgart, ²1967, p. 176 (= Tr., *Le Kérygme de l'Église et le Jésus de l'histoire,* Genève, Éd. Labor et Fides, 1960). — Il faut aller plus loin et se demander aussi s'il n'y a pas une « continuité des signes dans la discontinuité des temps »; c'est ce que nous avons fait dans notre étude du Chap. II : « La survie de la cause de Jésus dans le repas du Seigneur, après Pâques », *infra* pp. 83-116 cf. aussi notre étude antérieure, citée p. 101, n. 46.

15. Toutefois, il est permis de rappeler que, étant admis que la foi est un don, la tentative ultérieure pour montrer son caractère raisonnable est légitime et engage même la responsabilité morale; cf. aussi W. MARXSEN, *Erwägungen* (cf. n. 1), spéc. p. 166 s.; mais la démarche de Marxsen est unilatérale quand il veut contrôler le kérygme christologique par le kérygme sur Jésus et le justifier à

des preuves historiques, et par là même les « exténuer »; au contraire, nous voudrions montrer leur autorité, en nous référant à la révélation, et leur donner toute leur force, en restant à l'intérieur de la foi. Peut-être qu'une compréhension moins étriquée de la révélation, qui engloberait franchement la venue de Jésus, procurerait au point de vue herméneutique un regard neuf sur la question historique [16] qui est obscurcie par le préjugé que nous avons signalé.

B) Nous voici donc confrontés au *problème des sources* et plus précisément à une *appréciation critique de la méthode* avec laquelle on aborde ce problème :

L'état des sources permet-il des affirmations historiques sur la question de savoir comment Jésus a affronté sa mort et comment il l'a comprise?

1. Une recherche critique ne peut pas partir du principe *in dubio pro tradito;* à une époque où les esprits sont exigeants, elle devra au contraire — avec toute la réserve nécessaire qui s'impose en ce qui concerne le fond du problème — travailler en s'inspirant du « principe critique fondamental » qu'est le doute méthodique, encore qu'il n'y ait « absolument aucun motif de penser » que « l'authenticité historique d'une tradition ne peut être évidemment qu'une exception » [17]. Cela vaut tout particulièrement lorsqu'il s'agit de sources qui de part en part sont imprégnées de kérygme. « Lorsque... l'ensemble de la tradition sur Jésus utilisée dans les évangiles provient de la communauté croyante et messagère de l'Évangile, il n'y a

partir de ce dernier. Si le contenu de la révélation et du kérygme est la résurrection de « Celui qui est venu » et a été crucifié, il n'est pas légitime de poser une telle alternative; voir les remarques en conclusion de ce chapitre, p. 78 s.

16. Cf. par contre H. SCHLIER, « Zur Frage : Wer ist Jesus? », dans : *Neues Testament und Kirche* (Mélanges offerts à R. Schnackenburg), Fribourg en Br., 1974, pp. 359-370 (étude qui témoigne d'une compréhension de l'histoire où l'historicisme est surmonté); voir également *infra* n. 29.

17. Sur ce point il faut donner raison à W. G. KÜMMEL, *Die Theologie des Neuen Testaments nach seinen Hauptzeugen Jesus-Paulus-Johannes* (N.T.D. Vol. 3), Göttingen, 1969, p. 24 (mais, ici même, Kümmel met en question le principe critique fondamental du doute méthodique).

qu'un examen critique de chacune des traditions isolées qui permette de décider si, et dans quelle mesure, cette tradition remonte à la période pré-pascale et reproduit avec fidélité la réalité historique, en ce qui concerne Jésus et son enseignement [18]. »

Appliqué à la tradition sur Jésus, ce principe critique fondamental devient le « principe critique de tri » que E. Käsemann, à la suite de R. Bultmann [19], formule ainsi : « Il n'y a qu'un seul cas où nous nous trouvons sur un terrain passablement sûr : lorsqu'il n'est pas possible, pour quelque raison que ce soit, de faire dériver la tradition du judaïsme ou de l'attribuer à la chrétienté primitive [20]. »

Si nous abordons les déclarations de Jésus sur sa mort en utilisant ce principe critique de tri, nous aboutissons sans peine au résultat totalement négatif de R. Bultmann, que nous avons cité au début de cette étude : « Nous ne pouvons pas savoir... » Voici, en effet, ce qu'il en est de ces déclarations :

a) La *prédiction « ouverte » de la passion* que la tradition nous livre sous des formes variées [21] Mc 8,31 parr. (cf.

18. W. G. KÜMMEL, *ibid.*, p. 23.

19. R. BULTMANN, *Die Geschichte der synoptischen Tradition,* Göttingen [8]1970, pp. 132 ss., 222. (= Tr., *L'histoire de la tradition synoptique,* Paris, Éd. du Seuil, 1973. — Les précurseurs sont signalés par M. LEHMANN, *Synoptische Quellenanalyse und die Frage nach dem historischen Jesus* (BeihZnW 38), Berlin, 1970, spéc. pp. 178-186.

20. E. KÄSEMANN, *Problem* (cf. n. 10), p. 205 (= Tr., p. 164); position semblable chez H. CONZELMANN dans RGG III ([3]1959), p. 623; G. EBELING, *Das Wesen des christlichen Glaubens,* Tübingen, 1959 (= Tr., *L'essence du christianisme,* Paris, Éd. du Seuil, 1970); N. PERRIN, *Rediscovering the Teaching of Jesus,* Londres, 1967 = (trad. allemande : *Was lehrte Jesus wirklich,* Göttingen, 1972); J. JEREMIAS, *Neutestamentliche Theologie* I, Gütersloh, 1971, p. 14 (point de vue critique) = Trad. fr. (cf. ci-dessus p. 16 n. 15), pp. 9-10; F. HAHN, *Rückfrage* (cf. n. 29), pp. 33 s. (avec des réserves). — Cf. aussi *infra* n. 41.

21. La forme relativement la plus primitive semble être celle de Mc 9, 31 ; cf. H. SCHÜRMANN, *Das Lukasevangelium* I (HThK III/1), Fribourg en Br.-Bâle-Vienne, 1969, pp. 356 ss.; cf. aussi W. POPKES, *Christus traditus* (cf. n. 6), pp. 226. Mais tous les essais de reconstruction d'une « forme primitive » postulée — par ex. Mc 9,31a; ainsi J. JEREMIAS, *Neutestamentliche Theologie* I (cf. n. 20), p. 267 s. = Trad. fr., p. 352 — restent hypothétiques et ne donnent pas la garantie souhaitée, ni un recours à Lc 17,25; contre W. G. KÜMMEL, *Theologie* (cf. n. 17) p. 79 s. Cf. aussi J. ROLOFF, *Deutung* (cf. n. 6), pp. 39 ss.; H. PATSCH, *Abendmahl und historischer Jesus* (Calwer Theol. Mon. A/1), Stuttgart, 1972, pp. 185-197.

Lc 17,25); 9,31 parr; 10,33 s. parr. (cf. Mc 14,21 parr.; 14,41 par. Mt, cf. Lc 22,48; 24,7; Mt 12,40; 26,2)[22] est tellement sujette à l'accusation d'être un *vaticinium ex eventu* qu'elle n'offre aucune base de départ convenable pour une recherche critique [23].

b) Nous avons une situation analogue pour les *prédictions « voilées » de la passion* comme Lc 11,29 s. par.; 12,49 s. [23a]; 13,31 s. 33 s. P.; 13,3 s. par.; Mc 2,18 ss. parr.; 10,38 s. parr.; 12,1-9.10 s. par. [24] : d'après le « principe critique de tri », selon lequel tout ce qui *peut* provenir de la communauté post-pascale doit être considéré comme non garanti, il vaut mieux ne pas les prendre comme point de départ de la recherche [25].

c) Quant aux textes qui présentent la mort de Jésus comme une *mort salutaire,* ils sont passibles d'une appréciation plus sceptique encore; il s'agit tout d'abord des paroles prononcées à la Cène en Lc 22,19 s. par. 1 Co 11,23 ss.; Mc 14,22 ss. par. Mt 26,27 s. (cf. Jn 6,51 c), car il n'est plus possible, sous les versions différentes que nous en avons, de retrouver, avec la certitude nécessaire la teneur primitive de ces paroles [26]; et surtout, l'interprétation de la mort de Jésus comme une mort salutaire, telle qu'elle est présentée ici à partir de l'Écriture, ne peut pas résister au critère de tri que nous avons mentionné,

22. Cf. Mc 9,11 ss. par. Mt; 12,1-9 par., 10 s par.; 14,3-9. 27 par. Mt; Mt 26, 54; dans un contexte plus éloigné, cf. aussi les annonces des persécutions dont seront victimes les disciples (cf. *infra* n. 75).

23. J. JEREMIAS, *Theologie* I (cf. n. 20), p. 270 s. = Trad. fr. p. 355, fait observer que certains de ces textes « contiennent des traits qui ne se sont pas accomplis »; cette remarque, pour être exploitée d'une manière critique, demanderait une vérification plus approfondie.

23a. Cf. P. WOLF, *Liegt in den Logien von der « Todestaufe »* (Mc 10,38 s., Lc 12,49 s.) *eine Spur des Todesverständnisses Jesu vor?* Dissertation théol. (dactylog.), Fribourg en Br., 1973.

24. Cf. là-dessus M. HENGEL, « Das Gleichnis von den Weingärtnern Mc 12, 1-12 im Lichte der Zenonpapyri und der rabbinischen Gleichnisse », dans ZNW 59 (1968), pp. 1-39.

25. Toutefois, voir *infra :* § 2, et H. PATSCH, *Abendmahl* (cf. n. 21), pp. 157-205.

26. En référence à mon étude dans *Conc.* 40 (1968), p. 103 (= édit. fr. *Conc.* n° 40 (1968), p. 103) H. KESSLER, *Erlösung als Befreiung,* Düsseldorf, 1972, p. 32, me prête la position suivante : « nous ne saurions pas » ce que Jésus « a dit » au cours de la dernière Cène; ce n'est pas du tout ce que je voulais dire.

s'il est utilisé d'une manière rigoureuse. Le même soupçon atteint également le texte où il est question du *lytron* en Mc 10,45 par. Mt [27], d'autant plus que la variante de Lc 22,27 ne contient pas l'idée de mort et doit être plus primitive [28].

2. Et maintenant, il faut bien qu'une recherche critique sur la méthode se montre sévère devant l'étroitesse de vue inhérente à la méthode qu'on préconise. Il y aurait ici beaucoup de choses à dire [29], en nous en tenant aux problèmes concrets que nous envisageons. Mais il faut relever spécialement les points suivants :

a) De par la méthode même ici employée, le « noyau garanti » des paroles du Seigneur, qui a été dégagé par le

27. Malgré la nouvelle tentative de J. JEREMIAS qui essaie de « faire remonter à Jésus lui-même la substance » de Mc 10,45b, cf. *Theologie* I (cf. n. 20) pp. 277 ss (= Tr., pp. 365 ss.) E. LOHSE, *Märtyrer* (cf. n. 11), p. 117, a un point de vue différent : « tournures kérygmatiques stéréotypées dont le cadre originel est à chercher dans la prédication et la pratique de la communauté... Il n'est pas possible, à partir de ce logion, de remonter avec assurance à la « conscience messianique » de Jésus. »

28. Cf. H. SCHÜRMANN, *Jesu Abschiedsrede* Lc 22, 21-38 (NTA XX/5), Münster, 1957, pp. 79-92. Cf. également J. ROLOFF, *Deutung* (cf. n. 6).

29. Voir par exemple M. LEHMANN, *Synoptische Quellenanalyse* (cf. n. 19), pp. 163-205 (exposé qui mérite réflexion) et les remarques courageuses de P. STUHLMACHER, *Schriftauslegung auf dem Wege zur biblischen Theologie*, Göttingen, 1975; cf. W. KASPER, *Die Sache Jesu* (cf. n. 8) p. 187 : « La méthode critique n'est pas un instrument neutre; elle est précédée par un certain choix, voire une décision dogmatique. » Quant à la critique historique, il faudra assurément la prendre davantage au sérieux que ne le fait G. SCHWARZ, *Was Jesus wirklich sagte*, Vienne-Munich-Zurich, 1971, si l'on veut la critiquer avec succès. K. LEHMANN, « Der hermeneutische Horizont der historisch-kritischen Exegese », dans *Einführung in die Methoden der biblischen Exegese* (édité par J. SCHREINER), Wurtzbourg, 1971, pp. 40-80 (avec bibliographie), porte ce jugement : « Jusqu'ici il manque à la théologie catholique une réflexion fondamentale sur la méthode historico-critique » (p. 66). On trouve des suggestions importantes chez H. SCHLIER, *Zur Frage* (cf. n. 16), pp. 359-370, et aussi dans K. KERTELGE (édit.), *Rückfrage nach Jesus* (QD 63), Fribourg-Bâle-Vienne, 1974, avec notamment la contribution de F. HAHN, « Methodologische Überlegungen zur Rückfrage nach Jesus », pp. 11-77, spécialement pp. 32-40 (bibliogr.), et celles de F. LENTZEN-DEIS et F. MUSSNER, *ibid.* Cf. encore J. GNILKA, « Methodik und Hermeneutik. Gedanken zur Situation der Exegese », dans *Neues Testament und Kirche* (Mélanges offerts à R. Schnackenburg), Fribourg en Br., 1974, pp. 458-475.

principe critique de tri, ne peut donner qu'une image de Jésus déformée [30], un Jésus « tout autre » qui n'aurait absolument aucun contact avec le milieu juif auquel il appartenait (ce qui est inquiétant au point de vue psychiatrique) et qui n'aurait déclenché absolument aucun mouvement historique (ce qui est tout à fait incroyable au plan de l'histoire). Par ailleurs, il est tout à fait invraisemblable que la communauté post-pascale n'ait pas été marquée, d'une manière décisive, par le comportement et les paroles de Jésus [31]. Le principe de tri ne nous apporte « aucune lumière... sur ce qui a relié Jésus à son milieu d'origine palestinien et à la communauté qui, plus tard, devait se réclamer de lui » [32]. Une utilisation systématique de ce principe exclut à l'avance qu'il puisse y avoir une *continuité* quelconque; nous voudrions pourtant nous interroger à ce sujet. Il est donc urgent d'entreprendre une recherche complémentaire sur les « résidus » de ce principe de tri, en vue d'en extraire, avec l'aide de critères positifs, des matériaux encore solides au point de vue historique [33].

b) De plus, le comportement de Jésus et ses déclarations relatives à sa mort ne peuvent être interprétées qu'à la lumière de l'ensemble de sa prédication; et il n'est pas permis, en adoptant la perspective unilatérale du « paneschatologisme », de réduire cette prédication à l'annonce de la fin imminente. Les *exigences de Jésus* précisément, qui sont commandées par un théocentrisme extraordinaire et parmi lesquelles il est

30. J. JEREMIAS, Theologie I (cf. n. 20), p. 14. (= Tr., p. 9) fait remarquer que « la manière actuelle d'utiliser souvent le « critère de dissimilitude » comme un mot de passe, contient une source de graves erreurs; elle rétrécit et déforme la situation historique ».

31. Cf. G. DELLING, *Kreuzestod* (cf. n. 6), note 429. G. SCHWARZ, *Jesus* (cf. n. 29), p. 68 s. Voir aussi M. HENGEL, Christologie und neutestamentliche Chronologie, dans : *Neues Testament und Geschichte* (Mélanges offerts à O. Cullmann pour son 70e anniversaire), Zurich-Tübingen, 1972, pp. 43-67, spéc. p. 63 s. : « La naissance de la christologie primitive... ne devient compréhensible que lorsque, en plus de la crucifixion de Jésus et des apparitions pascales », on tient compte également comme il se doit, « de l'activité de Jésus, dont nous arrivons à peine aujourd'hui à nous représenter l'influence extraordinaire qu'elle a eue sur les disciples et aussi sur de larges couches du peuple, aussi bien en Galilée qu'en Judée ».

32. E KÄSEMANN, *Problem* (cf. n. 10), p. 205 (= Tr., p. 164).

33. Cf. *infra* n. 41.

possible d'extraire [34], avec une certitude relative, quelques échantillons d'une portée fondamentale, peuvent être utilisées comme des clés nous introduisant à la connaissance du comportement de Jésus et de son attitude. « Nous... pouvons..., à partir de ce que Jésus demande aux autres, conclure à ce qu'il a fait lui-même. C'est en tout cas la démarche la plus normale [35] » — notamment lorsqu'il est impossible d'accorder la pensée de Bultmann (quand il envisage la « possibilité que Jésus se soit effondré ») [36], ni avec l'histoire que Jésus a vécue avant Pâques ni avec celle qu'il a suscitée dans la suite.

c) Le chercheur qui utilise le principe de tri ne doit pas non plus — suivant une tendance de la théologie kérygmatique lorsqu'elle s'interroge sur la compréhension que Jésus a eue de son existence [37] — se limiter d'avance aux paroles de Jésus que la tradition nous a transmises, spécialement à celles relatives à sa mort. Le *comportement de Jésus* affronté à son *destin* a une importance décisive si l'on veut parvenir à des résultats dans

34. Cf. R. BULTMANN, *Jesus* (Réimpression, Tübingen 1964), passim (= Tr., dans : R. BULTMANN, *Jésus. Mythologie et démythologisation,* Paris, Éd. du Seuil, 1968); ID., *Verhältnis* (cf. n. 1), p. 11, 16; E. KÄSEMANN, *Problem* (cf. n. 10), p. 213 (= Tr., p. 172) souligne « qu'il y a donc des morceaux dans la tradition synoptique que l'historien doit reconnaître tout simplement comme authentiques, s'il veut rester un historien ». Cf. aussi J. M. ROBINSON, *Kerygma* (cf. n. 14), p. 139 (= Tr. fr., p. 68); dans une attitude encore bien minimaliste, R. croit pouvoir constater un certain accord parmi les chercheurs : « Nous possédons dans les paraboles, par exemple, ou dans les antithèses du Sermon sur la montagne, dans les logia sur le Royaume, sur les expulsions de démons, sur Jean-Baptiste, des moyens de pénétrer les intentions de Jésus, suffisants pour pouvoir rencontrer ses actions historiques; une vue sur sa conception de l'existence, base de ses intentions, suffisante également pour rencontrer son comportement... » Cf. aussi l'esquisse de F. HAHN, *Rückfrage* (cf. n. 29), pp. 40-51. — Il serait temps de rassembler les données de cet accord (relatif) de la recherche historique sérieuse sur cette question.

35. E. FUCHS, « Die Frage nach dem historischen Jesus », dans *Zur Frage nach dem historischen Jesus* (Recueil d'articles, II), Tübingen, 1960, pp. 143-167, ici p. 157. Sur ce principe d'interprétation cf. aussi J. JEREMIAS, *Theologie* I (cf. n. 20), p. 269.

36. R. BULTMANN, *Verhältnis* (cf. n. 1) p. 12; cf. aussi W. SCHRAGE, *Verständnis* (cf. n. 1), p. 51, n. 17 et G. KLEIN, *Bibel* (cf. n. 1), p. 20, n. 76; sur ce point, voir *infra* p. 43.

37. Cf. les remarques instructives de R. BULTMANN, *Jesus* (cf. n. 34), introduction pp. 7-17; ID., *Verhältnis* (cf. n. 1), p. 21 : « dans l'activité de Jésus, ses paroles sont l'élément décisif ».

cette question. E. Fuchs insiste beaucoup sur ce point, il fait remarquer avec raison que le « comportement de Jésus » est le « cadre » véritable de sa prédication [38].

d) Enfin, « le contrôle décisif de l'exactitude » de toutes les connaissances particulières « ne peut être que celui-ci : montrer que l'ordonnance des différentes traditions ainsi récupérées donne une image de Jésus et de sa prédication qui, historiquement, est compréhensible et forme un tout cohérent et qui, en même temps, rend intelligible le développement ultérieur de la chrétienté primitive »; tel est le point de vue de W. G. Kümmel [39]. Ce qui est important à cet égard, c'est de refuser le monisme méthodologique largement répandu; ou bien, pour exprimer la chose positivement : il faut recourir à la preuve par convergence d'indices [39a], montrer que les diverses observations et connaissances — qu'elles soient hypothétiques, vraisemblables ou moralement sûres — s'ordonnent pour former un *tableau d'ensemble* [40] compréhensible. En fin de compte, il n'est possible d'aller à la « rencontre » d'une personnalité historique — ce qui est le cas de Jésus dans une grande mesure — et de la reconnaître qu'au moyen d'un pluralisme méthodique, par des approches diversifiées. Il ne faut pas oublier que comprendre une personne en ce qu'elle a d'absolument particulier représente toujours davantage que la

38. E. FUCHS, *Die Frage* (cf. n. 35), p. 155; ID., (se défendant contre R. Bultmann) « Zur Frage nach dem historischen Jesus », dans *Glaube und Erfahrung* (Recueil d'articles, III), Tübingen, 1965, p. 19; ID. *Jesus. Wort und Tat,* Tübingen, 1971, passim; cf. aussi F. HAHN, *Rückfrage* (cf. n. 29), p. 41.

39. W. G. KÜMMEL, *Theologie* (cf. n. 17), p. 24.

39a. Cf. A. BRUNNER, Das Kriterium der Konvergenz, dans *Erkenntnistheorie,* Cologne, 1946, pp. 77 ss.; ID., *Die Grundfragen der Philosophie,* Fribourg, [3]1949, pp. 26, 37, 177 s. : remarques fondamentales sur le principe de convergence dans les sciences positives; pour la bibliographie cf. également H. MÜHLEN, « Konvergenz als Strukturprinzip eines kommenden universalen Konzils aller Christen », dans Ök. Rundschau 21 (1972), pp. 289-315 (= Theol. Bull. 4 [1972] pp. 599-625). — A. KOLPING, *Fundamentaltheologie* II (cf. *infra* n. 174), p. 614, n. 12 souligne avec raison que les preuves par convergence n'ont pas le droit de s'appuyer sur des « possibilités ». C'est ce que nous éviterons dans les pages qui suivent. Il n'est pas nécessaire, toutefois, que des indications positives — prises isolément — aient déjà le caractère de « vraisemblances » nettes; cf. ce qui est dit plus loin p. 75 s. et pp. 114-115.

40. Cf. M. LEHMANN, *Quellenanalyse* (cf. n. 19), p. 197 s.; G. SCHWARZ, *Jesus* (cf. n. 29), spéc. pp. 55-79; F. HAHN, *Rückfrage* (cf. n. 29), pp. 37-40.

somme de toutes les affirmations, critiquement assurées, sur le destin de cette personne, son comportement, ses discours aussi bien que sur la compréhension qu'elle a d'elle-même ; une personne, en effet, n'est pas un *brutum factum* que l'histoire permet de « constater » tout simplement. C'est pourquoi, lorsqu'il s'agit de connaître une personne, il y a toujours, audelà de toutes les méthodes critiques, un reste qu'il n'est possible d'atteindre que sur le mode personnel.

Comment Jésus a-t-il affronté et compris sa mort ? Nous voulons dans les pages suivantes essayer de répondre à cette question, en procédant comme suit : nous respecterons le « principe critique de tri » en le considérant comme une hypothèse de travail ; nous allons donc laisser de côté provisoirement les paroles de Jésus sur sa mort [41], qui sont contestées ; nous essayerons de repenser le problème à partir du comportement de Jésus et du portrait d'ensemble de sa personne, en tenant spécialement compte des demandes (dont nous sommes critiquement sûrs) qu'il a exprimées et de leur répercussion sur son propre comportement. Il sera sage, si nous voulons atteindre un résultat dans l'obscurité où nous laisse l'histoire, de n'avancer que prudemment et pas à pas sur le champ de décombres de la recherche, et de tâter d'abord le terrain par petites étapes (paragraphes I à VIII).

41. On ne veut nullement nier pour autant qu'on puisse encore trouver des déclarations authentiques de Jésus, dans les trois groupes de paroles du Seigneur mentionnés ci-dessus ; les résidus de ce processus de tri peuvent, en effet, être considérés comme des « paroles de Jésus en puissance », aussi longtemps que l'on n'a pas prouvé positivement qu'elles sont une formation de la communauté, ou bien, qu'il est impossible de les attribuer à Jésus. A l'aide de critères positifs, il est en principe possible d'extraire de ces « restes » de la tradition qui ne sont pas positivement suspectés, des déclarations remontant « vraisemblablement ou sûrement à Jésus » ; et alors il est possible d'enrichir le « noyau garanti » en les y faisant entrer. Toutefois, il s'agit là d'une recherche difficile qui doit opérer sur un terrain extrêmement chargé d'inconnues et qui, dans le problème qui nous concerne, aboutirait difficilement à des résultats un tant soit peu assurés : cf. A. GEORGE, « Comment Jésus a-t-il perçu sa mort » ? dans *Lumière et Vie* 20 (1971), pp. 34-59, et l'essai synthétique le plus récent de J. JEREMIAS, *Theologie* (cf. n. 20), pp. 272-284 (Tr., pp. 346-357) ; aussi cette recherche ne peut pas être entreprise ici ; (voir cependant ce qui a été dit dans les notes 21-24).

I

JÉSUS POUVAIT-IL ENVISAGER SÉRIEUSEMENT LA POSSIBILITÉ D'UNE MORT VIOLENTE?

On ne conteste guère que Jésus ait pu envisager l'aspect dangereux de sa propre situation; ce point n'est d'ailleurs guère contestable quand on songe au climat du milieu oriental qui était profondément troublé aux points de vue religieux et politique. Mais la question que nous posons est de savoir si Jésus a envisagé la possibilité d'une mort violente uniquement comme une vague éventualité, ou bien s'il pouvait la considérer avec réalisme comme un danger sérieux, et alors l'envisager dans une perspective existentielle en y découvrant peut-être une portée exceptionnelle (voir *infra* pp. 73 ss.).

Précisons davantage. Ce qui nous intéresse ici, ce n'est pas la question objective et souvent examinée de savoir si la condamnation de Jésus comme agitateur politique a été en fin de compte un tragique malentendu, ou encore, si la mort violente était au fond déjà inscrite dans son activité non conformiste, comme la conséquence de celle-ci [42]. Même dans la première hypothèse, Jésus pouvait ou devait envisager en son for intérieur sa mort possible. Il faut tenir compte de cela, à moins de considérer l'ensemble de la prédication de Jésus et son comportement comme le fait d'un illuminé — sans réalisme ni piété — hypnotisé par la fin imminente, et qui, dans l'attente d'un accomplissement décisif à brève échéance, aurait « plutôt compté, lors de sa montée avec les siens à Jérusalem, ... sur la venue du Règne de Dieu devant s'effectuer maintenant » (à vrai dire, R. Bultmann lui-même

42. Cf. seulement H. Kessler, *Die theologische Bedeutung des Todes Jesu. Eine traditionsgeschichtliche Untersuchung*, Düsseldorf, ²1971, spéc. pp. 229-232 et les auteurs nommés p. 231, n. 13. (E. Käsemann, E. Fuchs, H. Schlier, M. Hengel) — cf. aussi J. Moltmann, *Der gekreuzigte Gott*, Munich, 1972, p. 120 (= Tr., Le Dieu crucifié, « Cogitatio Fidei », 80, Paris, Cerf-Mame, 1974 —; voir la position contraire de R. Bultmann dans *Verhältnis* (cf. n. 1), p. 12.

n'exprime cette possibilité que comme une « conjecture ») [43]. Il est permis de penser que Jésus était capable de porter sur la réalité un jugement réaliste et qu'il savait à quel danger il s'exposait par sa prédication et son comportement, dans une situation qui de toute manière était tendue [44]. « Celui qui se conduit comme le faisait Jésus doit compter sur des accrochages qui se sont certainement produits [45]. » Aussi bien, c'est un fait que les textes attestent fréquemment des difficultés [46] qu'il ne faut pas toutes mettre sur le compte d'insertions postérieures.

Il est bien vrai toutefois qu'il faut faire des distinctions. Certains dangers restaient plutôt lointains : ils pouvaient venir des Romains (mourir par crucifixion; cf. Mc 8,34), mais aussi de Hérode Antipas dont Jésus dépendait directement (mourir par l'épée?; cf. Mc 6,27, Ac 12,2). Mais d'autres, liés à des questions religieuses, étaient plus sérieux : ils pouvaient venir des Sadducéens au Sanhédrin, ou également des Pharisiens qui parcouraient le pays (mourir par lapidation?; comp. Lc 13,34 par. avec 4,29; Jn 8,59; 10,31-36; 11,8; Ac 7,59). Même si on admet que Jésus n'a pas dû être influencé par le theologoumenon contemporain (cf. Lc 11,49 ss. par. Mt; 13,34 s. par. Mt; Lc 13,33 P) qui considérait les prophètes comme des martyrs [47], il avait la possibilité de reconnaître les dangers qui le menaçaient de ces différents côtés [48].

A) Finalement Jésus fut « exécuté par les *Romains* comme

43. R. BULTMANN, *ibid.*

44. Point de vue également partagé par *E. Fuchs,* Die Frage (cf. n. 35), p. 157 s.; W. MARXSEN, *Erwägungen,* (cf. n. 1), pp. 160-170.

45. W. MARXSEN, *ibid.*, pp. 160-170.

46. Cf. les reproches attestés en Mc 2,16 et Lc 7,34 (fréquentation des pécheurs); Mc 2,7 (blasphème); 3,22 (pacte avec Beelzebul); Mc 2,23-38; 3,1-6; Lc 13,10-17 et souvent (violation du sabbat).

47. Cf. O. H. STECK, *Israel und das gewaltsame Geschick der Propheten* (WMANT 23), Neukirchen-Vluyn, 1967, et J. JEREMIAS, *Theologie* I (cf. n. 1), p. 266 s.

48. Ce qui est considéré comme possible par R. BULTMANN, *Die Geschichte* (cf. n. 19), p. 120, 163; G. BORNKAMM, *Jesus von Nazareth* (Urban-B. 19), Stuttgart, 71965, p. 142 (= Tr., *Qui est Jésus de Nazareth,* Paris, Éd. du Seuil, 1973). — Sur l'appréciation de la source des logia cf. *infra* (sous V, B2).

chef de zélotes et plus précisément : comme un insurgé sicaire » [49].

1. Jésus n'a pas dû envisager, comme une nécessité inéluctable, cette destinée absurde, à savoir l'intervention des Romains ; en tout cas cela est difficilement concevable au début de sa carrière. Nous renonçons ici délibérément à toute tentative pour conclure de cette destinée une prétention messianique de la part de Jésus ou une attente messianique qui se serait portée sur lui, — si proche de l'évidence que soit ce dernier point (cf. l'inscription de la croix et les scènes de l'interrogatoire). Il nous suffit ici de reconnaître qu'il n'était pas absolument impossible de se méprendre sur son activité en lui attribuant un caractère politique ; surtout dans son milieu galiléen qui était très agité par des meneurs politiques luttant pour l'indépendance. Sa « prédication dure et à vrai dire trop exigeante montre en effet que Jésus ne s'est pas présenté comme un organisateur politique [50], bien qu'on l'ait considéré comme tel à cause de la revendication politique qui, il est vrai, est toujours inhérente au règne de Dieu » [51]. Il était particulièrement difficile d'éviter ce malentendu, s'il est vrai, comme la tradition l'affirme, que Jésus a admis dans le cercle des Douze d'anciens zélotes et d'anciens sicaires ; cf. « Simon, le zélote » (Lc 6,15 parr. ; Ac 1,13). Il est peut-être possible de voir également en « Judas Iscariote » (Lc 6,16 parr. ; Ac 1,13) un ancien sicaire et de comprendre son comportement en fonction de cette donnée [52].

49. Cf. G. BAUMBACH, *Jesus von Nazareth im Lichte der jüdischen Gruppenbildung*, Berlin, 1971, p. 24 (on y trouvera la mention d'autres auteurs qui pensent de même); ID., « Die Stellung Jesu im Judentum seiner Zeit », dans FZThPh 20 (1973), pp. 285-305.

50. On rencontre cette méprise depuis Reimarus jusqu'à nos jours, cf. spéc. R. EISLER, *Ièsous Basileus ou Basileusas,* I-II, Heidelberg, 1929/30; S. G. F. BRANDON, *The fall of Jerusalem and the Christian Church,* London, ²1957 ; J. CARMICHAEL, *La mort de Jésus,* Paris, Gallimard, 1964.

51. E. FUCHS, *Die Frage* (cf. n. 35), p. 158 ; cf. G. DELLING, *Jesus nach den drei ersten Evangelien,* Berlin, 1964, pp. 97 ss.

52. Dans le cas où le surnom dériverait de *sicarius*. O. CULLMANN, *Der Staat im Neuen Testament,* Tübingen, ²1961, (= édit. fr., *Dieu et César,* Paris-Neuchâtel, Delachaux et Niestlé, 1956) se demande si les surnoms « Barjona » (= « terroriste » en accadien) Mt 16,17 et « Boanerges » (= « fils du tonnerre ») Mc 3,17, pourraient, eux aussi, devenir plus intelligibles à partir de là.

A la fin (cf. *infra* p. 47 ss.) Jésus se dirigea « vers Jérusalem. Un coup d'œil jeté sur ses partisans pouvait effectivement faire apparaître cette démarche comme une émeute » [53].

2. L'activité publique de Jésus est marquée dès le début par la situation dangereuse : Jésus reprenait et prolongeait le message eschatologique du Baptiste, en insistant davantage sur la proximité de la *basileia;* et peut-être même a-t-il continué de donner le baptême de Jean (Jn 3,23; 4,1 ; cf. cependant 4,2). « Jésus a vu... la mort violente du Baptiste. Par ailleurs, si Jésus a reconnu sans équivoque, en recevant lui-même le baptême de Jean, le sérieux du jugement eschatologique annoncé par le Baptiste, il s'ensuit que, après la mort du Baptiste, il a dû décider ce que signifiait pour lui cette mort [54]. » Dans le milieu imprégné d'idées apocalyptiques (et par là même de messianisme politique) et par ailleurs troublé par ceux qui combattaient pour l'indépendance, la prédication eschatologique de Jésus n'était certainement pas sans danger; d'autant plus que le martyre du Baptiste l'enveloppait comme une ombre et que Jésus prêchait dans le territoire de *Hérode Antipas* qui avait le *jus gladii.* En tout cas, l'opinion publique aussi bien que Hérode établissaient facilement un lien entre Jésus et Jean-Baptiste, et entre leurs activités respectives (cf. aussi Mc 6,14). Ainsi, une prédiction voilée de la Passion comme celle de Lc 13,31 s. apparaît-elle pour le moins comme historiquement possible, et comme ayant une certaine vérité intrinsèque.

B) 1. Jésus avait toujours la possibilité d'échapper à son maître galiléen, Hérode Antipas; quant aux Romains ils ne devaient pas nécessairement interpréter son activité dans un

53. E. FUCHS, Die Frage (cf. n. 35), p. 158.

54. E. FUCHS, *ibid.*, p. 158; par contre, W. MARXSEN, *Erwägungen* (cf. n. 1), p. 163 est hésitant (« une conjecture tout au plus ») et R. BULTMANN, *Verhältnis* (cf. n. 1), p. 12 rejette ce point de vue (« parce que Jésus, manifestement ne s'est pas représenté de la même manière sa propre attitude et celle du Baptiste »). Mais l'opinion publique tout comme Hérode considéraient Jésus et son activité en relation étroite avec le Baptiste; cf. *supra*.

sens politique, car elle n'était pas directement politique. Nous pouvons dire avec assez de certitude que ce fut à l'instigation de la noblesse sacerdotale sadducéenne que Jésus, à la fin, fut livré aux Romains.

a) Il est difficile de prouver que, dès le commencement déjà, l'opposition aux *Sadducéens* a dû apparaître à Jésus comme une menace pour sa vie ; une telle opposition, en effet, serait plus concevable si Jésus avait eu une activité plus intense à Jérusalem ; une telle opposition par ailleurs n'apparaît que dans la discussion sur la résurrection (texte qu'on soupçonne d'avoir été façonné par la communauté) en Mc 12,18-27 par. ainsi que dans les passages rédactionnels de Matthieu (Mt 3,7 ; 16,1.6.11 s.) et dans les Actes des Apôtres (où elle reflète la tendance de Luc). Par ailleurs, si l'on fait exception de Mt 2,4 et de Jean, c'est dans le récit de la Passion seulement que les grands prêtres sadducéens sont nommés comme adversaires de Jésus. Il est possible qu'il y ait eu une opposition assez forte à l'origine, mais plus tard elle fut effacée par la communauté — elle ne se manifeste plus après 70 — et a été mise au compte des Pharisiens, qui alors étaient les seuls à détenir la puissance[55]. Il n'y a pas de doute qu'une opposition entre Jésus et les Sadducéens, latente mais déjà ancienne, permettrait de mieux comprendre que la « purification du Temple » et une parole de Jésus sur le Temple (qu'il est à peu près impossible de reconstituer) aient fourni à la hiérarchie sadducéenne du Temple l'occasion d'intervenir à la fin[56].

55. Cf. les réflexions de G. BAUMBACH, *Jesus* (cf. n. 49), pp. 61-67 ; G. BAUMBACH suppose que dans un certain nombre de textes il s'agissait primitivement d'une opposition aux sadducéens : Mt 23, 16-22 (le Temple) ; Mt 5,38 (le *jus talionis*), Mc 7, 1-8 (se laver les mains), 9-13 (acquittement des vœux), 15 (le culte) Mt 16,6. 11 ss. (le levain des Pharisiens et des Sadducéens). Cependant toutes les traditions citées ne peuvent pas résister au critère de tri appliqué rigoureusement ; il est possible aussi que ces textes aient vu le jour plus tard, dans la communauté postpascale, et qu'ils aient été dirigés contre les Pharisiens. G. BAUMBACH revient sur ce problème d'une manière plus approfondie, dans *Die Stellung Jesu* (cf. n. 49), *passim*. — Cf. aussi l'étude récente de K. MÜLLER, « Jesus und die Sadduzäer », dans : H. MERKLEIN-J. LANGE (édit.), *Biblische Randbemerkungen* (Mélanges offerts à R. Schnackenburg par ses élèves), Wurtzbourg, 1974, pp. 3-24 (avec bibliogr. p. 5 n. 5).

56. Là-dessus, cf. *infra*, sous 2.

b) Les *Pharisiens* ne sont pas mentionnés dans le récit de la Passion [57], sauf en Mt 27,62. Toutefois il est indéniable qu'il y a eu une opposition croissante [58] à l'égard du pharisaïsme [59], si active qu'ait pu être ici la tendance de la communauté à durcir cette opposition [60].

2. Il vaut mieux renoncer à voir dans le comportement et les paroles de Jésus une opposition spéciale à tel groupe particulier du judaïsme d'alors [61]. En interprétant la volonté de Dieu, d'une part, et en offrant le pardon aux pécheurs, d'autre part, Jésus fut amené à être toujours, plus ou moins, en *opposition aux deux groupes qui faisaient autorité* dans le judaïsme [62] de son époque; opposition qui était particulièrement profonde à l'égard des Pharisiens, mais qui, vers la fin, s'exerça de façon décisive contre les Sadducéens.

a) Nous sommes sur un terrain sûr au point de vue historique, lorsque nous voyons dans le comportement et dans les paroles de Jésus une *interprétation de la volonté de Dieu,* dont le radicalisme [63], inspiré par une conscience aiguë de la sainteté de Dieu, équivalait à un refus aussi bien de l'interprétation de la Loi par les Pharisiens que de la religiosité

57. D'après G. BAUMBACH, *Jesus* (cf. n. 49), p. 92 : « Les vrais acteurs, lors de la condamnation de Jésus, ne furent pas les Pharisiens. »

58. Jésus est encore l'hôte des Pharisiens en Lc 7,36 ss. et également en 11,37; 14,1.

59. Cf. G. BAUMBACH, *Jesus* (cf. n. 49), pp. 91-97; cf. seulement Lc 18, 10-14a; 16,15 par. Mt 23,28.

60. Cf. W. G. KÜMMEL, « Die Weherufe über die Schriftgelehrten und Pharisäer (Matthieu 23, 13-36) », dans *Antijudaismus im Neuen Testament?* (édit. par W. Eckert, N. P. Levinson et M. Stohr), Munich, 1967, pp. 135-147, et les autres contributions à ce volume; G. BAUMBACH, *Jesus* (cf. n. 49), pp. 78-91.

61. Voir le pour et le contre dans G. BAUMBACH, *ibid.*, pp. 61-71, 91-97. — Le reproche de pactiser avec Beelzebul, qui était gros de dangers, est attribué à des groupes divers : Lc 11,15 (*tines*), Mc 3,22 (aux scribes de Jérusalem), Mt 12,24 (aux Pharisiens).

62. M. HENGEL, *Gewalt und Gewaltlosigkeit* (Calwer Hefte 118), Stuttgart, 1971, p. 43 (= Tr., *Jésus et la violence révolutionnaire*, Paris, Éd. du Cerf, 1973).

63. Cf. H. BRAUN, *Spätjüdisch-häretischer und frühchristlicher Radikalismus. Jesus von Nazareth und die essenische Qumransekte I-II,* Tübingen, [2]1958. Cf. aussi R. SCHÄFER, *Jesus* (cf. n. 9); F. HAHN, *Rückfrage* (cf. n. 29), spéc. pp. 41-44.

cultuelle des Sadducéens [64]. Jésus ne s'est pas astreint à observer certaines prescriptions relatives à la pureté (cf. seulement Mc 2,14. 15-17 parr.; 7,1-8.9-13.15 par. Mt) ni certains préceptes liés au sabbat (cf. seulement Mc 2,23-28 parr.; 3,1-6 parr.; Lc 13,10-16 P; 14, 1-6 Q?; cf. Mt 12,11). Si envahissant que puisse être dans la tradition le thème de la violation du sabbat, il contient pourtant un noyau historique [65]. Et si grandes que puissent être les divergences des évangélistes, quand il s'agit de préciser sur ce point l'identité des adversaires [66], il reste que l'observance pharisaïque a été pour le moins sérieusement touchée. Un tel comportement de la part de Jésus ne pouvait avoir que des répercussions fâcheuses. Un point notamment prenait à cet égard une importance décisive : la révélation plénière de la volonté de Dieu, par Jésus, conduisait à l'attitude du « serviteur inutile » (Lc 17,10) et du « pécheur » : « Mon Dieu, prends pitié du pécheur que je suis! » (Lc 18,13). Cela étant, Jésus était obligé de refuser le principe juif de la comptabilisation des bonnes œuvres (cf. Lc 18,10-14a; 17,7-10), principe auquel tenait particulièrement le pharisaïsme.

b) Nous sommes également sur un terrain sûr, lorsque nous insistons sur *la solidarité de Jésus avec les pécheurs*. Elle est attestée en des textes comme Mc 2,17 parr.; Lc 15,4-10 par. Mt; 7, 36-47 P; 15,11-32 P; 19,1-10 P; Mt 20,1-15 P; ces textes, on le voit, se répartissent sur toutes les branches de la tradition et, de ce fait, ils acquièrent tout au moins une véridicité intrinsèque. Mais une telle attitude devait déclencher le combat avec les dévots de la Loi [67]. La défense de Jésus se reflète peut-être dans des paraboles comme Lc 15,4-10 par. Mt; 15, 11-32 P; Mt 20,1-15 P. En Lc 7,34 par. Mt nous

64. Cf. M. DIBELIUS (*W. G. Kümmel*), *Jesus*, Berlin, 31960, p. 103; E. KÄSEMANN, *Problem* (cf. n. 10), p. 208 (= Tr., p. 166); W. SCHRAGE, *Verständnis* (cf. n. 1), p. 52 s. — Voir les développements ci-dessous en II, A.

65. Cf. E. FUCHS, *Die Frage* (cf. n. 35), p. 159; J. ROLOFF, *Das Kerygma und der irdische Jesus. Historische Motive in den Jesus-Erzählungen der Evangelien*, Göttingen, 1969, pp. 52-88; J. JEREMIAS, *Theologie* I (cf. n. 20), p. 265 s.

66. Cf. G. BAUMBACH, *Jesus* (cf. n. 49), p. 95 s.

67. Cf. W. SCHRAGE, *Verständnis* (cf. n. 1), p. 51 s.; O. HOFIUS, *Jesu Tischgemeinschaft mit den Sündern* (Calwer Hefte 86), Stuttgart, 1967; H. KESSLER, *Erlösung* (cf. n. 26), pp. 18-22, 24 s. et souvent; J. MOLTMANN, *Der gekreuzigte Gott* (cf. n. 42) p. 121 s.

entendons ce reproche : « Voilà un glouton et un ivrogne, un ami des publicains et des pécheurs! » Ce comportement de Jésus créa une situation tendue et il n'est pas possible que Jésus ait apprécié d'une manière naïve le danger qu'elle comportait.

La mort de Jésus était donc inscrite déjà dans son activité, comme la conséquence de celle-ci; en tant que résultat final, il faut donc l'expliquer par tout un ensemble de facteurs qui, pris isolément (comme des moments dangereux), étaient déjà chargés de menaces. Lorsqu'on fait la somme des dangers qui viennent d'être signalés, on est en droit de conclure que Jésus pouvait — et à vrai dire devait — compter sérieusement sur l'éventualité d'une mort violente, si du moins il ne partageait pas cette conviction chimérique que l'irruption de la *basileia* toute proche allait prévenir tous les dangers et le délivrer. Ses entrées trop fréquentes sur la scène publique et particulièrement son message sur le Royaume qui s'approche, message teinté de traits eschatologiques et apocalyptiques, peuvent avoir fait de lui un personnage incommode, voire suspect aux yeux des Romains, certainement en tout cas aux yeux de celui dont il dépendait immédiatement, Hérode Antipas; mais le vrai danger venait de son comportement et de son message : ceux-ci, en effet, le mettaient en opposition, de différentes manières, aussi bien avec la hiérarchie de Jérusalem qu'avec les pharisiens. Jésus ne pouvait vivre, travailler et prêcher qu'avec la perspective d'une mort violente éventuelle devant les yeux; c'est là un point qui est largement reconnu par la recherche actuelle [68].

68. Cf. A. VÖGTLE, dans *Okumenische Kirchengeschichte* (édit. par E. Kottje et B. Möller), Mayence-Munich, 1970, p. 21 (dorénavant : ÖK); H. KESSLER, *Bedeutung* (cf. n. 42), pp. 228-235, renvoie à W. MARXSEN, G. BORNKAMM, W. SCHRAGE, F. MILDENBERG, M. HENGEL, E. FUCHS, H. SCHLIER. Voir aussi H. PATSCH, *Abendmahl* (cf. n. 21), p. 212. Selon E. GRÄSSER, *Die Naherwartung Jesu* SBS 61), Stuttgart, 1973, p. 93, il y a « parmi les chercheurs critiques précisément un large accord sur ce point : c'est en pleine conscience que Jésus a mis sa fin en ligne de compte »; il nomme (cf. n. 224) par ex. BORNKAMM, *Jesus*, p. 142 s.; H. CONZELMANN, RGG³ III, p. 647; J. ROBINSON, *Kerygma und historischer Jesus*, p. 109; E. FUCHS, ZThK 1956, p. 22; KÜMMEL, *Theologie*, pp. 76 ss.; COLPE, THW VIII, p. 446 s. Cf. aussi P. STUHLMACHER, « Das Bekenntnis zur Auferweckung Jesu von den Toten und die biblische Theologie », dans ZThK 70 (1973), pp. 365-403 : « Ainsi on peut... voir que Jésus, à cause précisément de cette conception spécifique qu'il avait de sa mission, entra en conflit avec tous les groupes du judaïsme d'alors; on constate aussi que ses

II

PEUT-ON ÉTABLIR AVEC VRAISEMBLANCE QUE JÉSUS ÉTAIT PRÊT A L'ÉVENTUALITÉ D'UNE MORT VIOLENTE?

Selon R. Bultmann, « nous ne pouvons pas savoir » dans quelle mesure Jésus, affronté à l'heure de sa mort, « a trouvé un sens à celle-ci. Il est possible qu'il se soit effondré ; on ne doit pas se dissimuler cette éventualité [69] ». Voilà un jugement qui, venant de R. Bultmann, pèse lourd.

Eu égard à l'ensemble de la prédication de Jésus, la prise en considération de cette « possibilité » n'est compréhensible que si un theologoumenon vient troubler la vüe, comme une tache sur les yeux [69a]. Il faudrait dire la même chose du postulat

actions symboliques prophétiques ainsi que l'accueil qu'il trouva auprès des foules finirent par éveiller les soupçons des milieux influents sur la scène politique; Jésus toutefois n'essaya pas de se dérober, mais il accepta la mort à Jérusalem, pour accomplir sa mission. Jésus voulait apporter aux hommes une image de Dieu tout à fait nouvelle et en même temps susciter chez les hommes une attitude également tout à fait nouvelle, face à Dieu. C'est pourquoi il était obligé de critiquer parfois sévèrement la Tora et la manière dont les Pharisiens concevaient la religion... Ainsi, le comportement de Jésus, considéré à la lumière de la tradition israélite, se présente à la fois comme critique et accomplissement, comme abolition et réalisation de l'attente du salut en Israël et, dès le commencement, la mort de Jésus apparaît comme la conséquence inévitable du comportement qu'il a adopté » (p. 395).

69. Sur ce point voir *supra* n. 1; cf. aussi E. JÜNGEL, *Tod* (cf. n. 1), p. 137; position nuancée de E. FUCHS, *Zur Frage* (cf. n. 38), pp. 19, 446 ss. Cf. P. STUHLMACHER, *Das Bekenntnis* (cf. n. 68), spéc. p. 395.

69a. F. HAHN maintenant s'oppose lui aussi à ce point de vue, cf. *Rückfrage* (cf. n. 29), p. 51 : « Au comportement de Jésus appartient... le fait... que lui-même, dès le commencement, était manifestement prêt à suivre la route qui mène à la croix. » E.-H. AMBERG, « Bemerkungen zur Christologie », dans ThLZ 99 (1974), pp. 1-10, s'exprime ainsi : « Ce n'est certainement pas tomber dans un psychologisme déplacé, lorsque dans l'interprétation de la croix, on accorde au oui de Jésus, à son acceptation de la croix une importance décisive. C'est en ce sens, en particulier, qu'il faut parler de l'obéissance de Jésus à l'égard de Dieu et de sa fidélité à l'égard des hommes : il

selon lequel Jésus a dû être écrasé par « l'absurdité » de sa mort, car le fait de se heurter parfois à un mur de silence fait partie du destin de l'homme, et par là même de celui de Jésus également [70]. Même dans cette obscurité impénétrable dont témoigne une question comme celle de Mc 15,34 [71], il peut y avoir la réponse (qui échappe à nos catégories) d'un comportement parfaitement moral.

Ainsi n'avons-nous en réalité aucun moyen de prendre en compte, dans une recherche méthodique ce *non possumus* (qui semble être une *ignorantia affectata;* cf. l'introduction, p. 21 s.)? Et peut-on vraiment, à partir d'une compréhension globale de l'activité et du comportement de Jésus, envisager sérieusement la « possibilité » indiquée par Bultmann? Il est légitime d'éclairer le comportement de Jésus en situation de martyr, à partir des exigences qu'il a formulées lui-même. Cela est légitime car — malgré la puissance extraordinaire de l'expérience pascale — la « cause de Jésus », la proclamation des hautes exigences morales émises par Jésus n'aurait certainement pas pu se poursuivre après Pâques, si les premiers témoins avaient su que Jésus avait subi un échec moral, dans l'épreuve de sa mort. Ces exigences n'auraient

s'agit là d'une obéissance et d'une fidélité sans limites... Jésus ne considère pas la vie comme une « proie » à retenir. Jésus ne veut pas (sur-)vivre à tout prix, pas à ce prix : que tout reste comme avant, que le pécheur par exemple reste dans le péché! Cela nous conduit à une nouvelle rupture des limites : l'obéissance et la fidélité de Jésus n'ont pas de frontière, elles ne sont pas limitées ni par le péché des hommes, ni par la propre justice de Jésus. Ce n'est pas seulement durant sa vie que Jésus a franchi la frontière du côté des pécheurs, en restant en relation avec eux; il a aussi subi la mort du pécheur, sans être pécheur. Ainsi apparaît le degré extrême du don qu'il a fait de lui-même dans l'obéissance et la fidélité » (p. 5).

70. Cf. N. SCHOLL, *Jesus — nur ein Mensch?* Munich, 1971, pp. 91-99, qui adopte la même ligne que G. MAINBERGER, *Jesus starb umsonst*, Fribourg en Br., [2]1970, spéc. pp. 79-89; cf. *ibid.*, p. 79, n. 1 et dans la Herkorr 22 (1968) pp. 360-363, les comptes rendus des « controverses sur la mort en croix », suscitées par les positions évoquées ci-dessus.

71. La « dernière parole » de Jésus : « Mon Dieu, mon Dieu, pourquoi m'as-tu abandonné? » (Mc 15,34 par. Mt) doit être lue comme une parole rédactionnelle en liaison paradoxale avec la confession de foi du Centurion, Mc 15,39 : malgré cela et ainsi précisément, « cet homme était vraiment Fils de Dieu! » Il faut en outre remarquer que cette scène est en contrepoint avec le combat de cet « homme » au Jardin des Oliviers, Mc 14, 32-42, combat qui s'achève dans la lumière de la prière en 14,36; cf. *infra* p. 174, n. 43 : bibliogr. sur Mc 15, 34.

certainement pas eu sur les premiers témoins et les disciples de Jésus — et ensuite pendant 2 000 ans — cette efficacité historique tout à fait extraordinaire qu'elles ont manifestée, suscitant une morale théocentrique, capable de faire aller jusqu'au martyre ceux qui en vivaient.

A) S'il y a quelque chose de caractéristique dans la prédication de Jésus, c'est qu'elle manifeste la *volonté de Dieu* dans sa radicalité, sans tenir compte des réductions et des gauchissements qu'on voulait lui imposer; c'est son théocentrisme radical [72] : il faut aimer Dieu de tout son cœur et de toute sa force (Mc 12,30 parr.), et cela implique que l'on fasse attention uniquement au Père « qui voit dans le secret » et que l'on « rende à Dieu ce qui est à Dieu » (Mc 12,17b), le service de Dieu était défini comme un service exclusif, qui ne souffre aucune concurrence (Mt 6,24 par.); il faut pratiquer une obéissance, pour laquelle rien n'existe que la « volonté de Dieu » (Mc 3,35 parr.; Mt 21,28-31), une obéissance qui dépasse la Tora en ce sens qu'elle la mène à son accomplissement total (Mt 5,21-22a.27-28.33-34a.37), en se gardant de mettre le vin nouveau dans de vieilles outres (Mc 2,21 s. parr.) et en sachant bien que l'on n'a encore rien fait même lorsqu'on a accompli tout ce qui avait été prescrit (Lc 17,7-10). Or s'il est incontestable que l'aspect fondamental des exigences de Jésus est justement leur caractère radical fondé sur un théocentrisme absolu, on ne se trompe sûrement pas en pensant que Jésus lui-même a pris le parti de cette obéissance radicale [73], lorsque la volonté de Dieu s'est manifestée à lui sous la forme du martyre. A ne considérer que la substance des choses, la tradition de Mc 14,32-42 touche juste lorsqu'elle attribue à Jésus qui

72. Cf. aussi G. BORNKAMM, *Jesus* (cf. n. 48), p. 142 et *supra* n. 63.

73. Cf. *supra* p. 39, 2a, même point de vue chez G. DELLING, *Der Kreuzestod* (cf. n. 6), p. 72 s.; et maintenant chez F. HAHN aussi, *Rückfrage* (cf. n. 29), p. 51 : « Lorsqu'il s'agit, comme c'est le cas dans l'activité de Jésus, d'une relation si totale à Dieu en tant que Père et en tant que mandant, la mort ne peut pas se situer en dehors de cette relation; il n'est donc pas possible de comprendre la mort de Jésus si l'on fait abstraction de cette relation qu'il avait avec Dieu. » Cf. aussi notre étude indiquée *infra* n. 105.

marche à la mort cette prière : « Non ce que je veux, mais ce que tu veux! » (14,36c parr.).

B) Cette hypothèse est confirmée par les demandes que Jésus adresse à ses disciples lorsqu'il leur dit d'*être prêts au martyre.* Dans la parole adressée à ceux qui le suivent : « Quiconque ne porte pas sa croix... » (Lc 14,27 par.; cf. Mc 8,34 parr.), il est possible que la « croix » soit une insertion post-pascale; mais cela ne s'impose pas absolument (le « se renier soi-même » de Mc 8,34a en revanche, peut difficilement être considéré comme primitif). Mais alors, avant d'adresser cette parole à ses disciples, Jésus se la sera d'abord appliquée à lui-même, comme une exigence le concernant. En s'appuyant sur cette demande adressée aux disciples, on devrait être autorisé à conclure que Jésus lui-même a vécu intérieurement l'éventualité d'une mort violente. La parole de portée générale en Mc 8,35 parr. : « Celui qui veut sauver sa vie, la perdra; mais celui qui perdra sa vie... la sauvera » (cf. Lc 17,33 par.; 14,26) [74] vise également une situation dangereuse. Il faut en dire autant de Mt 10,28 par. : « Et ne craignez pas ceux qui tuent le corps, mais ne peuvent tuer l'âme; craignez davantage celui qui peut faire périr corps et âme dans la géhenne. » S'il est vrai que toutes les autres paroles annonçant [75] des persécutions dans l'immédiat ou dans l'avenir, et demandant qu'on soit prêt à affronter le martyre ne tiennent guère devant le principe critique de tri, du moins celles qui viennent d'être citées conviennent bien, en tout cas, à la situation dangereuse dans laquelle vit Jésus.

C) Jésus demandait à ses disciples de rester *confiants* au milieu des dangers : « Ne vend-on pas deux passereaux pour

74. Cf. G. DAUTZENBERG, *Sein Leben bewahren* (StANT XIV), Munich 1966, spéc. pp. 51-67. Le zélotisme, lui aussi, aurait pu émettre une telle exigence; cf. A. SCHLATTER, *Der Evangelist Matthäus,* Stuttgart, [6]1959, pp. 350 s.; M. HENGEL, *Die Zeloten,* Leyde-Cologne, 1961, p. 266.

75. Voir encore v. g. Mc 8,36 s. parr.; 10,35-40 par. Mt; 13, 9-13 parr.; 14,27 s. par. Mt; Lc 6,22 s. par. (cf. Mt 5,10; Lc 6,26); 11,47 s. par. 49 ss. par.; 12,11 s. par.; Lc 22,35-38 P.; Mt 10,23. 25c P.

un as? Cependant, pas un d'entre eux ne tombe à terre indépendamment de votre Père... Soyez donc sans crainte; vous valez mieux, vous, qu'une multitude de moineaux » (Mt 10,29.31 par.). « Même vos cheveux sont tous comptés » (Lc 12,7a par.). Ici à vrai dire nous ne sommes pas sur un terrain sûr, car il existe des sentences juives analogues[76], de sorte que le critère de tri inexorable ne nous permet pas d'utiliser ces demandes de Jésus comme des arguments solides.

Il est toutefois possible de se référer, avec plus de sûreté, à d'autres paroles de Jésus qui visent spécialement le cercle étroit des disciples et sont formulées de telle façon qu'il est difficile de penser qu'elles sont post-pascales; elles font apparaître que la confiance en la providence du « Père » est un trait fondamental de l'attitude de Jésus et de ce qu'il demande aux autres, cf. seulement Lc 12,22b-24.27-31.33-34 par.; 10,4-7 par.; Mt 6,11. Il serait injustifié de penser que cette confiance fondamentale en la *providentia specialissima* du Père, sur laquelle reposait la *vita communis* avec le cercle de ses disciples (cf. Lc 22,35-38), Jésus ne l'aurait pas gardée — d'une manière analogue — en face de la mort qu'il attendait. « Jésus reste fidèle à son Dieu, il s'accommode de sa défaite et il garde confiance : la semence germera et montera même s'il ne peut en prendre soin[77]. » C'est cela qui est attesté expressément dans la double prophétie de sa mort, sous-jacente en Lc 22,15-18 (par. Mc 14,25) (voir *infra* p. 53) : Jésus, ici, est plein d'espoir quant au salut; il sait que la *basileia* vient malgré sa mort et qu'ensuite il célébrera la Pâque accomplie d'une manière parfaite et boira à la coupe solennelle du repas de la fin des temps. En raison de Mc 14,25 par., « la tradition ne permet pas de douter » que Jésus a accepté sa mort « comme un événement voulu par Dieu... et par là même, il a rattaché sa certitude de l'accomplissement de son message eschatologique à la réalisation finale du règne de Dieu[78] ». Jésus sait que le salut de Dieu est en marche, malgré l'échec de sa mission et malgré sa mort.

76. Cf. BILLERBECK, I, pp. 582-585.

77. Cf. R. SCHÄFER, *Jesus* (cf. n. 9), p. 87 et H. KESSLER, *Erlösung* (cf. n. 26), p. 24.

78. Cf. A. VÖGTLE dans ÖK (cf. n. 68), p. 24. — Pour de plus amples renseignements cf. *infra* n. 100.

On peut dire avec une certaine certitude que si l'on avait été au courant d'un effondrement moral de Jésus au moment de sa mort, cela aurait privé de tout support une tradition post-pascale, comme celle que nous avons dans les trois groupes de paroles de Jésus, dont il vient d'être question; une telle tradition n'aurait eu, dans ces conditions, aucune chance de pouvoir se constituer. Une réponse positive aux deux questions qui vont être maintenant posées va confirmer le résultat qui vient d'être acquis.

III

LA CONNAISSANCE DU DANGER DE MORT A-T-ELLE INFLUENCÉ LE COMPORTEMENT DE JÉSUS?

Envisagée du point de vue de l'historien, la fin violente de Jésus fut un événement absurde; mais Jésus a-t-il intégré dans son comportement[78a] cette absurdité qui fondait sur lui? Il n'est pas possible de distinguer nettement entre la destinée qui fond sur Jésus et la réaction de ce dernier (par son comportement et par sa parole) face à cette destinée; le comportement de Jésus consiste précisément à s'adapter au destin qui lui est envoyé. On est autorisé à dire que le comportement de Jésus suppose davantage que la vague prise en compte de l'éventualité d'une mort violente; en fait, il a été commandé par la connaissance de cette mort, et il l'a été de plus en plus à mesure que la fin approchait. Le comportement de Jésus, lorsqu'il est perceptible, confirme la conclusion que nous avons cru pouvoir tirer ci-dessus à partir des exigences qu'il a formulées : Jésus avait une relation intérieure à l'éventualité du martyre. Le comportement de Jésus nous permet d'aller plus

78a. Dans le petit volume cité *infra* p. 80 n. 174, R. PESCH écrit : « Une analyse qui tient compte de la qualité symbolique du *comportement* de Jésus, est seule capable de bien poser le problème de l'historicité de l'activité de Jésus » (p. 106).

loin et de reconnaître quelle fut son « attitude » dans l'affrontement de ce destin; il n'est pas possible d'y voir seulement une soumission passive :

A) On a pour le moins quelques motifs de supposer que, derrière la tradition représentée par Lc 10,1 + Mt 10,5b.6 + Lc 10,8-11, qui formait jadis une unité, il y a un *envoi en mission tout à fait exceptionnel dont Jésus a pris l'initiative* [79] : une dernière fois avant la fin, Jésus lance une grande interpellation à Isräel, à « chaque ville et localité » (Lc 10,1); c'est là une démarche solennelle qui, par son caractère manifestement désespéré, a presque la valeur d'un événement symbolique dressé devant les hommes; événement qui, au plan de la raison, ne peut vraiment être expliqué que par la pensée de l'échec, à moins qu'on ne veuille considérer Jésus comme un rêveur qui a perdu tout contact avec la réalité.

B) Il n'est pas possible d'étudier ici tous les problèmes [80] que posent l'entrée de Jésus à Jérusalem (Mc 11,1-10 parr.) et l'ovation messianique qui la précède. Mais si Jésus, malgré la situation extrêmement tendue, *monte* quand même *à Jérusalem* et a vraisemblablement « cherché à y provoquer la décision ultime » [81] il faut qu'il ait eu nettement conscience du risque qu'il courait. Jésus a pu savoir « qu'en allant à Jérusalem il marchait à la mort » et « malgré cela, il est allé à Jérusalem » [82].

79. Cf. H. SCHÜRMANN, « Mt 10, 5b-6 und die Vorgeschichte des synoptischen Aussendungsberichtes » (1963), dans *Traditionsgeschichtliche Untersuchungen* (Recueil d'articles I), Düsseldorf, 1968, p. 137-149. — Cet envoi en mission est mis en doute par P. HOFFMANN, *Studien zur Theologie der Logienquelle* (NTA N. F. 8), Münster, 1972 pp. 235-334, spéc. p. 262; ses arguments permettent encore de considérer cet envoi en mission comme une « conjecture » fondée.

80. Cf. les remarques critiques de G. BAUMBACH, *Jesus* (cf. n. 49), p. 25 s.; voir aussi H. PATSCH, « Der Einzug in Jerusalem. Ein historischer Versuch », dans ZThK 68 (1971), pp. 1-26.

81. G. BORNKAMM, *Jesus* (cf. n. 48), p. 143; de même H. CONZELMANN dans RGG III (^{3}1959), p. 647; E. GRÄSSER, *Naherwartung* (cf. n. 68), p. 93; critique en sens contraire de R. BULTMANN, *Verhältnis* (cf. n. 1), p. 12.

82. W. G. KÜMMEL, *Theologie* (cf. n. 17), p. 77; cf. H. KESSLER, *Erlösung* (cf. n. 26), p. 24.

C) Il n'est pas nécessaire que nous nous arrêtions ici à la question difficile de savoir quelle fut précisément la signification de la *purification du Temple* (Mc 11,15 s. parr.)[83] et de la *parole relative au Temple* (Mc 14,58 par. Mt; cf. Jn 2,19; Mc 15,29 par. Mt; cf. Mt 12,6, Ac. 6,14; Mc 13,2)[84]; pour notre propos, il suffit que soit établi le point suivant, qu'il est difficile de contester : par son action au Temple, Jésus donna à ses adversaires l'occasion de se saisir de lui[85]; cela serait particulièrement clair si la question sur l'autorité de Jésus (Mc 11,27-33 parr.) se trouvait située, dans un état du texte plus ancien, après Mc 11,15 s. parr.[86]. « Ainsi le combat contre les chefs spirituels du peuple était ouvert par Jésus lui-même[87]. » Jésus devait se rendre compte que son comportement et sa parole avaient quelque chose de provocant. « On ne peut ... guère se défaire de l'impression que... l'apparition de Jésus à Jérusalem a été, pour la police, une provocation, car il fallait s'attendre au moins à des querelles. La question de savoir si ce fut par naïveté que Jésus se mit dans cette situation, ou bien, s'il en vit les conséquences et les assuma consciemment, est déjà résolue à partir de sa prédication. Les

83. Il est difficile de voir à l'origine de cette action l'intérêt qu'un « prophète » (cf. Zach 14, 21b) porte à la pureté de ces lieux de culte comme tels; on peut encore moins l'interpréter comme une initiative de caractère zélote. Selon toute apparence, il faut la comprendre comme un signe d'accomplissement eschatologique : « Ma maison sera appelée maison de prière pour toutes les nations » (cf. Is 56,7; Jr 7,11). « Il est certain que cette adoration est une vieille espérance eschatologique et il l'est tout autant que cette action est une préparation eschatologique et que l'accomplissement est imminent », écrit E. LOHMEYER, *Das Evangelium nach Markus* (MeyerK 1/2), Göttingen, 1963, p. 237; mais alors il est possible que G. BORNKAMM, *Jesus* (cf. n. 48), p. 146, voie juste quand il note : Jésus « purifie le sanctuaire pour le jour où fera irruption le règne de Dieu. Il ne faut pas perdre de vue la perspective dans laquelle se place cet événement ni la prétention que cette action manifeste ». Cf. aussi H.-W. BARTSCH, *Jesus, Prophet und Messias aus Galiläa,* Francfort, 1970, pp. 46-49, 52; J. ROLOFF, *Kerygma* (cf. n. 65), pp. 89-110.

84. Cf. O. BETZ, *Was wissen wir von Jesus?,* Berlin, 1965, pp. 59-62.

85. Cf. G. BORNKAMM, *Jesus* (cf. n. 48), p. 147 et les explications convaincantes de G. BAUMBACH, *Jesus* (cf. n. 49), pp. 65-68.

86. Sur ce point cf. R. BULTMANN, *Die Geschichte* (cf. n. 19), p. 36.

87. G. BORNKAMM, *Jesus* (cf. n. 48), p. 146; cf. aussi M. DIBELIUS (*W. G. Kümmel*), *Jesus* (cf. n. 64), p. 105 s.

Évangiles pensent avec raison que Jésus a pris délibérément la route de la croix »[88].

D) L'action de Jésus au Temple[89] éclaire son dernier repas avec ses disciples, *la Cène*. Quoi qu'il en soit des problèmes qui se posent ici, il y a une tradition qui n'est généralement pas contestée : Jésus, sachant que l'heure de sa mort était proche, organisa un repas de fête[90] et celui-ci eut le caractère d'un repas d'adieux[91]. L'interprétation de l'action de Jésus au cours de la Cène devra, eu égard à la situation de la recherche qui apprécie d'une manière critique la reconstitution exacte des paroles explicatives qui nous ont été transmises, réfléchir sur les gestes de don accomplis par Jésus. La fraction du pain au début du repas et la présentation de la coupe à la fin de celui-ci peuvent être interprétées comme des « actions symboliques eschatologiques » comme nous aurons à l'exposer ailleurs[92] : c'est en posant des gestes de don d'une portée solennelle que Jésus prend congé de ceux qui partagent son repas, et leur attribue les biens du repas eschatologique.

Même si les gestes de Jésus que nous venons de mentionner ne devaient pas être interprétés[93] comme des « actions symboliques » accomplies intentionnellement, comme des « signes de l'accomplissement » eschatologique, ils permettent

88. E. Fuchs, *Zur Frage* (cf. n. 38), pp. 18 ss.; cf. déjà Id., *Die Frage* (cf. n. 35), p. 158.

89. Cf. aussi R. Schäfer, *Jesus* (cf. n. 9), p. 83 : « Il est très possible que Jésus, qui vit dans le monde religieux des prophètes, accomplisse ici, tout comme à la dernière Cène, une action symbolique. »

90. Cf. H. Schürmann, « Die Gestalt der urchristlichen Eucharistiefeier » (1955) dans *Jesu Abendmahlshandlung als Zeichen für die Welt* (Die Botschaft Gottes II/27), Leipzig, 1970, pp. 13-62.

91. Cf. G. Bornkamm, *Jesus* (cf. n. 48), p. 148.

92. Pour plus de détails cf. H. Schürmann, *Das Weiterleben* (cf. n. 14), *infra* pp. 74-100.

93. Nous ne pouvons pas reprendre ici ce que nous avons déjà développé ailleurs, cf. « Die Symbolhandlungen Jesu als eschatologische Erfüllungszeichen. Eine Rückfrage nach dem irdischen Jesus » (1970) dans *Das Geheimnis Jesu. Versuche zur Jesusfrage* (Die Botschaft Gottes II/28), Leipzig, 1972, pp. 74-110; cf. aussi F. Hahn, *Rückfrage* (cf. n. 29), p. 46; F. Schnider, *Jesus der Prophet* (Orbis Biblicus et Orientalis II), Fribourg/Suisse-Göttingen, 1973, spéc. pp. 81-88.

pourtant d'avancer avec une certaine vraisemblance l'idée suivante : Jésus a fait passer consciemment dans son comportement sa mort qu'il prévoyait.

En disant cela on ne prétend aucunement que Jésus a provoqué (sur ce point voir *infra* p. 63 s.) sa mort qu'il aurait considérée comme le vrai but de sa vie. Mais il apparaît assez clairement qu'il n'a pas accepté ce destin qui venait vers lui, d'une manière purement passive; au contraire, il l'a assumé activement dans son comportement. Aussi est-il possible que, mis en face de l'échec de sa mission immédiate, il lui ait attribué un sens, et peut-être même une signification de salut. C'est ce que nous allons examiner dans notre prochaine question.

IV

JÉSUS POUVAIT-IL CONCILIER SA MORT AVEC SA MISSION?

« Même si l'on peut dire que la mort de Jésus est la conséquence tout à fait logique de son activité, que c'est elle seulement qui donne son vrai sens à cette activité, cela ne signifie pas pour autant que l'on considère cette mort comme un événement de salut [94]. » La dernière partie de cette phrase est juste. Mais est-il vrai aussi que « c'est la mort seulement qui donne à l'activité de Jésus son vrai sens »? C'est bien pourtant la venue de la *basileia* d'abord — un accomplissement tout différent de l'activité de Jésus — qui eût été pleine de sens. La question devrait être posée avec plus de réserve, un peu comme notre titre essaie de le faire.

« On ne peut pas... exclure absolument [!] que Jésus apprit à considérer le destin de mort qui s'imposa à lui à la fin, comme quelque chose qui dans ces circonstances était lié au gouvernement incompréhensible de Dieu, qui n'était donc pas vraiment

94. W. MARXSEN, *Erwägungen* (cf. n. 1), p. 163.

étranger à Dieu[95]. » Cette réponse positive n'est pas encore celle qui convient à la question de notre titre; celle-ci demande en effet s'il y a une compatibilité intrinsèque entre l'idée de mission et celle de mort. « Il faut... s'attendre à ce que Jésus, lorsqu'il a vu venir sa mort, a voulu lui imprimer la signification qu'il portait dans l'esprit, et il serait difficilement concevable qu'il ait vécu avec la conscience d'accomplir une mission et qu'il n'ait pas interprété sa mort à la lumière de cette mission[96]. » Ce qui est certain : il est peu vraisemblable que Jésus « ait voulu sa mort. Ce qu'il voulait, c'est la foi d'Israël[97] ». Mais cela veut-il dire qu' « il considérait le reste comme réservé à Dieu[98] »? Jésus n'avait-il pas la possibilité de concilier dans sa pensée sa mission et son échec dans cette mission[98a]? Cette question en recouvre deux autres :

A) Il n'y a, en soi, aucune contradiction à penser en même temps que Dieu instaurerait son règne et réaliserait son salut, même par-delà *l'échec* de son dernier messager. Il faut sans doute concevoir la venue de la *basileia* comme étroitement liée à la présence de Jésus : « Lorsque Jésus chasse les démons, guérit les malades, introduit les hommes dans la foi par son appel; lorsqu'il invite à sa table les publicains et les pécheurs et leur offre de prendre part avec lui au repas eschatologique; lorsqu'il dit que le Fils de l'Homme, quand il reviendra, jugera les hommes selon la manière dont ils se comportent maintenant à son égard —, il anticipe par là même sur l'avenir[99]. » Mais la *basileia* qui vient, portée par la puissance souveraine de

95. H. KESSLER, *Die Bedeutung* (cf. n. 42), pp. 234 s., ID., *Erlösung* (cf. n. 26), p. 25.

96. J. GUILLET, « Die Mitte der Botschaft Jesu : Jesu Totenauferstehung », dans IKZ 3 (1973), pp. 225-250, ici : p. 233; cf. ID., *Jesus vor seinem Tod*, Einsiedeln, 1973 (= Tr. de *Jésus devant sa vie et sa mort*, Paris, Aubier, 1971).

97. H. KESSLER, *Die Bedeutung* (cf. n. 42), p. 234.

98. ID., *ibid.*, p. 233; cf. aussi R. SCHÄFER, *Jesus* (cf. n. 9), p. 87.

98a. W. KASPER, « Der Glaube an die Auferstehung Jesu vor dem Forum der historischen Kritik », dans ThQ 153 (1973), pp. 229-241, constate « que Jésus a établi un lien essentiel entre sa prédication eschatologique, sa « cause » donc, et la dimension eschatologique qu'il revendiquait pour sa propre personne. Dans sa venue, c'était *la basileia* qui arrivait » (p. 236). Mais alors la question se pose : « Qu'en fut-il donc de sa mort? Fut-elle aussi la mort de sa ' cause '? »

99. W. MARXSEN, *Erwägungen* (cf. n. 1), p. 164.

Dieu et sa volonté de salut, n'est pas liée à ce point à la présence de Jésus que Dieu ne puisse pas la réaliser dans ou après l'échec de Jésus, voire même à travers cet échec.

Derrière Lc 22,15-18 par. Mc 14,25 — une unité qui a été retouchée par les premiers chrétiens en fonction de l'intérêt qu'ils portaient à la Cène — il est possible de reconstituer une double prophétie de la mort de Jésus [100], qui est plus primitive et qui est chargée d'espérance : par-delà sa mort, Jésus célébrera de nouveau la Pâque et organisera un festin dans le Royaume de Dieu qui ne peut manquer de venir! Sa mort n'empêchera pas le salut de venir et lui-même ne restera pas la proie de la mort [101]. Il est donc tout à fait possible de concevoir l'irruption de la *basileia* et la mort violente de Jésus en liaison l'une avec l'autre, si l'on prend au sérieux — comme c'est le cas dans ce logion — la souveraineté de Dieu et sa volonté de salut

B) Plus importante est la question de savoir si Jésus pouvait concilier dans sa pensée sa *mort, en tant que source de salut,* avec sa mission qui était d'annoncer le Royaume, comme le fait la parole eucharistique sur le vin dans toutes les versions, spécialement dans la forme de Lc 22,20a par. 1 Co 11,25; parole que l'on pourrait paraphraser comme suit : « Cette coupe de vin présentée à tous fait participer à la Nouvelle Alliance promise par les prophètes et qui se réalisera par mon martyre. »

Mais ici des objections s'élèvent [102] : « l'hypothèse que Jésus

100. Cf. H. SCHÜRMANN, *Der Paschamahlbericht* Lc 22, (7-14) 15-18 (NTA XIX/5), Munich, ²1968 : la précision chronologique « avant de souffrir », l'invitation lancée au v. 17b, le double « car » explicatif des vv. 16 et 18 sont des additions rédactionnelles; Mc 14,25 est plus primitif que Lc 22,18. Voir aussi *infra* (en VIII, B1).

101. Mérite également d'être mentionnée ici la réflexion de W. THÜSING, dans K. RAHNER-W. THÜSING, *Christologie — systematisch und exegetisch* (QD 55), Fribourg en Br.-Bâle-Vienne, 1972, p. 131 : « On a déjà une théologie de la Passion (rudimentaire, il va de soi), lorsque l'acceptation de la mort par Jésus est reliée à l'exigence radicale qu'il a formulée de marcher à sa suite — de telle manière que la promesse de la gloire est donnée en même temps (cf. les promesses de récompense dans les synoptiques). »

102. Par A. VÖGTLE dans ÖK (cf. n. 68), p. 21.

a connu à l'avance, tout en la gardant secrète », la signification salutaire de sa mort, « reviendrait à supposer » chez lui « une tension vraiment insupportable et même une attitude contradictoire indigne : ' Je prêche délibérément comme si l'accomplissement de ce que je demande au point de vue religieux et moral était l'unique condition pour obtenir le salut; je ne parle absolument pas de la nécessité de ma mort pour la réalisation du salut, afin de ne pas rendre illusoire ma demande de conversion radicale et de disponibilité à la persévérance '[103] ».

Ces réflexions appellent deux mises au point :

1. Il est tout d'abord permis de se demander si Jésus a vraiment lié la venue de la *basileia* et par là même du salut de Dieu annoncé, à la nécessité « d'une conversion radicale et de la disponibilité à la persévérance », comme à l' « unique condition pour obtenir le salut ». Cette interprétation de la prédication de Jésus ne concorde pas avec ce que nous savons sur le comportement de Jésus, qui offre sa grâce et fréquente les pécheurs. Ainsi Jésus n'a pas lié à des conditions humaines l'irruption souveraine de la *basileia* et du salut de Dieu. Et dès lors il est tout à fait possible qu'il ait conçu cette venue en relation avec son propre échec (cf. *supra* p. 51 s.).

2. De plus, il y a, sous-jacente à l'objection qu'on vient de signaler, une vision d'ensemble de la personne de Jésus, qui est faussée parce qu'elle est centrée d'une manière trop unilatérale sur l'aspect eschato-logique de sa prédication et ne prend pas assez au sérieux les éléments théo-logiques qu'elle contient. Jésus n'a pas annoncé uniquement le salut eschatologique imminent; il s'est référé aussi au Dieu infiniment saint qui demande à ses fils et à ses serviteurs de se donner totalement à Lui[104]. Il est permis de mettre en question[105] l'image

103. A. VÖGTLE, *Ibid.*

104. Voir *supra* en I, B2 et II, A.

105. Cf. H. SCHÜRMANN, « Das hermeneutische Hauptproblem der Verkündigung Jesu. Eschato-logie und Theo-logie im gegenseitigen Verhältnis » (1964), dans *Traditionsgeschichtliche Untersuchungen zu den synoptischen Evangelien* (Recueil d'articles, II), Düsseldorf, 1968, pp. 13-35; (– Tr. « Le problème fondamental posé à l'herméneutique de la prédication de Jésus. Eschatologie et

« paneschatologique » de Jésus, qui s'est beaucoup répandue depuis J. Weiss. Une conscience théo-logique ouverte, pour laquelle la « volonté de Dieu » est le facteur décisif qui commande tout, aussi bien ce que l'on fait que ce dont on s'abstient, est capable de rassembler une quantité de données, dans une tension très féconde. Une attitude de foi [106] centrée sur Dieu, qui s'en remet au Père en ce qui concerne la décision définitive [107], ne peut en effet absolument pas agir autrement qu'en restant disponible à l'égard de Dieu dont les possibilités d'action sont variées : Jésus devait rester fidèle à la mission certaine qu'il avait reçue de Dieu, à savoir : annoncer la *basileia ;* mais il devait également se tenir prêt à suivre, dans la soumission, cette autre voie que Dieu pouvait choisir, à savoir : réaliser l'action miséricordieuse de Dieu par son propre échec ou même par le don radical de sa propre mort [108].

Theo-logie dans leur rapport mutuel », dans *Le message de Jésus et l'interprétation moderne,* « Cogitatio Fidei » 37, Paris, Éd. du Cerf, 1969, pp. 115-149); dans cette étude sont présentés d'autres exégètes qui voient le problème et essaient de le résoudre à leur manière; spéc. H. CONZELMANN, « Zur Methode der Leben-Jesu-Forschung », dans ZThK 56 [1959], nº 1, pp. 2-13, spéc. pp. 11 ss.). — A. VÖGTLE, « ' Theo-logie ' und ' Eschato-logie ' in der Verkündigung Jesu? », dans *Neues Testament und Kirche* (Mélanges offerts à R. Schnackenburg), Fribourg en Br.-Bâle-Vienne, 1974, pp. 371-398, voit bien que je voudrais que l' « attente de la parousie à brève échéance » (« Naherwartung ») dans la prédication de Jésus soit « relativisée » parce qu'elle me semble l'être de par l'ensemble de sa prédication; c'est donc à partir de l'ensemble de cette prédication qu'il faut absolument l'interpréter, et je note à ce propos que l'interprétation « christologique » me paraît encore et toujours plus appropriée que l'interprétation existentiale. De plus, pouvons-nous vraiment — après plusieurs décades de recherches sur l'histoire de la tradition, et surtout, sur l'histoire de la rédaction, continuer à expliquer avec tant d'assurance la compréhension qu'avait Jésus de la *basileia,* et pouvons-nous, après les distinctions qu'a établies la linguistique entre *langue* et *parole,* comprendre si clairement la pensée de Jésus à partir de l'apocalyptique? — F. HAHN, *Rückfrage* (cf. n. 29), p. 47 s. (contre H. Conzelmann) me paraît, lui aussi, passer à côté de la solution lorsqu'il déplace le problème en passant du théocentrisme de Jésus à son « activité créatrice ». Ce point toutefois devrait être traité pour lui-même.

106. Il faudrait ici tenir compte des développements de K. RAHNER sur « le savoir est une construction aux nombreux étages », dans SchrzTh V (1962), pp. 23 ss.

107. Même point de vue chez A. VÖGTLE également, dans : ÖK (cf. n. 68), p. 24.

108. M. MACHOVEČ écrit : « La question n'est... pas de savoir si Jésus se représentait ou non ce que seraient ses souffrances à venir — cela nous semble incontesté — mais plutôt de savoir s'il attribuait à ses souffrances à venir un

Il est donc difficile de contester que Jésus a *pu* concilier sa mort — et même sa mort en tant que salutaire — avec sa proclamation du Royaume [108a]. Mais on peut aller plus loin encore : si, faisant nôtre une appréciation courante, nous voyons en Jésus le dernier messager de Dieu, qui devait annoncer et proclamer la venue prochaine du Royaume, alors il

sens purement moral... ou bien s'il y voyait également une certaine signification eschatologique... ; nous ne supposons d'ailleurs pas qu'il s'agissait là d'un plan parfaitement réfléchi au niveau de la raison (on ne calcule pas d'une manière si rationnelle quand il s'agit de sa propre mort; et la notion de ' plan ' ne s'adapte également que d'une manière approximative au mode de pensée eschatologique); mais nous supposons qu'il y aurait une contradiction avec l'esprit de l'ensemble de sa ' prédication ' si Jésus avait compris sa mort dans une perspective purement ' morale '; c'est-à-dire sans la mettre en relation avec les bouleversements eschatologiques attendus; alors que, sans aucun doute, il leur était ouvert de toute son âme, de toute sa pensée, avec son cœur et sa volonté, et donc, avec cette partie de son esprit qui commençait à se représenter sa propre mort », cf. *Jesus für Atheisten,* Stuttgart-Berlin, 1972, pp. 176 s.

108a. Une troisième objection vient maintenant de P. FIEDLER, « Sünde und Vergebung im Christentum », dans *Conc.* 10 (1974), pp. 568-571, spéc. p. 569 (= éd. fr. *Conc.* n° 98, pp. 63-69, spéc. p. 66); selon Fiedler, notre « solution », d'après laquelle la signification salutaire de la mort de Jésus serait insinuée dans les actions symboliques accomplies par Jésus au cours de son dernier repas (voir *infra*), « ne fait que voiler la question de savoir pourquoi le pardon de Dieu offert et pratiqué par Jésus devrait nécessairement passer maintenant par l'action expiatoire de Jésus... Jésus avait annoncé le message d'un pardon offert *sans condition* par son Père; le Père manquerait-il maintenant de générosité, voire de souveraineté dans le don de sa grâce, au point de tenir ainsi à une expiation? » Et un peu plus loin : « L'homme n'a qu'une seule condition à remplir : accepter dans la foi ce don de Dieu, qu'on ne mérite pas et qu'on ne peut pas mériter (cf. Mc 10,14 s. par. : se laisser combler à la manière des enfants), ce qui veut dire : en vivre. La « conversion » ne signifie pas autre chose » (p. 570 ou 68). Ici la « condition » semble se présenter sous une autre forme (que celle indiquée ci-dessus, en 1). — Il faut donner raison à Fiedler lorsqu'il dit qu'il ne faut pas être trop pressé de faire intervenir l'idée d'expiation. Dire que Jésus a « annoncé le message d'un pardon offert sans condition par son Père », ce n'est pas encore contredire notre « conjecture » selon laquelle « Jésus a compris et affronté sa mort dans une attitude d'amour, d'intercession, de bénédiction et de confiance dans le salut; c'est-à-dire dans une « attitude fondamentalement proexistante » qui, au plan de la théologie, peut être exprimée d'une manière ou d'une autre » (cf. *infra* p. 62 s.). Si le « Père » veut le « pardon sans condition », cela ne pourrait-il pas venir de ce que, dans la « pro-existence » de Jésus, c'est au fond tout simplement la nature pro-existante de Dieu qui se manifeste (sur ce point cf. *infra* pp. 164-176)? (La notion d'expiation va demander à la théologie encore quelques efforts de réflexion.) C'est avec intérêt que l'on attend la publication, annoncée, de la dissertation théologique de P. Fiedler (Fribourg en Br.)

faut bien que l'historien le plus positiviste se demande si ce messager extraordinaire du salut eschatologique ne peut pas avoir établi une relation positive entre cette fin catastrophique — qui était à la fois la sienne et celle de son message — et la promesse de salut à laquelle il est resté fidèle jusqu'au bout. « Si Jésus savait qu'il devait établir l'ordre nouveau et que Dieu voulait qu'il meure, alors rien ne pouvait s'imposer davantage à son esprit que l'idée suivante : selon la volonté de Dieu, sa mort devait se produire en vue de la réalisation de l'ordre nouveau [109]. » Cette réflexion nous prépare à aborder une nouvelle question.

V

JÉSUS A-T-IL ATTRIBUÉ UNE VALEUR SALUTAIRE A SA MORT QU'IL PRÉVOYAIT?

Si nous restons fidèle au principe critique de tri, nous ne pouvons pas, conformément aux conditions que nous avons indiquées dans l'introduction (cf. p. 27 s.), fonder notre démonstration sur des textes tels que les paroles de la dernière Cène ou celle relative au *lytron,* ni sur des textes analogues comme sont les allusions à Is 53 [110] ou à la mort des justes ou des prophètes. Mais, abstraction faite de ces textes contestés, il y a des arguments positifs qu'il faut d'abord examiner pour les confronter ensuite aux arguments contraires.

A) En principe, ce n'est pas une démarche critique que de vouloir comprendre Jésus uniquement à partir des courants

109. C'était déjà le point de vue de A. SEEBERG, *Der Tod Christi in seiner Bedeutung für die Erlösung,* Leipzig, 1895, p. 369; lui aussi essaie d'établir « un lien organique entre la mort de Jésus et sa prédication ».

110. Ces allusions sont rassemblées par J. JEREMIAS, *Theologie I* (cf. n. 20), pp. 272 ss. (= Tr. pp. 357 ss.).

spirituels du milieu où il vivait; toutefois, même si l'on croit ne pouvoir comprendre la personnalité de Jésus qu'à partir de l'exégèse de ses contemporains [111] (de quel droit [112]?) et si l'on estime que lui-même n'a pas pu mettre son propre destin en relation avec les chants du serviteur de Dieu du Second Isaïe et comprendre ce destin à la lumière de ces chants, il est quand même permis de rappeler que l'idée selon laquelle la mort a une vertu expiatrice était bien de quelque manière une idée connue dans le monde environnant [113]. Selon A. Vögtle : « Il est certain qu'on peut très bien faire entrer en ligne de compte la vertu expiatrice de la souffrance et du martyre du juste... comme un éclairage... possible de sa propre pensée (de Jésus) [114]. » Peut-on adopter ce point de vue? L'idée de la mort expiatrice vicaire (attestée, notons-le, en Israël seulement) n'apparaît que dans le judaïsme hellénistique, au milieu du Ier siècle après J.-C.; cf. 4M 1,11; 6,28 s.; 9,23 s.; 17,20 ss.; 18,4 [115] (et déjà en 2 M 7,37 s., sous forme de prière). Mais y a-t-il des indices tendant à montrer que Jésus a effectivement attribué de quelque manière une valeur salutaire à sa mort?

111. E. Lohse, *Märtyrer* (cf. n. 11), p. 108, écrit : le « recours à Is 53 comme preuve scripturaire de la doctrine sur la valeur expiatrice de la mort des justes était interdit » aux rabbins, « parce que les chrétiens interprétaient ce chapitre en référence aux souffrances et à la mort de Jésus ». Cette explication est critiquée par H. Patsch, *Abendmahl* (cf. n. 21), p. 155.

112. Cf. J. Jeremias, *Theologie* I (cf. n. 20), p. 274 (= tr. p. 360) : « Quand les évangiles affirment que Jésus a trouvé le sens de sa mort indiqué en Is 53, il n'est pas permis de refuser *a priori* cette affirmation comme incroyable, même si l'on dispose de peu de données pour l'appuyer » — ou même si celles-ci sont suspectes.

113. Même point de vue chez J. Jeremias, *ibid.*, p. 273, avec bibliographie; pour plus de détails cf. E. Lohse, *Märtyrer* (cf. n. 11), pp. 13-112; selon L. Ruppert, *Jesus* (cf. n. 115), il faudrait voir en Jésus « non pas le *juste* souffrant, mais le *prophète* souffrant ». Cf. Id., *Der leidende Gerechte und seine Feinde. Eine Wortfelduntersuchung,* Wurtzbourg, 1973; cf. aussi F. Schnider, *Jesus der Prophet* (cf. n. 93), spéc. pp. 130-172.

114. Cf. A. Vögtle, dans ÖK (cf. n. 68), p. 21.

115. Nous corrigeons ici la position que nous avions d'abord adoptée; ce point en effet a été établi — contre E. Lohse — par K. Wengst, *Christologische Formeln und Lieder im Urchristentum,* Gütersloh, 1972, spéc. pp. 62-71; H. Patsch, *Abendmahl* (cf. n. 21), pp. 156 ss.; J. Roloff, *Deutung* (cf. n. 6), spéc. pp. 44-50; L. Ruppert, *Jesus als der leidende Gerechte? Der Weg Jesu im Lichte eines alt- und zwischentestamentlichen Motivs* (SBS 59), Stuttgart, 1972. Il faudrait vérifier si cette idée vient de l'hellénisme et ne s'est pas propagée en Palestine.

Nous avons noté déjà[116] que Jésus n'est pas resté dans une attitude passive face à sa mort, mais qu'il l'a assumée activement dans son comportement. Par ailleurs, il est possible d'affermir et d'illustrer par d'autres arguments l'hypothèse que nous examinons; pour cela, il nous faut de nouveau recourir à l'idée selon laquelle les exigences formulées par Jésus permettent de tirer des conclusions sur son propre comportement :

1. En Lc 22,27 et, d'une manière affaiblie, en Mc 10,45 par. Mt — cf. aussi Jn 13, (1-11.) 12-20 —, on présente la mission de Jésus en recourant à l'image de celui qui sert à table; de même, en Lc 12,37, et en référence au royaume de Dieu qui vient, Jésus est présenté dans le rôle de celui qui sert à table. Ainsi l'exigence fondamentale que présente Jésus, celle de *servir* les autres, est fondée sur son propre comportement exemplaire : « Si quelqu'un veut être le premier, qu'il soit le dernier de tous et le serviteur de tous » (Mc 9,35 parr.); tu dois en effet « aimer ton prochain comme toi-même » (Mc 12,33), et : « tout ce que vous voulez que les hommes fassent pour vous, faites-le, vous aussi, pareillement pour eux » (Mt 7,12a par.). Cette volonté de service est orientée spécialement vers les pauvres et les besogneux, cf. Lc 10,29-37; 14,12 ss.; Mt 5,42 par.; 18,23-24 P; 25,31-46 P; elle est une imitation de l'attitude du Père (Lc 6,36 par.). Même si l'on peut mettre en doute le caractère primitif de certains logia sur le commandement de l'amour[117], celui-ci ne peut pas être mis en question, car il est l'élément fondamental des exigences de Jésus; il faut en dire autant de la volonté de service de Jésus : c'est là une attitude qui lui est propre.

Il faut maintenant se demander si Jésus n'a pas persévéré dans cette volonté de service jusqu'au bout, jusque dans cette heure où il affrontait sa mort de martyr[118]. Il s'agit au fond de

116. Cf. *supra* en III.

117. Cf. seulement R. SCHNACKENBURG, *Die sittliche Botschaft des Neuen Testaments,* Munich, ²1962, pp. 65-81 (avec bibliogr.) (= Tr. *Le message moral du Nouveau Testament,* Le Puy, X. Mappus, 1963); voir aussi la bibliogr. indiquée p. 130, n. 26.

118. Selon W. THÜSING également, il faut considérer la « croix » et l' « agapè » en liaison l'une avec l'autre, cf. *Christologie* (cf. n. 101), pp. 277 s.

savoir si cette attitude fondamentale, caractérisée par un amour agissant, qui a inspiré la vie active de Jésus est bien celle qui caractérise également sa mort, comme le pense Mc 10,45 (à la lumière d'Is 53,12) — et Jn 13,1-11, quoique dans une autre perspective —, et comme cela est illustré ensuite par les gestes de don qu'accomplit Jésus au cours de son repas d'adieux (cf. *infra* pp. 70 ss.). Il n'est pas possible de considérer cette hypothèse comme invraisemblable si on l'éclaire par l'ensemble de l'activité de Jésus [119].

2. Il est une autre piste de réflexion qui nous permet d'aller plus loin, car elle nous montre clairement que le comportement de Jésus dans son martyre a été une « pro-existence » active : personne ne met en doute que la demande d'*aimer les ennemis* est particulièrement caractéristique du commandement de l'amour tel que l'a formulé Jésus [119a]. Des images aussi violentes que Lc 6,29 par. et 6,30 par. impliquent l'exigence de se laisser « vider » (« ausnehmen ») totalement de soi-même, dans une attitude d'amour absolu, prêt à tout accepter sans broncher. Il faut surtout mettre en valeur Lc 6,27 s. : « Aimez vos ennemis; faites du bien à ceux qui vous haïssent. Bénissez ceux qui vous maudissent; priez pour ceux qui vous calomnient »; ces versets forment le commencement du morceau strophique qui se poursuit en 6,32 s. 35a. c. Il n'est pas nécessaire ici de faire un tri détaillé de ce qui revient à la communauté dans cette tradition. De toute façon nous avons là une exigence fondamentale de Jésus. Or cette exigence, Jésus se la sera appliquée aussi à lui-même [120]. Son attitude aurait donc été une attitude de « pro-existence » aimante, décidée à maintenir à l'heure du martyre le comportement évoqué en Lc 6,27 s. : « aimez » « faites du bien », « bénissez », « priez ». Nous refusons d'admettre que Jésus, au moment de sa mort, a subi un effondrement moral [121], et nous avons le droit de

119. C'est également la position de J. ROLOFF, développée dans *Deutung* (cf. n. 6), p. 62 s.

119a. Sur Lc 6,29 s., voir la bibliogr. dans H. SCHÜRMANN, *Lukasevangelium* (cf. n. 21); G. SCHNEIDER, « Die Neuheit der christlichen Nächstenliebe », dans TThZ 82 (1973), pp. 257-275.

120. Cf. J. MOLTMANN, *Der gekreuzigte Gott* (cf. n. 42), p. 234. (Trad. *Le Dieu crucifié*, p. 286).

121. Sur ce point cf. *supra* pp. 42 ss.

supposer qu'il est allé à la mort dans une attitude de « pro-existence » aimante.

3. Mais peut-être pouvons-nous aller encore un peu plus avant : peut-être que Jésus, au moment de sa mort, n'a pas seulement pensé à ses ennemis, mais aux pécheurs en général? Nous resterons sur un terrain historique solide si, dans notre réflexion, nous faisons maintenant entrer en ligne de compte l'*engagement de Jésus pour les pécheurs*. Nous pouvons dire avec A. Vögtle : on n'a pas le droit de négliger « la conviction profonde qu'avait Jésus du grand amour, humainement incompréhensible, qui pousse Dieu à la recherche du pécheur pour le combler de sa grâce » [122], lui qui « justifiait son propre penchant pour les pécheurs, que certains trouvaient scandaleux, en invoquant la volonté de Dieu lui-même, l'amour, aux dimensions inconcevables, de Dieu le Père qui accorde le pardon »; cela étant, on pourrait en conclure pour le moins que « l'explication donnée dans les récits de l'institution », selon « laquelle Jésus présente sa mort comme voulue par Dieu, est indéniablement le prolongement de l'orientation que Jésus a donnée à l'ensemble de son activité » [123]. Mais de ce point de vue, y a-t-il seulement « concordance » entre l'image du Christ donnée dans le kérygme et la prédication de Jésus, ou bien, y a-t-il aussi — compte tenu de toutes les transpositions qu'impose le fait pascal — une certaine « continuité » qu'il

122. A. VÖGTLE dans ÖK (cf. n. 68), p. 22; cf. W. KASPER, *Die Sache* (cf. n. 8) : « un des résultats les plus assurés de la recherche sur le Jésus historique. » Cf. aussi H. PATSCH, *Abendmahl* (cf. n. 21), pp. 213-220. Un point de vue différent a été émis récemment par S. SCHULZ, « Die neue Frage nach dem historischen Jesus », dans *Neues Testament und Geschichte* (Mélanges offerts à O. Cullmann pour son 70e anniversaire), Zurich-Tübingen, 1972, pp. 53-42; Schulz n'arrive pas à voir la cohérence de ces déclarations avec les trois antithèses les plus anciennes, parce que, de-ci, de-là on trouve d'autres passages où « la position de Jésus à l'égard de la Tora serait ' différente ' ».

123. A. VÖGTLE, *ibid.*, p. 23 s. Cf. déjà W. MARXSEN, *Erwägungen* (cf. n. 1), p. 165 s.; W. SCHRAGE, *Verständnis* (cf. n. 1), pp. 49 s. (d'autres auteurs sont indiqués n. 15); H. KESSLER, *Bedeutung* (cf. n. 42), spéc. pp. 228-295; W. G. KÜMMEL, *Theologie* (cf. n. 17), p. 84; E. GRÄSSER, « Der politisch gekreuzigte Christus » (1971), dans *Text und Situation* (Recueil d'études sur le Nouveau Testament), Gütersloh 1975, pp. 302-330, ici p. 318 (sous forme d'interrogation).

resterait à décrire d'une manière plus précise? [124] Si aux réflexions et aux observations convergentes qu'on a faites jusqu'ici on ajoute le fait incontestable que « jusqu'à la fin, Jésus a eu conscience d'être lié par ce qu'il avait prêché, à savoir la volonté de Yahvé dans l'ordre du salut et de la sanctification » [125], qu'il « a maintenu, jusqu'au bout et sans dévier, sa relation à Dieu et persévéré dans sa mission » [126], alors l'hypothèse que, dans sa mort également et par elle, il est resté à la recherche des pécheurs n'est-elle pas concevable voire même vraisemblable? Est-il pensable que Jésus « ne devait pas savoir pourquoi ni comment son obéissance jusqu'à la mort servirait au dessein de salut de Dieu », lui « qui avait conscience de ses obligations aussi bien à l'égard de son peuple impénitent qu'à l'égard de Dieu qui veut le salut du monde et la sanctification des hommes » [127]?

Après ce qui vient d'être dit, la question de savoir si Jésus n'a pas envisagé sa mort comme une source possible du salut doit être posée sérieusement. La volonté de service de Jésus, ses exigences en matière de charité, son commandement surtout d'aimer les ennemis, et spécialement l'amour qu'il a témoigné lui-même à l'égard des pécheurs : tout cela, joint à son offre de salut qu'il a maintenue jusqu'à la dernière heure,

124. Réponse négative de W. SCHRAGE, *Verständnis* (cf. n. 1), p. 51 : les deux ne sont « pas imbriqués directement l'un dans l'autre ».

125. A. VÖGTLE dans ÖK (cf. n. 68), p. 22; cf. aussi I. BROER, « Erlösung durch Jesus und Verkündigung Jesu », dans *Diakonia* 5 (1974), pp. 76-83 : « ' Rédemption ' = Jésus... essaie... de rendre accessible le Dieu de grâce. Finalement il risque sa vie comme garantie de cette expérience qu'il a faite de Dieu » (p. 82).

126. H. KESSLER, *Bedeutung* (cf. n. 42), p. 233. Voir aussi l'essai (systématique) de H. JELLOUSCHEK, « Zur christologischen Bedeutung der Frage nach dem historischen Jesus », dans ThQ 152 (1972), pp. 112-123; cet auteur interprète l'annonce du Royaume par Jésus et son comportement (spécialement à l'égard des pécheurs) en liaison avec sa mort : « Jésus assume sa mort avec la prétention, maintenue jusqu'au bout, d'exprimer l'attitude de Dieu à l'égard du monde et de l'homme; et par là même est affirmé implicitement que Jésus est le Christ, le Sauveur... » (p. 121). Cette « affirmation implicite » ne se situe pas au niveau du discours; elle est incluse dans les faits.

127. A. VÖGTLE dans LThK V(²1960), pp. 930 s.; cf. ID., « Exegetische Erwägungen über das Wissen und Selbstbewusstsein Jesu », dans : *Gott und Welt* (Mélanges offerts à K. Rahner) I, Fribourg en Br-Bâle-Vienne, 1964, pp. 608-667, spéc. pp. 624-634 (= Tr. « Réflexions exégétiques sur la psychologie de Jésus », dans *le Message de Jésus et l'interprétation moderne*, « Cogitatio Fidei » 37, Paris, Ed. du Cerf, 1969, pp. 41-113, spéc. pp. 61-73).

nous amène à donner une réponse affirmative à la question que nous avons posée; davantage encore : nous avons là une série d'indices convergents qui nous amènent à conjecturer que Jésus a compris et affronté sa propre mort dans une attitude d'amour, d'intercession, de bénédiction et de confiance dans le salut. Qu'ensuite on présente cette attitude fondamentale « pro-existante » au moyen des idées théologiques de la représentation vicaire et de l'expiation, ou d'une tout autre manière, cela est en fin de compte moins important [128]. Si Jésus « ne s'est pas appliqué à lui-même le titre de ' serviteur de Dieu ' ou quelque autre théorie théologique de l'expiation », cela ne veut pas dire « qu'il n'ait pas eu conscience d'être le serviteur de Dieu, souffrant pour la multitude, car toute sa vie a justement été marquée par ce caractère » [129].

B) Et maintenant il nous faut encore défendre le résultat auquel nous sommes parvenus, et qu'on peut considérer comme plus qu'une simple supposition, contre un certain nombre d'*objections*.

1. Selon A. Vögtle, pour affirmer que « Jésus a explicitement compris et présenté sa mort comme médiatrice de salut,

128. Cf. E. GRÄSSER, *Christus* (cf. n. 123), p. 318 : si tant est qu'il y a une liaison interne *démontrable* entre « le dernier acte de Jésus en croix » et son « activité en Galilée (et à Jérusalem) », alors cette liaison est celle qui est indiquée par la formule typique : « il s'est livré » (Ga 1,4; 2,20; Tt 2,14; Ep 5,2.25); quant à la nature de ce lien, il faudrait la chercher dans la ligne de la parole de Mc 10,45, sur le *lytron.* Cela suppose évidemment que ce ne soit pas à la suite d'une erreur que Jésus est allé à la mort, mais qu'il a assumé sa mort volontairement. Et en conséquence, le « pour nous » n'aurait pas vu le jour après Pâques seulement, comme une interprétation, par la foi pascale de la communauté, de la mort inconcevable de Jésus; sa source serait déjà dans « le comportement salutaire » de Jésus et dans la compréhension qu'il avait de sa propre personne, ce que l'on pourrait exprimer par le terme « messianique », terme insuffisant mais qui est encore le plus approprié (l'auteur se réfère à G. Delling; W. G. Kümmel; J. Jeremias).

129. Cf. E. SCHWEIZER, *Erniedrigung und Erhöhung bei Jesus und seinen Nachfolgern* (AThANT 28), Zurich, ²1962, p. 72; voir aussi J. ERNST, *Anfänge der Christologie* (SBS 57), Stuttgart, 1972, p. 50 : Si Jésus n'a pas utilisé le titre de « Serviteur de Dieu », « il n'y a encore absolument rien de dit sur la conscience de Jésus dans sa Passion ».

il manque la preuve convaincante qu'en fait il l'a bien comprise ainsi [129a], comme le fait remarquer d'ailleurs la majorité écrasante des auteurs franchement conservateurs » [130]. En effet, « si l'on fait abstraction des paroles de la Cène qui représentent un cas particulier... on ne peut pas apporter de textes sûrs (notamment Mc 10,45 par.), ou qui ne soient pas ambigus, montrant que Jésus, par anticipation en quelque sorte, attendait une mort rédemptrice qui serait la tâche de sa vie, celle qui l'achèverait » [131].

Notons tout d'abord que cette formulation prête le flanc à la critique. Il est certain que Jésus n'a pas « par anticipation en quelque sorte, attendu sa mort rédemptrice comme l'acte qui achèverait sa vie ». Aussi bien, on ne se demande pas ici si la mort de Jésus, en tant que source de salut, a été conçue par lui comme la « tâche de sa vie », mais si elle a été une disposition de Dieu, à laquelle Jésus se tenait prêt à obéir si le Père en décidait ainsi (cf. *supra* pp. 54 ss.).

On peut ensuite demander en toute simplicité : que signifie pour un historien « prouver la réalité d'un fait »? Depuis quand exige-t-on des « preuves » (« Belege ») en histoire, depuis quand les indices convergents [132] ne sont-ils plus suffisants pour faire ressortir des possibilités, conduire à des opinions vraisemblables ou éventuellement même à des certitudes morales?

Dernière question : est-il bien vrai que nous n'avons pas de « preuves » (« Belege »)? Ici on commet une fois encore la faute habituelle qui consiste à ne reconnaître comme « documents » valables et comme « source » de connaissances sur Jésus que le « noyau assuré » des paroles du Seigneur. Faisant abstraction

129a. Cf. A. Vögtle dans ÖK (cf. n. 68), p. 21 s.; et déjà W. Marxsen *Erwägungen* (cf. n. 1), p. 163; W. Schrage, *Verständnis* (cf. n. 1), p. 48 s.; H. Kessler, *Bedeutung* (cf. n. 42), pp. 48; 235, n. 32.

130. Auprès de notre maître estimé Norbert Peters (Paderborn) dont nous avons gardé le meilleur souvenir, nous avons appris qu'il y a des exégètes ' naïfs ' et d'autres ' critiques ', mais non des ' conservateurs ' ou des ' progressistes ' (ce qui dans les deux cas voudrait dire : ' naïf ' à l'égard de ses propres présupposés, conservateurs ou progressistes).

131. A. Vögtle dans ÖK (cf. n. 68), p. 21. D'une manière plus prudente, W. Schrage avait écrit : « Nulle part Jésus lui-même n'a envisagé sa mort comme une réalité analogue à son activité terrestre ou comme une continuation de celle-ci », dans *Verständnis* (cf. n. 1), p. 50 s. Voir aussi H. Kessler, *Bedeutung* (cf. n. 42), p. 234 s.

132. Sur l'argument de convergence cf. *supra* n. 39a.

du fait que les « résidus » du principe de tri, tels que, par exemple, les paroles de la Cène et la parole relative au *lytron*, devraient encore être étudiés d'une manière positive en s'interrogeant sur leur valeur historique possible, il faut dire : nous avons non seulement un « noyau assuré » de paroles du Seigneur qui, en tant que demandes de Jésus, autorisent certaines déductions; mais nous avons encore, sur le destin et le comportement de Jésus, suffisamment d'indications solides, que l'on peut étudier, comme cela a été fait plus haut, par exemple. La recherche historique critique qui suit une méthode très stricte, ne s'interrogeant que sur le « noyau assuré » des *ipsissima verba* de Jésus, ne se justifie pas au niveau même de la méthode (cf. ce qui a été dit dans l'introduction, sous 2b, pp. 29 ss.).

2. Mais dira-t-on, nous ne sommes pas autorisés à renvoyer à la « source des logia » car le kérygme pascal n'y est pas attesté non plus que la signification salutaire de la mort de Jésus en tant qu' « offrande de sa vie pour la multitude » [133]; cette source ne voit en cette mort — comme c'est également le cas de Lc dans son bien propre (cf. Lc 13,31 s. 33)? — qu'un cas analogue au destin des prophètes (cf. Lc 11,47 s. 49 ss., cf. 13,34 s.). Il reste que c'est bien là une interprétation qui, si on la replace dans le climat de l'époque, peut être comprise comme accordant une valeur salutaire à la mort de Jésus [134]. En tout cas, il arrive exceptionnellement que « la source des logia » voie en celui qui a été rejeté le Fils de l'homme-juge du monde qui « face à l'univers défendra sa cause avec la puissance souveraine de Dieu » [135]. Mais il n'est pas sûr que

133. Cf. H. E. Tödt, *Der Menschensohn in der synoptischen Überlieferung*, Gütersloh, ²1963, spéc. pp. 250 ss. — Maintenant voir aussi P. Hoffmann, *Studien* (cf. n. 79), spéc. pp. 158-190 (bibliogr. p. 188 n. 107).

134. Cf. E. Lohse, *Märtyrer* (cf. n. 11); L. Ruppert, *Jesus* (cf. n. 113, 115).

135. P. Hoffmann, « Jesusverkündigung in der Logienquelle », dans *Jesus und die Evangelien* (édit. par W. Pesch) (SBS 45), Stuttgart, 1970, p. 64; Id., *Studien* (cf. n. 79), p. 189 : par là même, « se trouve déjà établi le fondement d'une interprétation sotériologique de la mort de Jésus ». Cf. aussi K. Rahner, dans *Christologie* (cf. n. 101), p. 33; il écrit : « Du point de vue de la théologie fondamentale » il suffit de « cette affirmation minimale » que Jésus a attribué « à sa mort au moins la valeur du destin des prophètes; destin qui, à ses yeux, ne

nous ayons là l'interprétation la plus ancienne de la mort de Jésus, ni que cette interprétation ait été celle de Jésus lui-même [136]. La référence à Q, dont on abuse si souvent, ne nous est pas ici d'un grand secours, car Q ne contient absolument pas toute la christologie « de ces groupes de traditions ou de ces communautés; elle contient seulement la collection qu'elles ont faite des logia de Jésus » [137]. Nous ne connaissons pas les formules de leur « credo » [138] ni, surtout, ce qu'étaient leurs célébrations du repas du Seigneur, de sorte qu'il faut être très réservé dans le jugement que l'on porte en ce domaine.

Si ces objections ne tiennent pas pour les raisons que nous venons d'énumérer, une recherche historique critique peut donc, au niveau de la méthode, considérer absolument comme « possible » ou peut-être même comme « vraisemblable » [139] d'une certaine manière que Jésus ait attribué une signification salutaire à sa mort qu'il prévoyait, même si nous renonçons à interroger les paroles de la Cène et celle relative au *lytron* sur le contenu historique qu'elles peuvent avoir.

déconsidérait pas son message non plus que sa personne elle-même... mais restait caché dans le dessein de Dieu, que Jésus connaissait comme un dessein de pardon qui allait atteindre le monde ».

136. P. Hoffmann, *Studien* (cf. n. 79), tient l'interprétation de Q « pour la plus ancienne interprétation de la mort de Jésus », car elle suppose « des éléments de représentation anciens communs au milieu juif et à Jésus »; point de vue qui est approuvé par H. Kessler, *Erlösung* (cf. n. 26), p. 26; mais cf. *infra*, p. 75, 2.

137. M. Hengel, *Christologie* (cf. n. 31), p. 55.

138. S. Schultz, *Die neue Frage* (cf. n. 122), pp. 34, 36 s. estime que la tradition sur la vie de Jésus et la tradition kérygmatique — (cf. la distinction de P. Vielhauer dans : EvTh 25 (1965), pp. 70 s.) — doivent « représenter des communautés différentes ». Que celui qui peut croire cela, le croie!

139. C'est aussi le point de vue de A. Vögtle dans : ÖK (cf. n. 68), p. 22.

VI

JÉSUS A-T-IL PARLÉ EN PUBLIC DE SA MORT IMMINENTE ET DE LA PORTÉE SALUTAIRE DE CETTE MORT?

Il vaut mieux étudier séparément les deux aspects de cette question : Jésus a-t-il parlé publiquement : 1° de sa mort et 2° de la portée salutaire de cette mort?

A) Il est difficile d'admettre que Jésus a *prédit sa mort* ouvertement et publiquement, même en ne faisant pas ressortir la portée salutaire de cette mort. Autant que l'on puisse voir, en effet, Jésus est resté fidèle à sa mission jusqu'à la fin et, par la proclamation de la *basileia,* il a offert le salut à Israël et l'a appelé à la conversion. Or cette prédication aurait pris un caractère déconcertant si Jésus avait annoncé publiquement sa mort imminente. « Le caractère de sa prédication ne laisse aucune place à une prédiction de ce genre [140] »; il la rend même invraisemblable. Aussi bien, dans les évangiles — à p. 27, *a*)) s'adressent toujours au cercle étroit des disciples. manifestes de la mort de Jésus (cf. *supra* l'introduction, p. 18, 2a) s'adressent toujours au cercle étroit des disciples. Quant aux « prédictions voilées de la Passion » (cf. *supra* l'introduction, p. 28, *b*)), il n'est pas possible non plus de leur trouver un *Sitz im Leben* convenable dans la prédication publique de Jésus; c'est pourquoi on voudra tout au plus envisager — comme *Sitz im Leben* de ces prédictions voilées — des situations écartées ou le cercle étroit des disciples (cf. *infra* p. 695).

B) Il est encore plus difficile d'imaginer que Jésus ait prononcé en public des paroles qui, comme celles de la Cène

140. Cf. A. VÖGTLE, *ibid.*, p. 21.

ou comme Mc 10,45 par. Mt, auraient souligné la *portée salutaire de sa mort*. En effet, si la prédication publique et l'activité de Jésus avaient été « centrées sur sa mort en tant qu'événement salutaire, on aurait dû découvrir davantage de traces de cette orientation dans le grand courant de la tradition » [141]. Bien plus : une prédication publique de ce genre se trouverait dans un climat de « tension, pour ne pas dire de contradiction, avec le reste de la tradition sur Jésus »; la prédication et le comportement de Jésus « ne sont pas orientés vers sa mort future et ils ne dépendent pas non plus de cette mort, qui ne rendrait le salut réel que lorsqu'elle se serait produite » [142].

La difficulté, ou même l'impossibilité, dans laquelle se trouvait Jésus de parler publiquement de sa mort et de la portée salutaire de celle-ci nous fait comprendre pourquoi aucune parole de ce genre n'a été recueillie dans la prédication pré-pascale des disciples et par le fait même dans la couche la plus ancienne de la tradition [143]. A priori, il ne faut donc absolument pas s'attendre à trouver beaucoup de paroles de Jésus nous renseignant sur la manière dont il a compris et affronté sa mort.

VII

JÉSUS A-T-IL PARLÉ DE SA MORT IMMINENTE ET DE LA PORTÉE SALUTAIRE DE CETTE MORT DANS LE CERCLE RESTREINT DE SES DISCIPLES?

A) Que dans le cercle restreint de ses disciples, Jésus ait occasionnellement — et d'une manière « plus ou moins » voilée

141. W. MARXSEN, *Erwägungen* (cf. n. 1), p. 164.

142. ID., *ibid.*, p. 164.

143. Cf. H. SCHÜRMANN, « Die vorösterlichen Anfänge der Logientradition » (1960), dans *Traditionsgeschichtliche Untersuchungen* (Recueil d'articles I), Düsseldorf, 1968, pp. 39-65.

peut-être — parlé de sa *mort*, c'est là une hypothèse qui, en soi, n'a rien de contradictoire [144]. Les invitations de Jésus à ses disciples, dont il a été question plus haut [145] et selon lesquelles ils devaient être prêts au martyre, impliquent même qu'il leur en a parlé.

B) Jésus avait choisi ses disciples comme collaborateurs pour la proclamation publique de la *basileia*. Lors de la grande mission que l'on peut présumer derrière Lc 10 [146], les disciples de Jésus s'associèrent activement à son offre de salut à Israël, qu'il maintint jusqu'à la dernière heure. En tout cas, aussi longtemps que les disciples étaient en mission comme ses collaborateurs, chargés de proclamer le Royaume qui approche et d'inviter Israël à la conversion, Jésus pouvait difficilement leur présenter sa mort imminente comme le *facteur décisif du salut*, dans le sens de Mc 10,45. Ils n'auraient guère été disposés à recevoir un enseignement de ce genre.

Il faut bien voir cet aspect des choses, mais il faut également bien mettre en relief le point suivant : cette invraisemblance ne s'applique plus aux derniers jours, en face de la mort inéluctable. A la dernière heure surtout, lors du repas d'adieux, des paroles de Jésus sur une signification positive de sa mort (peut-être quelque chose comme Marc 14,25) sont absolument concevables [147]; il faut aller plus loin et dire qu'au fond, on les attend presque, s'il est vrai que Jésus a pu trouver un sens à son échec (cf. *supra* pp. 51 ss. et a voulu aider de quelque manière ses disciples à trouver également un sens à la catastrophe imminente. Nous arrivons ainsi à notre dernière question.

144. Même point de vue chez A. Vögtle dans ÖK (cf. n. 68), p. 21; W. G. Kümmel, *Theologie* (cf. n. 17), p. 79 s., est porté à tenir pour authentiques des prédictions voilées comme Mt 23,37; Lc 12,50; 13,31 ss.; Mc 2,19a; 10,35-39.

145. Voir *supra*, en II, B.

146. Voir *supra*, en III, A.

147. Même point de vue chez A. Vögtle dans ÖK (cf. n. 68), p. 21 s. et G. Delling, *Kreuzestod* (cf. n. 6), p. 72.

VIII

A LA DERNIÈRE CÈNE JÉSUS A-T-IL INDIQUÉ LA PORTÉE SALUTAIRE DE SA MORT?

Nous allons d'abord fixer nos regards sur le comportement de Jésus et, étant donné que les paroles explicatives sont très contestées par la critique, nous suivrons plutôt la méthode de travail que voici : nous chercherons une réponse à la question posée à partir des *ipsissima facta* de Jésus, lors de la dernière Cène; il nous faudra ensuite nous expliquer une fois encore avec les objecteurs éventuels.

A) Les *gestes de Jésus à la Cène,* la « fraction du pain » au début du repas et la présentation de la coupe à la fin de celui-ci, ne peuvent s'expliquer qu'à partir du milieu palestinien; il n'y a aucun doute à cet égard; par ailleurs, il y a quelque raison de penser que le rapprochement très marqué de ces deux actions (primitivement séparées l'une de l'autre par la durée du repas lui-même) dans les premières communautés, permet d'inférer que son origine remonte au dernier repas de Jésus. La première communauté elle-même, en effet, n'aurait pas mis l'accent sur les deux gestes de don accomplis par Jésus, mais bien plutôt sur le repas comme tel, qu'elle aurait interprété dans une perspective eschatologique. Mais ces gestes de don appellent des paroles explicatives et il est vraisemblable qu'en les accomplissant Jésus a dû parler de sa mort imminente. Nous apporterons une justification plus approfondie de ce point de vue dans notre *deuxième étude* (Chap. II). En ce qui concerne l'interprétation de ce double geste de Jésus comme un geste de don, nous ne pouvons pas non plus la justifier davantage ici [148]. Notons simplement qu'on peut envisager une double interprétation :

1. Jésus offre le *salut eschatologique* d'une manière symbolique et efficace en offrant du pain et du vin comme

148. On trouvera de plus amples développements *infra* pp. 83-116.

« nourriture » et comme « boisson », c'est-à-dire comme don du salut. Selon une interprétation répandue et qui est également vraisemblable [149], Jésus, ici, maintient son offre de salut jusqu'au bout, jusqu'à l'heure de sa mort; il accentue même cette offre de salut en accomplissant un geste solennel qui est un geste de don. Cette manière de voir se trouve renforcée s'il est vrai qu'au cours de la même heure, Jésus exprimait, dans la double prophétie de sa mort en Lc 22,15-18 par. Mc 14,25, son assurance que le salut triompherait par-delà la mort [150].

2. Mais pouvons-nous faire confiance aux paroles qui accompagnent les gestes du don, aux « paroles explicatives » des récits de l'institution de l'Eucharistie, lorsqu'elles lient à la mort de Jésus le salut eschatologique promis et le présentent comme le fruit de cette mort [151]? Au cours de son dernier repas et face à la mort qu'il attendait, Jésus a-t-il renouvelé sa promesse eschatologique du salut, et a-t-il en même temps présenté sa mort comme le moyen efficace par lequel le salut eschatologique devait être réalisé? Jésus a-t-il donc — de quelque manière que ce soit — interprété le salut eschatologique comme le fruit de sa mort? Si nous pouvions admettre cela, alors les signes [152] de Jésus, qui avaient quelque chose de provocant et dénotaient un certain mépris de la mort, deviendraient plus compréhensibles.

Lorsque nous réfléchissons, en effet, sur les gestes solennels de don accomplis par Jésus au cours de son repas d'adieux, il faut bien que nous nous demandions si Jésus, en même temps que le salut eschatologique, ne se donne pas lui-même en cette

149. Cf. *ibid.*

150. Voir *supra*, en IV, A et *infra* p. 74, 1.

151. Pour de plus amples renseignements, voir le chap. II. — Cf. W. THÜSING dans *Christologie* (cf. n. 101), p. 132 : « la question des paroles prononcées lors du Repas du Seigneur et de l'importance qu'on leur accorde (tout au moins en ce qui concerne leur noyau, à mon avis) pour déterminer quelle fut la relation du Jésus prépascal au destin de sa mort, devrait être étudiée pour elle-même ». K. KERTELGE également, « Die urchristliche Abendmahlsüberlieferung und der historische Jesus », dans : TThZ 81 (1972), pp. 193-202, essaie de montrer que les interprétations sotériologiques ont leur justification *objective* dans la compréhension que Jésus a eue de lui-même et dans son comportement.

152. Voir *supra*, en III, A)-C) et l'étude mentionnée à la n. 93.

heure où il est prêt à affronter la mort. Car que peut bien être une mort qui n'est pas capable d'empêcher la venue du salut eschatologique? Cette question s'impose lorsque, adoptant un jugement répandu, on voit en Jésus davantage qu'un prophète, à savoir le dernier messager de Dieu, qui était tenu d'annoncer la venue de l'*eschaton* au nom de Dieu, en tant que messager de la *basileia* et celui qui l'inaugure. Plus haut [153], il nous est apparu clairement que l'hypothèse selon laquelle Jésus a mis sa mort en relation positive avec sa mission est non seulement concevable, mais qu'il est possible de l'étayer par des observations et des arguments divers, qui en font davantage qu'une simple supposition. Mais alors, n'est-il pas possible que les paroles explicatives, avec leurs déclarations sotériologiques, ne fassent qu'expliciter ce qui était déjà contenu implicitement dans l'action symbolique de Jésus? Le don de Jésus à la Cène annonce l'*eschaton* et y fait participer d'une manière telle que la mort n'est peut-être pas seulement l'occasion de donner à cette offre, faite au moment des adieux, une solennité insurpassable. Il faudrait prendre davantage au sérieux la tradition selon laquelle la *mort* est considérée ici comme *le moyen* qui rend possible ce don eschatologique, de sorte que le salut eschatologique serait pour le moins susceptible d'être compris comme le fruit de cette mort. Le *hyper* serait alors pré-pascal, mais il n'aurait pas été simplement un *hyper* implicite, comme cela a été montré plus haut.

A l'heure des adieux, en ce moment où le pressentiment de la mort devenait une certitude, il était tout à fait possible à Jésus de présenter, dans le cercle étroit de ses disciples en tout cas, la valeur salutaire de sa mort, comme nous l'avons déjà

153. Cf. W. KASPER, *Die Sache Jesus* (cf. n. 8) p. 188 : Ce qu'il y a « de caractéristique dans le Jésus historique, c'est qu'en lui personne et cause (Sache) sont inséparables. En sa venue, c'est le règne de Dieu lui-même qui vient... Il est donc sa cause en personne. Personne et cause se recouvrent chez lui parfaitement. Cela toutefois ne vaut pas uniquement au niveau de ce que Jésus a prétendu être; cela vaut tout autant de son comportement. Par son obéissance et par le don de lui-même il est totalement « espace d'accueil » (« Hohlraum ») pour Dieu et son amour; c'est dans sa liberté humaine précisément qu'il est la manière d'être de Dieu pour les autres (c'est le point de vue notamment de K. Barth, H. U. v. Balthasar, J. Ratzinger, W. Pannenberg). Ainsi, pendant sa vie terrestre déjà il est implicitement non seulement l'annonciateur, mais aussi celui qui est annoncé... Cette identité entre la personne et la cause représente ce qu'il y a de spécifique dans le christianisme ».

noté plus haut; cela était possible même si l'on reconnaît qu'une déclaration de ce genre était très au-dessus de ce que les disciples étaient capables de comprendre. Peut-être est-ce pour cela que Jésus accomplit sous forme d'action symbolique le double geste « parabolique » (gleichnishaften) du don, que les brèves et mystérieuses paroles d'accompagnement voilaient encore davantage qu'elles n'en manifestaient le sens. L'hypothèse selon laquelle Jésus a parlé de la portée salutaire de sa mort dans la salle où se déroulait la Cène reste ainsi « non contradictoire en elle-même [154] ». Il nous semble même que si l'on tient compte de toutes les remarques précédentes, il est possible d'aller plus loin et de dire que cette hypothèse a une certaine vraisemblance. Quant à connaître plus précisément les paroles dont s'est servi Jésus, dans cette promesse du salut eschatologique et cette offre du salut, pour exprimer la valeur salutaire de sa mort et dans quelle mesure sa volonté de salut par la mort resta implicite dans les gestes solennels de don, cela n'est en fin de compte pas tellement important. C'est dans une perspective « sotériologique » en tout cas que, vus à la lumière du comportement ' pro-existant ' de Jésus, s'expliquent au mieux les gestes de l'offre faite par celui qui va mourir, qui annonce le salut eschatologique et qui le propose : dans ces gestes de serviteur accomplis par Jésus, le salut eschatologique n'est à vrai dire compréhensible qu'en tant qu'il est le salut marqué par l'attitude pro-existante de celui qui est prêt à se donner jusqu'à la mort. Il y a donc des raisons qui permettent d'interpréter l'action de Jésus accomplie à la Cène à la lumière de son attitude ' pro-existante ' d'avant Pâques. Si, pour expliquer la mort de Jésus, on ne fait appel qu'à la confirmation pascale — confirmation à partir de laquelle on aurait peut-être accueilli, comme « cause de Jésus », des contenus implicites de sa prédication — on manquera de base suffisamment solide pour expliquer le repas du Seigneur tel qu'il est pratiqué après Pâques [154a].

B) Deux *objections* doivent être prises au sérieux, parce qu'elles utilisent une argumentation qui, méthodologiquement, est justifiée :

154. Cf. A. Vögtle dans ÖK (cf. n. 68), p. 22.
154a. Voir aussi *supra* n. 101 et 126.

1. La première argumente à partir de l'état des sources : selon le principe critique de tri, qui considère les paroles du récit de l'institution comme suspectes (en tout cas pas sûres) en tant que créations postpascales, on oppose volontiers à ce récit *celui du repas pascal* en Lc 22,15-18 par. Mc 14,25. On postule que ce dernier est ancien et sûr. Cependant nous avons vu déjà[155] qu'il comporte des retouches orientées dans un sens eucharistique et que, à la base de ce récit, il y a une double prophétie de Jésus sur sa mort, prophétie dans laquelle Jésus témoigne qu'il est personnellement assuré du salut, jusque par-delà la mort. Dès lors, il faut objecter, d'un point de vue critique, qu'il n'est guère permis d'opposer de cette façon le « récit du repas pascal », qui est sûrement ancien, au « récit de l'institution » qui est plus récent. Il faut bien voir, en effet, sur quelle base fragile repose l'argument qui consiste à tenir la tradition de Lc 22,15-18 par. Mc 14,25, qui manifestement a été retouchée dans un sens eucharistique, comme la seule clef qui nous introduise à l'intelligence de la Cène. L'historien ne peut tout d'abord que constater ceci : il se trouve en face de déclarations émanant de deux traditions différentes qui reflètent des conceptions différentes au sujet de l'eucharistie, provenant de communautés diverses; dans le récit du repas pascal percent les centres d'intérêt de la communauté : on veut délier les disciples de l'obligation de célébrer la pâque juive, et organiser une nouvelle fête de Pâques[156]; dans le récit de l'institution eucharistique, on a une interprétation eschatologique et surtout sotériologique du don de Jésus, qui est faite à partir de la mort de Jésus. Assurément, les deux gestes de don de Jésus, qui ont une importance décisive, peuvent être interprétés, indépendamment même de Lc 22,15-18 par. Mc 14,25, comme une promesse eschatologique en face de la mort (cf. *supra* p. 70 s.); de sorte qu'une célébration de la Cène, marquée d'un caractère eschatologique accentué, peut être acceptée comme primitive. Et alors, le repas de fête primitif, organisé le soir où Jésus prenait congé des siens, aurait été « un

155. Cf. n. 100.

156. Pour plus de détails cf. H. SCHÜRMANN, *Der Paschamahlbericht* (cf. n. 100); ID., dans *Ursprung und Gestalt* (Recueil d'articles II), Düsseldorf, 1970, pp. 113-117, 145-148, 199-206 et 207-209.

repas d'adieux orienté vers le festin eschatologique[157] ». Mais comme on l'a exposé plus haut, un tel contenu eschatologique n'exclut pas la pensée de la mort; au contraire, en cette heure suprême des adieux, il l'inclut plutôt. L'offre solennelle du salut faite par celui qui est prêt à affronter le martyre deviendrait plus compréhensible si, en ce moment, sa mort avait été présentée comme ayant, d'une façon ou d'une autre, une portée salutaire.

2. Une deuxième objection utilise l'hypothèse répandue selon laquelle ce serait *après Pâques seulement* qu'on *aurait perçu* la signification salutaire de la mort de Jésus; ce discernement se serait imposé peu à peu à partir d'une interprétation nouvelle de l'Écriture dans la communauté.

Nous avons cru devoir constater déjà (cf. p. 73) que les disciples, avant Pâques, étaient d'une certaine manière dépassés par l'idée que la mort de Jésus avait une valeur salutaire, comme le montre leur comportement le jour du Vendredi saint (cf. Mc 14,50) et dans la suite encore (cf. Lc 24,21; Jn 20,19). Si l'on cherche une continuité entre la période qui précède et celle qui suit Pâques, ce n'est pas tellement dans la foi des disciples qu'il faut la chercher[158], mais dans le comportement « pro-existant » de Jésus. Mais celui-ci étant reconnu, on ne peut pas mettre en question les paroles mystérieuses de Jésus, qui suggéraient le sens de l'événement, non plus que l'action symbolique de la dernière Cène, interprétée par Jésus d'une manière allusive, car le discernement de Jésus pouvait surpasser celui des disciples. En tout cas, le discernement de la valeur salutaire de la mort de Jésus fut facilité après Pâques, si le souvenir de l'attitude « pro-existante » de Jésus, exprimée surtout dans les gestes de don accomplis lors de la dernière Cène, fut la lumière qui éclaira la situation post-pascale.

A cela s'oppose, il est vrai, la thèse selon laquelle le scandale

157. Cf. A. Vögtle dans ÖK (cf. n. 68), p. 23 (cf. aussi ibid. p. 24) et un large courant de la recherche actuelle sur la Cène.

158. A cet égard, il faut donner raison à W. Schrage, *Verständnis* (cf. n. 1), p. 55; W. S. suit, sur ce point, R. Bultmann, G. Bornkamm et E. Käsemann et s'oppose à E. Fuchs (cf. *ibid.* les n. 29 et 30). (Noter cependant que la foi pascale comportait aussi une structure prépascale et, par là même et malgré tout effondrement, elle était capable de retrouver après Pâques ses attaches prépascales); cf. P. Stuhlmacher, *Auferweckung* (cf. n. 68).

de la crucifixion de Jésus ne se serait dissipé que peu à peu dans le cœur des disciples, à la lumière de Pâques; cette évolution se serait faite à peu près comme suit : on aurait perçu tout d'abord le « il faut » divin (sous la forme peut-être du destin des prophètes en ce qu'il a d'inéluctable; cf. *supra* p. 35); puis, à la lumière de différents textes bibliques, on aurait reconnu que ce « il faut » était « conforme à l'Écriture »; ensuite seulement on aurait découvert la valeur de la mort de Jésus « pour nous », « pour nos péchés »[159], et enfin, à la lumière de Is 53,12, la valeur salutaire de cette mort « pour la multitude ». Mais on se livre à une opération bien hypothétique lorsque, à partir de ces affirmations juxtaposées, on veut établir un ordre de succession. Il suffit pour notre propos que la valeur salutaire de la mort de Jésus — quelle que soit la manière dont on l'ait comprise — soit attestée très tôt; or en 1 Co 15,3 déjà, on reprend la formule attestant que « le Christ est mort pour nos péchés selon les Écritures »; affirmation qui ne doit pas nécessairement être comprise à partir de Is 53, mais qui peut-être se comprend au mieux à la lumière de ce texte (cf. Is 53,4.5.6.8.10.11.12)[160].

En résumé, pouvons-nous estimer maintenant que nos développements du paragraphe VIII ont apporté la certitude que Jésus, au cours de la dernière Cène, à l'heure des adieux, a interprété comme ayant une valeur salutaire sa mort qu'il attendait? Lorsque l'état des sources se présente comme celui que nous avons rencontré, il est difficile à la recherche historique d'atteindre à la certitude. Mais nous pensons qu'une science historique critique et consciente de sa méthode ne peut pas prétendre, avec cette assurance dont fait preuve H. Kessler[161], que : « Jésus, autant que nous pouvons nous en rendre

159. Cf. v. g. R. BULTMANN, *Die Theologie des Neuen Testaments,* Tübingen, [5]1965, pp. 46 ss. (comparer avec les pp. 29-32); F. HAHN, *Christologische Hoheitstitel* (FRLANT 83), Göttingen, [3]1963, pp. 201 ss. (comparer avec les pp. 54-66); conception analogue chez H. KESSLER, *Erlösung* (cf. n. 26), pp. 25-33; point de vue différent chez J. ROLOFF, *Deutung* (cf. n. 6).

160. Cf. E. LOHSE, *Märtyrer* (cf. n. 11), pp. 113 ss. et K. LEHMANN, *Auferweckt am dritten Tag nach der Schrift* (QD 38), Fribourg en Br., 1968, pp. 247-257.

161. H. KESSLER, *Bedeutung* (cf. n. 42), p. 235. P. HOFFMANN, *Studien* (cf. n. 79) p. 190, n. 168, adopte le point de vue de Kessler; cf. aussi E. JÜNGEL, *Tod* (cf. n. 1) pp. 211 ss. — H. KESSLER, « Erlösung als Befreiung? Zu einer Kontroverse », dans StdZ 98 (1973), pp. 849-859, avoue que sur la « question historique de savoir quelle compréhension subjective eut le Jésus terrestre (par

compte, n'a pas attribué à sa mort une valeur salutaire au sens prégnant », si vrai soit-il par ailleurs que nous ne pouvons pas, par les moyens de l'histoire, établir avec « certitude »[162] qu'il lui a attribué cette valeur. Car ces deux affirmations ne reviennent absolument pas au même! Il n'est pas possible d'affirmer avec une telle assurance que « nulle part... Jésus n'a envisagé sa mort comme une analogie ou une continuation de son activité terrestre »[163], ni même que « Jésus, très vraisemblablement, n'a donné à sa mort aucune signification précise »[164], qu'il l'a « davantage prévue et prédite qu'interprétée »[165]. Mais il est tout à fait sûr que l'historien critique ne peut pas « estimer avec une très grande certitude que Jésus n'a pas considéré sa mort comme un événement de salut »[166]. L'argument *e silentio* ne supporte pas ce genre d'assertions qui, tranchant par la négative, prétendent savoir ce que — d'après la citation de Bultmann que nous avons faite plus haut dans l'introduction — « nous ne pouvons pas savoir », c'est-à-dire : « comment Jésus a compris le dénouement de sa vie, sa mort ». Si fausse que nous paraisse cette affirmation de Bultmann, il reste qu'elle condamne toutes les déclarations qui prétendent si bien savoir que Jésus n'a pas donné à sa mort une signification de salut ou ne l'a pas présentée en ce sens. Notre question reste à bien des égards une question ouverte[167]; A. Vögtle a tout à

sa connaissance humaine) de sa mort imminente..., il se prononcerait aujourd'hui d'une manière plus réservée et plus nuancée, surtout à cause de l'étude de H. Schürmann, ' Wie hat Jesus seinen Tod bestanden und verstanden? ' qui a fait avancer les choses » (*ibid.*, p. 850).

162. H. KESSLER, *Bedeutung* (cf. n. 42); cf. ID., *Erlösung* (cf. n. 26), p. 25 : « Il n'était pas dans son intention de sauver les hommes par sa *mort* précisément »; point de vue analogue chez K. RAHNER également, dans *Christologie* (cf. n. 101), pp. 48 ss.

163. W. SCHRAGE, *Verständnis* (cf. n. 1), pp. 50 s.

164. W. G. KÜMMEL, *Theologie* (cf. n. 17), p. 84.

165. Ainsi s'exprime le rapport sur l'état de la question : « Zur theologischen Sinndeutung des Todes Jesus » (avec bibliogr.), HerKorr 26 (1972), pp. 149-154, spéc. p. 150; cf. également C. BUSSMANN, « ' Christus starb für unsere Sünden '. Eine Anfrage an die Exegese angesichts des Unverständnisses, auf das dieser Satz heute trifft », dans *Biblische Randbemerkungen* (cf. n. 55), pp. 337-345.

166. W. MARXSEN, *Erwägungen* (cf. n. 1), p. 165.

167. Une « ouverture » de ce genre intéresse non seulement la foi mais aussi la recherche historique qui s'efforce de comprendre le comportement personnel de la personnalité en question. Un historien devra se demander s'il peut se

fait raison lorsqu'il déclare que la question de savoir « si Jésus a donné une interprétation plus précise de la mort qu'il attendait, doit », pour le moins, « rester ouverte »[168]. A partir d'une vue d'ensemble sur le problème de Jésus, qui tenait compte aussi de son comportement et se permettait certaines déductions à partir des exigences morales qu'il avait exprimées, nous avons pensé dans les pages précédentes pouvoir aller au-delà de cette « ouverture » et risquer quelques remarques positives sur la question de savoir comment Jésus a affronté et compris sa mort. Il nous semble que les indications que nous avons données ci-dessus nous permettent de franchir l'étape de la « question ouverte » — dans le sens indiqué ci-dessus — et qu'elles sont davantage qu'un simple « postulat »[169]; ce n'est pas seulement le Vendredi saint que Jésus a vécu « l'accomplissement de sa mort »[170]; avant déjà — au plus tard lors de l'entrée à Jérusalem et de l'action accomplie dans le Temple — Jésus a appris à « accomplir » sa mort « en mourant » et au moment de la Cène au plus tard, il a pu en parler par allusions et dégager sa signification dans le langage efficace du geste.

RÉFLEXION FINALE

Au début de cette étude nous avons insisté sur le fait que le « non-savoir », dans le problème qui nous occupe, n'est pas seulement motivé au niveau de la méthode critique, dont « l'appareillage » (« Apparatur ») est réglé d'une manière trop serrée, mais qu'il est dicté par une précompréhension systéma-

contenter des méthodes positivistes courantes, quand il s'agit de comprendre une personnalité historique, son comportement et l'influence qu'elle a exercée sur l'histoire.

168. A. Vögtle, dans ÖK (cf. n. 68), p. 24.

169. Contre W. Schrage, *Verständnis* (cf. n. 1), pp. 48 s.; H. Kessler, *Bedeutung* (cf. n. 42), p. 234.

170. Il est permis de souligner ce point pour corriger K. Fischer, « Der Tod Jesus heute. Warum musste Jesus sterben? », dans *Orientierung* 35 (1971), pp. 196-199.

tique : par une certaine idée de la Révélation et du kérygme, qui fait que l'on argumente uniquement en fonction de Pâques. Nous avons voulu montrer qu'une pré-compréhension inspirée par une conception plus riche de la Révélation et du kérygme — plus riche en ce sens qu'elle comprend la Résurrection qui est au cœur de la Révélation comme la Résurrection non pas seulement de Celui qui a été crucifié, mais aussi de « Celui qui est venu » — cette pré-compréhension crée un regard capable de voir ce qui était possible et ce qui s'est vraisemblablement passé dans la vie pré-pascale de Jésus. Nous voudrions présenter encore quelques remarques sur ce point, en guise de conclusion.

« Selon la conception biblique de la Révélation, l'histoire est ' événement ' mais aussi ' parole ', témoignage et promesse de Dieu ». Avec raison, A Vögtle [171] comprend cet énoncé au sens strict dans un cas : lorsque « Dieu s'est prononcé en faveur du Crucifié qui a proclamé sa volonté salvifique et sanctifiante, et que par la Résurrection il « a confirmé et dévoilé la mort de Jésus en croix comme ' parole ' instauratrice du salut ». La valeur salutaire de la mort de Jésus ne serait ainsi apparue qu'après Pâques, dans la parole de révélation prononcée par Dieu dans l'acte de la Résurrection; ni la parole de Jésus, ni son attitude d'offrande, en ce qu'elles ont de plus personnel, n'auraient révélé explicitement, avant Pâques, cette valeur salutaire de sa mort. Le théologien se demandera si, dans la conception de la « Révélation », on ne doit pas (surtout à une époque qui met en relief d'une manière si nouvelle l'importance de « la cause de Jésus ») davantage tenir compte de ce qui est comme le contrepoint de l'événement pascal, à savoir : l'envoi et la venue de Jésus (l'Incarnation), « l'existence de Jésus et sa manifestation, dans toutes leurs dimensions », ses « paroles et ses œuvres » [172]; il se demandera particulièrement

171. A. VÖGTLE, dans ÖK (cf. n. 68), p. 24.

172. Cf. Vatican II, *Dei Verbum*, nº 4. — Voir G. DELLING, *Kreuzestod* (cf. n. 6), p. 73; G. D., lui aussi, trouve difficile d'admettre que ce soit après Pâques seulement que Dieu « a donné à la chrétienté primitive la lumière lui permettant de comprendre la mort de Jésus comme une mort salutaire ». Selon J. ROLOFF, *Kerygma* (cf. n. 65), spéc. pp. 47-50, 270-273, « l'activité terrestre de Jésus... n'est pas seulement le présupposé historique du kérygme, mais aussi sa condition préalable objective et la clef qui permet de le comprendre », p. 273. Cf. aussi l'essai de H. JELLOUSCHEK, cité à la note 126.

si cette façon de comprendre le *pro vobis*, qui ne voit dans cette précision si fondamentale qu'un énoncé implicite, est bien suffisante (de nos jours surtout où l'on redécouvre la « proexistence de Jésus » précisément, comme la norme fondamentale de l'agir moral) [173]. Dans ce cas, le Repas du Seigneur pourrait bien, sans doute, être encore célébré comme *anamnesis* de la mort et de la Résurrection de Jésus, mais non comme *mimesis* de ce que Jésus, se donnant lui-même, a fait « dans la nuit où il fut livré » (1 Co 11,23); ce serait là une conséquence d'une grande importance pour la vie de l'Église! Tout aussi importante est la question de savoir si, en l'absence d'un *pro vobis* explicite et intentionnel de la part de Jésus, il est encore possible aux chrétiens de vivre la consigne de Paul : « que les vivants ne vivent plus pour eux-mêmes, mais pour celui qui est mort et ressuscité pour eux » (2 Co 5,15; cf. Rm 14,7 s.).

Mais quoi qu'il en soit, la recherche critique entreprise dans ces lignes portait directement sur la question de savoir si la méthode critique et la situation de la recherche exégétique exigent vraiment que l'on renonce à l'*hyper* pré-pascal [174].

173. A. Vögtle essaie de justifier cette « suffisance » dans « Die hermeneutische Relevanz des geschichtlichen Charakters der Christusoffenbarung » (1967), dans *Das Evangelium und die Evangelien. Beiträge zur Evangelienforschung*, Düsseldorf, 1971, pp. 16-30. K. Rahner, pas moins que lui, semble voir une possibilité d'apporter une réponse affirmative à cette question, cf. « Bemerkungen zur Bedeutung der Geschichte Jesu für die katholische Dogmatik », dans *Die Zeit Jesus* (Mélanges offerts à H. Schlier), Fribourg en Br., 1970, pp. 273-283; cf. Id., dans : *Christologie* (cf. n. 101), spéc. pp. 47-50; cette aide apportée à l'exégèse vient peut-être un peu tard, au moment où la découverte du « Jésus terrestre » semble favorisée par toutes sortes de voies d'accès nouvelles et prometteuses.

174. H.-G. Link, « Gegenwärtige Probleme einer Kreuzestheologie » (cf. *supra* p. 11 n. I) pp. 343 ss., parle « du changement qui s'opère dans la problématique exégétique, depuis qu'elle essaie de se libérer de l'influence dominante de R. Bultmann... W. Schrage notamment fit remarquer que les évangiles interprètent constamment la croix de Jésus à la lumière des événements historiques de sa vie et que, par conséquent, la réflexion théologique sur le don de Jésus « jusqu'à la mort sur la croix » n'a pas à renoncer et n'a pas le droit de renoncer à prendre appui sur la vie terrestre de Jésus. E. Schweizer alla dans la même direction en faisant remarquer que la Résurrection ne fait qu'éclairer ce qui s'est effectivement (!) passé dans la vie historique de Jésus. Ces déclarations et d'autres analogues ne permettaient absolument pas de douter qu'il ne sera plus possible, à l'avenir, de présenter une interprétation convaincante de la croix, sans y inclure l'activité terrestre et historique de Jésus, qui a été négligée pendant assez longtemps... Dans cette mise en relief du don de Jésus qui par

amour s'est dépouillé lui-même jusqu'à la croix, on pouvait reconnaître une ligne d'interprétation commune quant à la substance des choses ». — Cf. aussi R. Pesch-H. A. Zwergel, *Kontinuität in Jesus,* Fribourg-Bâle-Vienne 1974, spéc. p. 83 : « Il s'agit de comprendre la vie de Jésus comme la représentation vivante de sa mort (en tant que mort de Dieu). Si la mort de Jésus est la manifestation de l'amour de Dieu, si elle est *traditio Dei,* il faut que sa vie déjà soit l'expression de cet amour, qu'elle soit don. Et de fait, c'est bien ce Jésus que nous font connaître les traditions de l'Église primitive (y compris celles qui, au point de vue historique, sont indubitablement authentiques) ». — La tentative de comprendre ce qu'il y a de plus caractéristique dans la mort de Jésus à partir de sa vie et de son comportement en tant que marqués par une attitude pro-existante, a été faite — sous une forme plus ou moins semblable — par d'autres théologiens : dans une perspective très large et avec plus de scepticisme dans le résultat final cf. A. Kolping, *Fundamentaltheologie II,* Münster, 1974, pp. 541-672; H. Küng, *Christsein,* Münich, [3]1974, spéc. pp. 308-339, 409-426, 562-572; (ces auteurs suivent R. Bultmann sur la question de la Cène et A. Vögtle en ce qui concerne la compréhension que Jésus a eue de sa mort); d'une manière plus positive cf. W. Kasper, *Jesus Christus,* Mayence, 1974, spéc. pp. 132-144, et E. Schillebeeckx, *Jesus. Die Geschichte von einem Lebenden,* Fribourg, 1975 (édit. néerlandaise en 1974), spéc. pp. 241-283. Je suis d'accord avec E. S. quand il dit : «dans une sotériologie chrétienne, nous ne sommes pas liés à des représentations comme celles de ' rançon ', de ' victime expiatoire ', de ' représentation vicaire ', de ' satisfaction ' », etc. (p. 282), dans la mesure où il existe d'autres manières (et aujourd'hui plus compréhensibles) d'exprimer la réalité visée; cf. nos explications pp. 73, 109 et 145-184. Toutefois, ces « codes » (Chiffren) bibliques devraient être conservés, car il se peut que, plus tard, ils donnent accès à une compréhension qui, étant donné notre précompréhension actuelle « limitée » (« be-schränkten »), reste enfermée dans le « tiroir » (« Schrank ») de nos représentations. — Voir aussi le compte rendu du récent essai de H. G. Koch, « Kreuzestod und Kreuzestheologie. Interpretationsversuch und Versehenshilfen », dans : HerKorr 29 (1975), pp. 147-152.

CHAPITRE II

LA SURVIE DE LA CAUSE DE JÉSUS DANS LE REPAS DU SEIGNEUR, APRÈS PAQUES

La continuité des signes dans la discontinuité des temps *

Dans les pages qui suivent, nous nous interrogeons — en utilisant une expression imprécise de Willi Marxsen — sur la survie de la « cause de Jésus » après Pâques dans le Repas du Seigneur. Nous voudrions par là faire ressortir que ce qui nous importe à ce propos ce ne sont pas les détails du déroulement de la dernière Cène; il s'agit bien plutôt de comprendre celle-ci à partir de ces réalités fondamentales que sont l'activité et la prédication de Jésus. La « cause de Jésus » est le comportement de Jésus, qui se révèle dans sa prédication; mais c'est aussi la prédication de Jésus qui s'enracine dans son comportement. Si nous nous interrogeons particulièrement sur la continuation de la « cause de Jésus » dans l'eucharistie des premières communautés chrétiennes, c'est d'abord pour savoir « si dans la nouvelle liturgie eucharistique de ces communautés, et spécialement des communautés pauliniennes, la manière

* Contribution aux Mélanges (non imprimés) offerts à M. le Professeur Gerhard Delling, Halle (Saale), pour son 65e anniversaire, le 10 mai 1970. — Publiée pour la première fois dans : H. SCHÜRMANN, *Jesu Abendmahlshandlung als Zeichen für die Welt. Drei Vorträge,* Leipzig, 1970, pp. 63-101 (en abrégé — et aussi avec certaines additions — dans : BZ 16 [1972], pp. 1-23; les additions ont pu être supprimées dans ce volume, vu notre étude du Chapitre I).

qu'on a osé prêter à Jésus d'exprimer lui-même sa pensée correspond bien à la volonté et à la manière d'agir du Jésus historique »[1]. E. Fuchs[2] demande, avec raison, que l'on considère le « comportement de Jésus » comme le « cadre » véritable de sa prédication : le comportement de Jésus est la clef qui nous introduit à sa prédication; et ultérieurement, en se défendant contre R. Bultmann, E. Fuchs aura cette affirmation restrictive : « Ce que Jésus *a dit* est précisément la ' substance ' (' Kern ') de son comportement[3]. » Notre recherche toutefois se situe encore au-delà de celle de E. Fuchs; nous nous demandons en effet, si — malgré toutes les discontinuités qu'on peut relever — la manière d'agir de Jésus lui-même, dans sa dimension à la fois symbolique et efficace, ne se prolonge pas dans le repas du Seigneur des communautés chrétiennes primitives.

Nous faisons donc nôtre la suggestion de E. Fuchs et, dans les pages qui suivent, nous nous interrogeons surtout sur le comportement de Jésus à la dernière Cène, en laissant de côté pour le moment la question habituelle sur les paroles prononcées par Jésus en cette circonstance. Cette façon de procéder est motivée aussi par la situation de la recherche. Dans la recherche critique règne la conviction qu'il ne nous est plus possible d'établir la forme originelle des paroles de Jésus à la Cène, dans leur teneur exacte[4]; et à partir de là on est porté à tirer cette conclusion problématique : au point de vue historique, nous ne pourrions absolument rien dire sur l'événement de la Cène, non plus que sur les paroles prononcées par Jésus à cette occasion. Mais s'il est vrai que les paroles de Jésus en général ne deviennent compréhensibles qu'à la lumière de son comportement, est-ce que la Cène, en tant que parole en acte, ne pourrait pas également être éclairée par les actions posées par Jésus en cette circonstance et par l'ensemble de son comportement? Nous allons donc essayer

1. E. FUCHS, *Das Sakrament im Lichte der neueren Exegese,* Bad Cannstatt, 1953, p. 8.

2. Voir spécialement « Die Frage nach dem historischen Jesus », dans *Zur Frage nach dem historischen Jesus* (Recueil d'articles II), Tübingen, 1960, pp. 143-167, ici p. 155. — Les études antérieures sont signalées par G. STRECKER, « Die historische und theologische Problematik der Jesusfrage », dans : EvTh 29 (1969), pp. 453-476 (spéc. p. 471).

3. ID., dans *Glaube und Erfahrung,* Tübingen, 1965, p. 19.

4. Cf. *infra*, pp. 101 ss.

maintenant de suivre la voie inhabituelle que voici : (I) repérer les *ipsissima facta* [4a] de Jésus lors de son dernier repas afin de pouvoir, à partir de ceux-ci, (II) porter un jugement sur le sens de son action à la Cène (et sur ses *ipsissima verba*) et comprendre le « langage du geste » impliqué dans cette action; c'est là une voie qui jusqu'ici ne semble pas avoir été jamais suivie d'une manière conséquente. Ajoutons que le résultat de cette démarche sera certainement suffisant, « si nous découvrons que la parole et l'action de Jésus sont orientées dans le même sens [5] ».

I

RECHERCHE SUR LES ACTIONS DE JÉSUS AU COURS DE LA CÈNE

Il s'agit tout d'abord de savoir si, éventuellement, nous pouvons repérer les *ipsissima facta* de Jésus au cours de la dernière Cène. Pour cela, il nous faut bien sûr remonter à tâtons dans l'obscurité de la période prépascale. Notre recherche devra se développer comme suit : nous nous interrogerons sur le « Repas du Seigneur » à Corinthe, parce que celui-ci nous apparaît d'une manière assez claire en 1 Co 11,17-26 et surtout, parce que nous avons là le témoignage littéraire le plus ancien. L'étude de ce texte nous apportera deux découvertes : tout d'abord, nous trouverons dans ce milieu hellénistique des matériaux dont l'origine palestinienne est indéniable (A); un examen plus attentif montrera que ces matériaux sont vraisemblablement des éléments structuraux de la dernière Cène de Jésus (B).

4a. F. MUSSNER, *Die Wunder Jesu*, Munich, 1967, p. 33, a emprunté l'expression à J.-B. Bauer et l'a répandue.
5. E. FUCHS, *Die Frage* (cf. n. 2), p. 155.

A) ÉLÉMENTS PALESTINIENS DANS LA CÉLÉBRATION PAULINIENNE DU REPAS DU SEIGNEUR

Les célébrations eucharistiques de l'Occident ont ceci de commun avec celles de la liturgie orientale que le repas eucharistique y est précédé — d'une façon générale tout au moins — d'une liturgie de la Parole. Saint Justin déjà (Ap 1,65.67), au milieu du IIe siècle, nous donne la première description détaillée de cette ordonnance : la célébration dominicale de l'eucharistie (Ap 1,67) a lieu le matin et elle est liée à une liturgie de la parole organisée sur le modèle de la Synagogue.

Selon toute vraisemblance, c'est au début du IIe siècle déjà [6] qu'on en vint à séparer le repas communautaire de la célébration eucharistique, à cause de certains abus comme ceux dont il est question en 1 Co 11,17-34 et Ep 5,18.

1. *Observations sur le Repas du Seigneur aux origines chrétiennes*

Qu'en était-il du repas communautaire aux origines chrétiennes? Pour rester prudent et nous en tenir aux grandes lignes, il faut nous le représenter à peu près comme il se manifeste en 1 Co 11,17-26, sous le nom de « Repas du Seigneur » [7]. C'est une conviction presque générale que, dans la communauté de Corinthe, la double action eucharistique avec le pain et la coupe était précédée d'un repas destiné à assouvir la faim; toutefois, l'ensemble de ce processus s'appelle encore le « Repas du Seigneur » [8].

Dans l'Antiquité, l'usage voulait que, dans un repas de fête, la manducation des aliments soit suivie d' « un service copieux

6. Comme témoignages en ce sens on peut citer la lettre connue de Pline à Trajan (10,69) et aussi le texte occidental du récit de la Cène de Lc 22,14-18.19a (D it syv); cf. H. SCHÜRMANN, « Lc 22,19b-20 als ursprüngliche Textüberlieferung » (1951), dans TrU, pp. 159-197.

7. Cf. spécialement P. NEUENZEIT, *Das Herrenmahl* (StANT 1), Munich, 1960.

8. Cf. H. SCHÜRMANN, Art. « Herrenmahl », dans LThK V (²1960), p. 271.

de boissons » (« Trinkgelage ») qui sous le nom de *symposion* — ou de *mischtitā* dans le monde juif — finit par désigner tout l'ensemble du repas. Les communautés chrétiennes primitives ont dû donner un caractère festif à leur repas communautaire du soir — du moins peut-être à celui qui avait lieu le jour du Seigneur, pour commencer — en apportant certains changements à l'usage antique : elles ont dû supprimer l'ancienne coutume, très largement délaissée d'ailleurs, qui prévoyait un service copieux de boissons à la fin du repas et elles l'auront remplacée par l' « eucharistie » sous sa double forme. Cet aménagement devait presque s'imposer pour la raison suivante déjà : dans les repas de fête juifs, le père de famille récitait la prière d'action de grâces sur la troisième coupe, qui était offerte vers la fin du repas ; c'était là l'ouverture de la phase suivante, c'est-à-dire, du service copieux de boissons. Or il n'y a pas de doute que la prière eucharistique chrétienne, au point de vue de l'histoire des formes et de l'histoire de la tradition, s'enracine dans cette prière d'action de grâces juive (cf. *infra* p. 89 s.)[9].

Il nous faut ici apporter *quelques précisions :* il apparaît clairement que ce « Repas du Seigneur » corinthien s'enracine en trois endroits différents ; ce qui ne veut pas dire que, historiquement, il faille l'expliquer à partir de traditions différentes[10].

a) Même si la communauté primitive se réunissait chaque jour pour le repas (Ac 2,42-47 ; 4,35 ; 6,1 ss. ; cf. Jude 12 et souvent), cette réunion n'était pas une répétition de la dernière Cène qui, en tant que repas d'adieux, n'était absolument pas renouvelable, et en tant que repas pascal, ne pouvait pas être renouvelée chaque jour. Il faut bien plutôt considérer les repas quotidiens de la communauté primitive comme la continuation de la *communauté* de table que Jésus entretenait avec ses disciples, avant Pâques (comp. Lc 22,27 avec 12,37). Au commencement, c'était là certainement une nécessité qui allait de soi pour les disciples galiléens vivant à Jérusalem.

9. Sur les problèmes relatifs au repas et à son déroulement, dont il est question ici et dans la suite, cf. pour plus de détails notre étude : « Die Gestalt der urchristlichen Eucharistiefeier » (1955), dans *Ursprung und Gestalt* (Recueil d'articles, II), Düsseldorf, 1970, pp. 77-79.

10. Sur les différentes manières d'expliquer l'origine de ce repas — spéc. celle de H. Lietzmann et de E. Lohmeyer —, cf. l'exposé de H. LESSIG, *Die Abendmahlsprobleme im Lichte der neutestamentlichen Forschung seit 1900* (Diss. photoméc.), Bonn, 1953, pp. 161-168.

b) Après Pâques, on ne serait pas revenu bien sûr à cette communauté de table quotidienne s'il n'y avait pas eu les « apparitions » pascales de Jésus, montrant que « la cause de Jésus continuait ». Ces *expériences pascales* en partie tout au moins, étaient bien selon toute apparence des expériences liées à un repas (Ac 1,4?; 10,41; Lc 24,30 s. 36-49; cf. Mc 16,14; Jn 20,19-23.24-29). Après Pâques toutefois, cette communauté de table prit un caractère nouveau, du fait que l'on savait, dans la foi, que le Seigneur était présent : par cette présence du Seigneur, il y eut comme une refonte de la communauté de table avec le Jésus terrestre, commensalité qui devint un « Repas du Seigneur » (1 Co 11,20). C'est à ce Seigneur qu'on adresse le *Maranatha* (Did 10,6, cf. Ap 22,20). C'est sa présence qui donne son caractère spécifique à la « table du Seigneur » (1 Co 10,21), avec le « pain » (1 Co 11,27) et la « coupe du Seigneur » (1 Co 10,21; 11,27).

c) Mais s'il n'y avait pas eu les expériences pascales centrées sur la présence du Seigneur, la reprise et la réitération des *gestes accomplis* par Jésus à la Cène eût été impensable et la « cause de Jésus », qui s'était exprimée d'une manière particulièrement dense au cours de son repas d'adieux (cf. *infra* pp. 97 ss.), ne serait pas redevenue actuelle lors de la célébration du Repas du Seigneur par la communauté chrétienne primitive. Or, comme nous aurons à le montrer plus loin, c'est ici, dans la double action posée par Jésus au cours de son repas d'adieux, que se trouve la troisième racine du Repas du Seigneur primitif, racine qui a une importance décisive. Car la tradition selon laquelle Jésus a organisé un ultime repas avant sa mort n'est pratiquement pas mise en doute par les chercheurs, et « même ceux dont le regard est le plus sceptique se demandent encore s'il n'est pas possible que la coutume des célébrations de la Cène chez les premiers chrétiens ait ses racines dans un dernier repas organisé par Jésus[11] ». « On peut tenir pour certain que Jésus a organisé un repas de fête, chargé de sens[12]. »

Un grand nombre des chercheurs de ces cent dernières années ont admis que « la Cène est le résultat d'une évolution au cours de laquelle un repas ordinaire est devenu un acte cultuel »[13]; beaucoup d'ailleurs ne nient pas qu'au cours de ce processus on ait gardé des réminiscences des paroles de Jésus à la Cène. C'est là un point de vue qui a ses représentants aujourd'hui encore; nous voudrions montrer pourquoi il ne

11. Cf. H. Lessig, *Abendmahlsprobleme* (cf. n. 10), p. 245.

12. Id., *ibid.*, p. 248 s.

13. Id., *ibid.*, p. 161 (pp. 181 ss. et souvent); cf. également les travaux mentionnés *infra* n. 20 et 21 et, en sens contraire, les justes observations de G. Delling, *Der Gottesdienst im Neuen Testament*, Berlin, 1952, p. 128 s.

nous paraît pas défendable[14]. Il n'est sans doute pas impossible qu'il y ait dans le « Repas du Seigneur » à Corinthe un prolongement de la communauté de table qu'entretenait le cercle des disciples, avant Pâques (aspect très peu mis en relief par la tradition synoptique), et la présence du Ressuscité aux repas de fête[15] des premiers chrétiens est certainement le motif qui a rendu possible la reprise de cette communauté de table. Cependant le point de départ de l' « acte cultuel » eucharistique ne fut pas le repas comme tel, mais la double action symbolique accomplie par Jésus à la Cène, au cours de son repas d'adieux; action que l'événement de Pâques permit de renouveler, sous une forme nouvelle (cf. *infra* pp. 92 ss.). C'est *cette action* justement qui nous intéresse spécialement ici.

2. *Remarques sur la double action eucharistique en particulier*

Il nous faut considérer de plus près cette double action eucharistique qui, à Corinthe, nous l'avons vu, suivait le repas destiné à assouvir la faim. Elle est attestée dans les récits de l'institution, Lc 22,19-20 par.; 1 Co 11,23-25; mais aussi en Mc 14,22-24 (Mt 26,26-28); voir aussi le « midrash » de Jean (6,51b. 53-58) sur ces récits. Cette action pose toutes sortes de questions. Nous voyons dans ces textes qu'une prière eucharistique est prononcée sur le pain et sur la coupe; après quoi, le pain rompu et la coupe sont présentés, avec des paroles explicatives, à tous les participants pour qu'ils en prennent.

Quelle est donc la signification de ce geste étrange et comment faut-il expliquer son origine? On peut dire tout d'abord qu'une action de ce genre — avec du pain et du vin, à la fois symbolique et rituelle, et liée à un repas — apparaît rarement dans le monde *hellénistique* (à moins qu'elle ne soit plus ou moins influencée par la célébration chrétienne de

14. C'est aussi le point de vue de H. LESSIG, *ibid.;* cf. également H. CONZELMANN, *Grundriss der Theologie des Neuen Testaments,* Munich, 1967 (= Tr., *Théologie du Nouveau Testament,* Genève, Labor et Fides, 1969); selon H. C., « on n'a pas prouvé l'existence de repas communautaires n'ayant pas une signification sacramentelle ».

15. Sur l'ensemble du problème, cf. B. SANDVIK, *Das Kommen des Herrn beim Abendmahl im Neuen Testament* (AWANT 58), Zurich, 1970; sur Luc, cf. J. WANKE, *Beobachtungen zum Eucharistieverständnis des Lukas* (Erfurter ThSchr 8), Leipzig, 1973.

l'eucharistie) et ne présente aucune analogie. En histoire des religions, la recherche consacrée aux cultes à mystères atteste l'existence de repas cultuels, mais elle n'a fourni aucune analogie valable susceptible d'éclairer l'accomplissement de cette double action eucharistique. Celle-ci « ne peut pas se comprendre à partir de données uniquement hellénistiques. Au contraire, les actions avec le pain et le vin qui constituent le cœur de la Cène, indiquent clairement une origine juive »; il « apparaît maintenant que les données hellénistiques n'entrent en ligne de compte que pour l'interprétation de cette action, uniquement »[16]. Il y a aussi certains détails montrant clairement que cette double action a une origine *palestinienne*. Les recherches sur la Cène ont dégagé un point, admis presque unanimement et difficile à mettre en doute : nous avons là deux gestes caractéristiques du repas de fête juif; et ces deux gestes, primitivement séparés, ont été réunis dans la suite; plus précisément, il s'agit des deux actions — déjà solidement ancrées dans la coutume juive où elles avaient une portée symbolique et rituelle — qui accompagnaient la prière du début du repas et celle de la fin. La formule stéréotypée « De même, après le repas », qui a passé dans les récits de l'institution, cf. Lc 22,20, par.; 1 Co 11,25 rend cette position presque certaine. Examinons de plus près ces deux gestes.

a) Lors du repas de fête juif, et plus précisément *au commencement* du repas proprement dit, celui qui bénissait la table se mettait debout sur son coussin de repos et prenait une galette de pain dans les mains. Alors, il prononçait, au nom de toute l'assemblée, une prière de louange sur le pain, à laquelle tous répondaient par « Amen ». Puis, il rompait un petit morceau de pain pour chacun des participants et il faisait la distribution. Dans le monde juif déjà cette « fraction du pain » était un geste d'une grande portée, accompli selon un rituel fixe, stylisé[17]. Ce geste à portée symbolique est incontestablement d'origine palestinienne; de plus il est attesté expressément dans la communauté primitive (Ac 2,46; cf. aussi l'expression « fraction du pain » en Ac 2,42).

16. H. LESSIG, *Abendmahlsprobleme* (cf. n. 10), p. 156 (comparer avec p. 166).
17. Voir l'étude indiquée *supra* n. 9.

b) La bénédiction et la présentation de la coupe devraient également être expliquées à partir des coutumes palestiniennes : au banquet juif, et plus précisément *vers la fin* du repas, le père de famille, assis, prenait dans la main droite une coupe qu'on lui présentait; il la tenait élevée de la largeur d'une main au-dessus de la table et prononçait, au nom de toute l'assemblée, la prière d'action de grâces, à laquelle tous répondaient par « Amen ». Ensuite, selon la coutume, celui qui avait prononcé la prière d'action de grâces portait la coupe à ses lèvres; c'était, pour les commensaux, le signal les invitant à boire à leur propre coupe. Que l'action sur la coupe, pratiquée par les premières communautés chrétiennes, repose effectivement sur cette coutume juive, cela est prouvé déjà par le fait que, par l'histoire de sa formation et de sa tradition, la prière eucharistique des origines chrétiennes s'enracine dans la *berakha* juive sur la troisième coupe du repas, dont il nous est possible de découvrir la forme palestinienne à l'époque de Jésus [18] (quant à la forme qu'elle avait dans le judaïsme hellénistique, nous pouvons aussi donner bien des indications, quoique plus risquées); mais cela est prouvé également par la coutume juive qui consistait à « envoyer » la « coupe de bénédiction » (cf. *infra* p. 99).

D'après le témoignage de 1Co 11,17-26, il y a donc à Corinthe une coutume marquée par un certain usage du pain et du vin dans le cadre d'un repas; et cette coutume, en ses deux parties, est indéniablement d'origine palestinienne. La seule différence est qu'à Corinthe les deux gestes, qui primitivement étaient autonomes et se situaient respectivement avant et après le repas principal, se sont réunis et forment un tout. La prière particulière de louange sur le pain semble avoir été supprimée (peut-être avons-nous encore une attestation de son usage dans les communautés primitives en Mc 14,22 par. Mt 26,26). L'action sur le pain a été reportée à la fin du repas et jointe à l'action de grâces sur la coupe, qui maintenant est prononcée à la fois sur le pain et sur le vin. Pour des raisons pratiques, cette jonction des deux gestes a

18. Pour plus de détails cf. Billerbeck IV, pp. 627-639; cf. aussi L. LIGIER, « De la Cène de Jésus à l'Anaphore de l'Église », dans *La Maison-Dieu* 87 (1966), pp. 7-51; J. BETZ, « Sacrifice et action de grâces », dans *La Maison-Dieu* 87 (1966), pp. 78-96.

vraisemblablement été réalisée très tôt, peut-être en Palestine déjà [19].

B) Déductions sur la dernière Cène de Jésus

Nous avons remonté à tâtons dans l'obscurité du passé, nous avons franchi le *fossé* difficile qui sépare le monde hellénistique du monde palestinien et réussi à atteindre, sans trop d'accrocs semble-t-il, les sources palestiniennes de la double action eucharistique. Mais nous voici maintenant devant une *crevasse* plus profonde et plus dangereuse : celle qui sépare le milieu de la communauté palestinienne d'après Pâques d'avec le milieu prépascal dans lequel vivait Jésus. Or c'est justement la « cause de Jésus » en ses jours terrestres qui nous importe. Comment allons-nous franchir cette crevasse?

Dans sa « Théologie du Nouveau Testament » [20], Rudolph Bultmann croit pouvoir mettre en question l'existence d'une relation entre le Repas du Seigneur des origines chrétiennes et le dernier repas de Jésus; il estime, en effet, que la mise en relief de l'action sur le pain et sur le vin ne peut relever que de la pensée hellénistique [21]; c'est là un point de vue qui a été largement repris. Deux observations toutefois semblent montrer qu'il est vraisemblablement possible de découvrir dans les deux actions de la Cène des gestes attribuables à Jésus.

1. *La jonction des deux actions sur le pain et sur la coupe*

Comment expliquer que la « fraction du pain » et l' « action de grâces sur la coupe », ces deux gestes qui primitivement étaient séparés l'un de l'autre par la durée d'un repas, *aient été*

19. Pour de plus amples renseignements cf. l'étude indiquée *supra* n. 9.

20. Tübingen, 61968, pp. 1-38.

21. Id., *ibid.*, pp. 143-151; cf. aussi *ibid.*, pp. 59, 143 : la fausse interprétation de la « fraction du pain » comme « repas »; cf. également W. Marxsen, *Das Abendmahl als christologisches Problem*, Gütersloh, 21965, spécialement pp. 17-21; H. Braun, *Jesus* (*Themen der Theologie* 1), Stuttgart, 1969, p. 50; H. Conzelmann, *Grundriss* (cf. n. 14), p. 76.

réunies en une seule action eucharistique à deux aspects ? Il n'y a absolument aucun doute que ce changement tient à ce que, d'une part, ces deux gestes sont apparus comme particulièrement importants et que, d'autre part, on a senti aussi qu'ils allaient ensemble (cela est si vrai que la tendance de la tradition — spécialement chez Mc et Mt, mais jusqu'à Jn 6,51 b. 53-58, Ignace et les récits liturgiques de l'institution — a été de les assimiler toujours davantage en les présentant sous forme de parallèle) [22].

On comprendrait déjà que, à cause de l'expérience pascale et de l'attente eschatologique, le repas commun des communautés palestiniennes ait reçu un accent nouveau. Mais il faut se demander : pourquoi ces deux gestes du repas, précisément, furent à ce point mis en relief que l'un d'entre eux donna le nom de « fraction du pain » (cf. Ac 2,42) à l'ensemble du processus (c'est-à-dire à la double action, probablement) ? Et surtout : pourquoi furent-ils ensuite détachés du repas et devinrent-ils tellement indépendants qu'on fit suivre le repas ordinaire par un autre repas aux rites stylisés, quasi cultuel ? Comment a-t-il été possible que, dans les communautés primitives où le repas avait indiscutablement une relation très forte au repas eschatologique (cf. seulement Lc 22,15-18 ; Ac 2,46), on en soit venu à réduire précisément ce repas à un rôle accessoire ? Les communautés palestiniennes, tout spécialement, auraient bien plutôt mis l'accent sur le repas comme tel et lui auraient donné un sens eschatologique. Dès lors nous ne pouvons pas échapper à la question : les deux gestes connexes du repas ne pourraient-ils pas contenir des souvenirs de la dernière Cène de Jésus ?

Mais il nous faut d'abord examiner brièvement certains travaux qui tentent d'expliquer ces deux gestes à partir du milieu juif :

a) F. Spitta, P. Battifol, R. Otto, parmi d'autres, ont rappelé le *Qiddoush* juif. Quiconque a assisté une fois au *Qiddoush* du Sabbat, dans une famille juive d'aujourd'hui, a songé presque inévitablement à l'eucharistie (malgré l'ordre inverse de l'action : sur le vin d'abord puis sur le pain) ; la bénédiction d'une coupe de vin sur laquelle on prononce la bénédiction pour le sabbat ou le jour de fête qui commence, est

22. Cf. H. Schürmann, Art. « Einsetzungsbericht », dans LThK III, ([2]1959), pp. 762-765 et d'une manière plus détaillée dans l'étude mentionnée *infra*, n. 57.

suivie par la fraction du pain qui ouvre le repas. Cette coutume toutefois dérive « de la fin de l'époque des Tannaïm (ou peut-être du début de l'époque des Amoraïm) et elle fut la conséquence de l'apparition d'un service cultuel, le vendredi soir, à Babylone; elle ne remonte donc pas à l'époque de Jésus » [23].

b) Tout récemment et de diverses manières, on a souvent attiré l'attention sur le *repas des gens de Qumrân,* qui est mentionné dans la Règle de la Communauté (1 QS 6,1-6) et dans la Règle annexe (1 QSa 2,11-22); il faudrait aussi tenir compte de la notice de Josèphe, Bell. 2,131. Mais ce que disent ces textes sur les deux gestes du repas qui nous intéressent correspond à l'usage juif qui nous est connu par ailleurs, et ne révèle aucune autre particularité qui pourrait être mise en relation avec la double action eucharistique. En outre, il faudrait se référer à l'exposé de H. Braun [24], qui enlève bien des illusions.

c) Enfin on rappelle sans cesse les parallèles qu'on trouve dans *Joseph et Aseneth.* Quand Aseneth est reçue dans la communauté juive, on lui offre une alimentation céleste « sacramentelle », composée d'un rayon de miel et d'une coupe à boire; ce geste est mentionné cinq fois (8,5.9; 15,5; 16,16; 19,5). Mais les preuves apportées par Chr. Burchard [25] ont montré que cet ouvrage fut originellement écrit en grec et qu'il a vu le jour en Haute Égypte probablement; pour ces raisons déjà nous pouvons donc en faire abstraction ici. De plus, Traugott Holtz [26] — à la suite de plusieurs autres — a de nouveau essayé tout récemment d'expliquer les passages en question comme des interpolations chrétiennes.

2. *Deux particularités des actions eucharistiques*

Voici maintenant la seconde observation qui peut nous inviter à faire remonter à Jésus lui-même les deux actions de la

23. D'après J. JEREMIAS, *Die Abendmahlsworte Jesu,* Göttingen, [4]1966, p. 22 (= Tr. *La dernière Cène. Les paroles de Jésus,* « Lectio divina », 75, Paris, Éd. du Cerf, 1972, p. 27); cf. aussi H. LESSIG, *Abendmahlsprobleme* (cf. n. 10), pp. 148 ss.; H. T. SLATER, *Does the kiddush Precede Christianity?,* Andrews University Seminary Studies 7, 1969, pp. 57-68 : les arguments de cet auteur en sens contraire ne sont pas très convaincants.

24. H. BRAUN, *Qumran und das Neue Testament II,* Tübingen, 1966, pp. 29-44; cf. aussi H. PATSCH, *Abendmahl und historischer Jesus* (Calwer Theol. Mon. A/1). Stuttgart, 1972, pp. 28-34.

25. Chr. BURCHARD, *Untersuchungen zu Joseph und Aseneth* (WUNT 8), Tübingen, 1965 : cf. aussi H. PATSCH, *Abendmahl* (cf. n. 24), pp. 28 s.

26. T. HOLTZ, « Christliche Interpolationen in ' Joseph und Aseneth ' », dans NTS 14 (1967/68), pp. 482-497.

Cène : à y regarder de près, ces deux actions ne sont pas simplement la reprise de gestes préformés, à savoir des gestes qui marquaient les repas juifs ; au contraire, si on compare les gestes eucharistiques à la coutume juive, on y découvre deux différences caractéristiques :

a) La première est celle-ci : à l'encontre de la coutume courante — on n'insistera jamais assez sur ce point (spécialement contre G. Dalman [27] et J. Jeremias [28]) —, il y a dans la célébration chrétienne, en corrélation à la présentation du pain à tous, la présentation d'une *coupe unique,* celle du père de famille qui est tendue à tous les commensaux pour qu'ils en boivent ; ce geste est expressément souligné dans sa particularité par une invitation spéciale : « Prenez-la et partagez entre vous » (Lc 22,17) — « et ils en burent tous » (Mc 14,23 ; cf. Mt 26,27) : telle est l'attestation des évangélistes, qui a la valeur d'une indication liturgique. Le repas de fête palestinien se déroulait dans un style si raffiné qu'il est à priori tout à fait invraisemblable que l'usage d'une coupe commune y ait été courant. Je ne puis ici que renvoyer à des travaux antérieurs [29]. De fait, on n'a pas démontré que l'usage d'une coupe commune, dans un repas de fête, ait été courant ; les quelques exceptions qui sont attestées prouvent au contraire que l'usage courant était d'utiliser des coupes individuelles. Jusqu'ici, cette particularité n'a jamais été relevée — et surtout on n'y a jamais réfléchi — d'une manière conséquente. Comme nous aurons l'occasion de le constater encore, il n'y a qu'une manière d'expliquer pourquoi l'usage courant a été, ici, modifié : par la présentation de la coupe, on veut offrir — symboliquement ou réellement ? Laissons pour le moment cette question ouverte — un don à tous ; et plus précisément, les faire participer à la bénédiction de la coupe « bénie » (cf. 1 Co 10,16). Cette coupe justement a un caractère particulier et c'est bien pourquoi, contrairement à la coutume, elle est présentée à tous.

b) Il est une seconde particularité qu'il n'est pas possible de

27. G. DALMAN, *Jesus-Jeschua,* Leipzig, 1922, p. 140.
28. J. JEREMIAS, *Abendmahlsworte* (cf. n. 23), pp. 62 ss.
29. H. SCHÜRMANN, *Der Paschamahlbericht Lk 22,* (7-14.) 15-18 (NTA XIX/5), Münster, ^{2}1968, p. 60 s.

laisser de côté : contrairement à l'usage courant, la présentation du pain et de la coupe est *accompagnée de paroles explicatives.* Celles-ci font ressortir l'importance du don offert et indiquent, avec plus de précision, la nature de ce don de bénédiction qui — symboliquement ou réellement — est ici offert. C'est de la légèreté que de vouloir expliquer, à la suite de R. Bultmann [30], « ces paroles liturgiques qui font du repas du Seigneur un sacrement » [?] comme un surcroît hellénistique, aussi longtemps qu'il est possible de les expliquer comme des éléments des actions symboliques accomplies par Jésus (cf. *infra* pp. 101 ss.). Une interprétation comme celle-ci du pain ordinaire et de la coupe, exceptionnellement présentée à tous, est sans analogie dans la coutume juive qui réglait l'ordonnance des repas [31]. Les actions symboliques des prophètes, par contre, étaient souvent accompagnées de paroles explicatives (cf. Ez 12,8-16.19 s.; 21,12; 37,19-28) et si la présentation du pain et de la coupe de vin (c'étaient là des gestes usuels : la fraction du pain au cours des repas ordinaires et la coupe de vin aux repas de fête!) par Jésus devait signifier quelque chose, il était presque indispensable qu'elle soit accompagnée de paroles explicatives.

Si nous jetons un *regard en arrière,* nous constatons ceci : deux gestes courants, accomplis au cours des repas ordinaires ou des repas de fête juifs et déjà fixés rituellement, ont été, dans la coutume qui réglait le repas des premiers chrétiens, transformés, mis spécialement en relief, de plus en plus assimilés l'un à l'autre et ensuite réunis. Il faut se demander pourquoi on s'est livré à ce « remodelage » (« Überformung ») des deux gestes usuels, pourquoi on leur a donné cette « forme nouvelle » (« Neuformierung »). Comme nous l'avons vu plus haut, il est peu probable que la mise en valeur de ces deux gestes se soit opérée dans les communautés palestiniennes; par ailleurs, on ne trouve dans le monde juif rien d'analogue à la double action eucharistique. Dès lors, la solution la plus

30. R. BULTMANN, *Theologie* (cf. n. 20), p. 144; cf. aussi H. BRAUN, *Qumran* (cf. n. 24), p. 76; cf. également *supra* les n. 20 et 21.

31. L'explication des particularités du repas pascal — l'agneau, le pain sans levain, les herbes amères — n'offre aucune analogie proprement dite, car ici c'est aux enfants que les particularités du repas pascal sont expliquées et, surtout, nous ne trouvons ici absolument aucune parole accompagnant le geste de présentation.

vraisemblable est que cette transformation remonte à Jésus lui-même, aux gestes significatifs qu'il a accomplis à la Cène. Est-ce que Jésus, faisant fonction de père de famille lors de son repas d'adieux, a repris les gestes profanes de la présentation du pain au début du repas et de la présentation (occasionnelle; cf. *infra* p. 99 s.) de la coupe à la fin, pour exprimer sa volonté de faire un don particulier, peut-être même pour exprimer le don de lui-même qu'il voulait faire aux siens? Il s'agit en tout cas de deux gestes de présentation remarquables et accompagnés de paroles explicatives, sur la signification desquels il nous faudra maintenant nous interroger. La possibilité que les deux actions eucharistiques soient, à l'origine, les gestes de Jésus à la Cène, doit en tout cas être prise en considération, contrairement à l'erreur de ceux qui veulent comprendre ces gestes dans un contexte hellénistique et sacramentel (cf. *supra* p. 92). Cette possibilité gagnera en vraisemblance si, dans les pages suivantes, on réussit à montrer que des actions symboliques du genre de celles-ci se comprennent très bien de la part de Jésus et qu'elles sont croyables à la lumière du comportement qu'il adopte par ailleurs.

II

ESSAI D'INTERPRÉTATION DES ACTIONS DE JÉSUS A LA CÈNE

Dans les pages précédentes (cf. § I), nous avons cru pouvoir découvrir deux gestes accomplis par Jésus au cours de la dernière Cène; ces gestes, il est vrai, existaient déjà dans la coutume juive qui réglait le repas de fête, mais ils ont été transformés par Jésus et ont été chargés d'une signification particulière. Il y a deux questions qu'il faut maintenant aborder : quel sens peut bien avoir une double présentation comme celle-ci (A)? Ce sens étant dégagé, comment peut-on ensuite caractériser cette double action, comment peut-on la définir génériquement et la situer, comme « cause de Jésus », dans l'ensemble du comportement de Jésus (B)?

A) Le sens de la double action de Jésus

Nous voulons rester fidèle à notre projet, c'est-à-dire : déterminer les paroles de Jésus — y compris celles de la dernière Cène — à partir de l'ensemble du comportement de Jésus ; en d'autres termes, nous étudierons les *dicta* de Jésus à la lumière de ses *facta*. Il nous faut donc interroger d'abord les actions de Jésus en vue de préciser la signification qu'il est possible d'y reconnaître ; ce n'est qu'ensuite que nous nous attacherons aux paroles d'accompagnement (en tenant compte du comportement et de la prédication de Jésus dans leur ensemble).

1. *La signification des actions de Jésus à la Cène*

a) Le sens de la présentation du *pain* rompu, au commencement d'un repas de fête juif, n'était certainement pas, comme on le répète constamment en suivant G. Dalmann [32], de faire participer les commensaux à la prière du repas. Par leur « Amen », ils avaient déjà donné leur assentiment à la *berakha* prononcée par le père de famille.

La fraction du pain et sa distribution aux commensaux est naturellement déjà un geste de don. La présentation donnait au père de famille l'occasion, comme on peut le lire en Ber. 46a [33], de mettre son « bel œil », c'est-à-dire ses dispositions bienveillantes, dans la répartition. Il est vraisemblable que l'on considérait l'eulogie prononcée sur le pain comme étant de quelque manière porteuse de bénédiction et, par conséquent, on devait attacher une valeur salutaire au fragment de pain offert symboliquement. On ne devrait pas se débarrasser trop vite d'une interprétation de ce genre en la déclarant « hellénistique », d'autant que nous savons avec certitude que la coutume du repas de fête palestinien, elle aussi, était largement influencée par l'hellénisme. La pensée hellénistique à cette époque déjà pouvait bien être palestinienne [34]. « Dans

32. G. Dalman, *Jesus-Jeschua* (cf. n. 27), pp. 125 s., 140 s.
33. Cf. Id., *ibid.*, p. 126.
34. Cf. M. Hengel, *Judentum und Hellenismus* (WUNT 10), Tübingen, 1969.

tout repas communautaire, le fait de manger le pain rompu et de boire le vin au calice de bénédiction... fait participer à la bénédiction qui a été prononcée sur le pain et sur le vin, avant leur distribution », ainsi s'exprime un connaisseur de la Palestine, J. Jeremias [35]. Et s'il faut des preuves, il suffit en fin de compte de rappeler les nombreux témoignages juifs — rassemblés par J. Jeremias [36] — d'après lesquels le manger et le boire procurent des dons divins.

b) Cette interprétation de la présentation du pain est confirmée par la *présentation de la coupe.* Comme nous l'avons vu, Jésus, contrairement à l'usage courant, a présenté sa coupe à tous les commensaux pour qu'ils en boivent. En cela il se peut qu'il ait repris une coutume juive : le père de famille, en effet, pouvait « envoyer » sa coupe, pour en boire, à l'un des hôtes qu'il voulait honorer ou bien même à la maîtresse de maison qui se trouvait dans la pièce attenante; c'est là une coutume qui plus tard se généralisa pour la coupe de *Qiddoush,* les jours de sabbat et les jours de fête [37]. Cette coutume correspondait à peu près à celle qui chez nous, consiste à boire à la santé de quelqu'un; elle avait donc la valeur d'un souhait expressif de bénédiction : « à votre santé! ». Il y a des textes (rassemblés par Dalman [38] et par Billerbeck [39] qui corrige et complète le premier) attestant que boire à la « coupe de bénédiction » (1 Co 10,16), qui a été ainsi « envoyée », était considéré comme un geste salutaire à différents égards; pour la maîtresse de maison, par exemple, il était une source de bénédiction en ce qui concerne les enfants. C'est une « coupe de salut » : « J'élèverai la coupe du salut » (Ps 116,13). Celui qui en boit apprend que la « part de sa coupe » est le Seigneur lui-même (Ps 16,5). Quelle est donc la raison pour laquelle Jésus, lors de son dernier repas et contrairement à l'usage courant, fait participer les commensaux à sa coupe de vin? Tout en restant prudent, nous pouvons difficilement expliquer ce geste autrement que comme un don de bénédiction qu'il

35. J. JEREMIAS, *Abendmahlsworte* (cf. n. 23), p. 244 (= Tr. *La dernière Cène,* p. 277.)

36. ID., *ibid.,* pp. 225-228.

37. Cf. G. DALMAN, *Jesus-Jeschua* (cf. n. 27), p. 140.

38. ID., *ibid.,* p. 140.

39. T. IV, p. 69 s.

leur promettait ou leur attribuait. Si ce geste de don a une portée significative, celle-ci ne peut être que la suivante : on veut par là offrir aux commensaux une boisson salutaire et réjouissante; le geste de don signifie une médiation de bénédiction [40]; quel genre de médiation? Il nous faudra l'examiner.

Nous devons ici nous interdire d'examiner en détail d'autres explications de gestes de Jésus à la Cène [41]; car elles interprètent les deux actions de Jésus sur le pain et sur la coupe en argumentant très souvent à partir des paroles d'accompagnement; or celles-ci sont contestées et, par le fait même, il y a dans une telle argumentation un gros facteur d'incertitude. Nous restons par contre sur un terrain solide, lorsque nous reconnaissons les gestes de présentation comme des *gestes de don* et que nous essayons de comprendre les paroles d'accompagnement, qui sont contestées, à la lumière de ce comportement de Jésus, et non l'inverse. On peut ajouter en passant que l'élément significatif de cette action symbolique ne peut pas se trouver dans la « *séparation des formes* » (dans le développement du repas, sans doute, elles *étaient* effectivement séparées l'une de l'autre par la durée du repas lui-même, mais cette séparation n'avait aucune portée significative); quant à la *fraction du pain,* qui était un usage courant et traditionnel, elle ne se présente pas non plus, en elle-même, comme une action symbolique (d'autant moins que l'acte de rompre n'est même pas interprété); il faut en dire autant du *geste de verser* du cratère dans les coupes, ou bien, de la coupe du père de famille dans les coupes individuelles : il n'est pas symboliquement parlant (et il n'est pas interprété non plus). Les paroles explicatives sont toujours prononcées *après* ces actions; elles accompagnent et *soulignent* la présentation et la distribution des éléments du repas. Le pain et la coupe sont présentés; ils prennent un sens déterminé par les gestes de service et de don [42] qui

40. Cela a été bien vu par P. BRUNNER, dans *Leiturgia* (édit. par K. F. Müller et W. Blankenburg), Kassel, 1954, pp. 83-364, spéc. p. 229.

41. Sur ce point, voir par ex. l'exposé de H. LESSIG (cf. n. 10) sur les interprétations diverses de la parabole, pp. 308-313.

42. W. GRUNDMANN les comprend aussi comme des gestes de don qui représentent une procuration de bénédiction, cf. « Botschaft und Gemeinde im Neuen Testament » dans *Amtsbl. der Ev.-luth. Kirche in Thüringen 25* (1972), pp. 134-138, ici p. 137; l'auteur renvoie à son étude plus ancienne : « Das Wort von Jesu Freunden (Joh. XV, 13-16) und das Herrenmahl », dans : NT 3 (1959), pp. 62-69. — J. ROLOFF, « Die Deutung des Todes Jesu (Mk. X. 45 et Lk. XXII. 27) », dans NTS 19 (1972/73), pp. 38-64, spéc. p. 62 s.; malheureusement, l'auteur méconnaît le caractère de service dont sont imprégnés les gestes de Jésus à la Cène, de sorte qu'il ne peut faire valoir l'idée de service que lorsqu'il explique le Repas du Seigneur des origines chrétiennes (cf. *infra* n. 64).

les accompagnent : ils deviennent ce qui est « offert », « destiné » à quelqu'un, dons de l'amour, du salut. Cela est d'autant plus vrai que le pain *rompu* n'est pas une image du corps de Jésus mis en morceaux et la *couleur rouge du vin* (jamais mentionnée) n'est pas, en soi, l'image du sang [43]. Le pain et la coupe sont offerts comme *nourriture :* comme un aliment salutaire et comme une boisson qui procure la joie; les paroles qui les accompagnent doivent préciser en quel sens ils le sont.

(Glissons ici une *remarque* qui anticipe quelque peu, mais sera peut-être de quelque secours : nous n'avons pas ici à examiner de plus près la question de savoir si la présentation d'une nourriture sous une forme parabolique et symbolique doit être comprise comme la déclaration — ainsi plus expressive — d'une promesse, ou bien comme la présentation effective d'un don de l'ordre du salut — ce qui n'exclurait pas d'ailleurs le caractère symbolique du geste. Nous verrons plus loin que cette alternative n'est guère conforme au sens de l'action de Jésus.)

2. *Ce que nous apprennent les paroles d'accompagnement interprétées à la lumière du comportement de Jésus*

Nous voudrions prendre au sérieux le résultat des recherches sur la Cène, selon lequel il n'est plus possible de retrouver, avec la certitude historique souhaitable, la teneur primitive exacte des paroles explicatives de Jésus [44]. C'est là bien sûr une situation alarmante car, comme nous l'avons vu [45], les gestes de présentation de Jésus et ses dons salutaires appellent nécessairement des paroles explicatives qui en dégagent le sens. Quel est le don de salut que Jésus veut faire aux siens, au moment de les quitter? Il y a un double élément qui nous permet d'interpréter d'une manière plus précise les gestes de don de Jésus : le témoignage concordant des diverses paroles d'accompagnement et, à l'appui de ce témoignage, tout le contexte du « comportement de Jésus » [46] et de l'ensemble de

43. Contre J. JEREMIAS, *Abendmahlsworte* (cf. n. 23), p. 215. (= Tr. *La dernière Cène*, p. 266.)

44. Cf. par ex. F. HAHN, « Die alttestamentlichen Motive in der urchristlichen Abendmahlsüberlieferung », dans : EvTh 27 (1967), pp. 337-374; H. CONZELMANN, *Grundriss der Theologie des Neuen Testaments,* Munich, 1967, p. 76. Une fois encore W. G. KÜMMEL s'oppose à ce point de vue avec beaucoup d'assurance, cf. *Die Theologie des Neuen Testaments* (NDT, Vol. complém. 3), Göttingen, 1969, pp. 81-85.

45. Voir *supra,* en B2b.

46. Cf. H. SCHÜRMANN, « Jesu Abendmahlsworte im Lichte seiner Abendmahlshandlung », dans *Conc.* 4 (1968) pp. 771-776 (= édit. fr. *Conc.* n° 40

sa prédication. Lorsque nous considérons les deux courants de la tradition représentés par Lc-Pl, d'une part, et part Mc (Mt), d'autre part, et que nous nous interrogeons, non pas sur leurs différences, mais sur ce qu'ils ont en commun, nous trouvons, dans chacun de ces courants, aussi bien le thème de l'Alliance que celui de la mort expiatrice. Ainsi, le don de Jésus est interprété dans une perspective à la fois eschatologique et sotériologique. Et alors on peut se demander sérieusement si F. Hahn voit juste quand il écrit : « Au demeurant, les motifs de l'expiation et de l'alliance ne donnent pas l'impression d'avoir été appelés l'un par l'autre; au contraire, on a chaque fois un point de vue qui se suffit à lui-même [47]. » Très brièvement, nous allons examiner chacun de ces motifs :

a) Si la double présentation de Jésus renvoie d'une manière significative à un don de bénédiction, on sera d'abord porté à penser au *don du salut eschatologique*. Car, depuis Johannes Weiss [48], c'est un bien commun presque incontesté de la recherche que, dans l'action et les paroles de Jésus, ce sont les forces et les dons du monde eschatologique de Dieu, qui sont annoncés ou qui font irruption. J. M. Robinson [49] croit pouvoir exprimer comme suit le consensus qui a été atteint dans la nouvelle recherche sur Jésus : « Le message de Jésus consiste essentiellement dans une annonce à ses contemporains, centrée sur l'avenir eschatologique imminent. » La proclamation messianique de Jésus, en Lc 6,20 s. [50], annonce

(1968), pp. 103-113. — Cf. aussi R. SCHNACKENBURG dans *R. Schnackenburg antwortet Fr. J. Schierse, Wer war Jesus von Nazareth* (Das theologische Interview 9), Düsseldorf, 1970, pp. 32 s. : « Pour l'Église primitive, ce qui était important dans la célébration de l'Eucharistie ce n'était pas les paroles de Jésus prises isolément, mais l'ensemble de son comportement. Les chrétiens l'ont reproduit, et dans ce comportement, où les paroles ont assurément leur place déterminée et leur signification, ils découvraient ce qu'avait été l'intention de Jésus. Avec plus de force qu'aujourd'hui, l'accent est mis sur l'agir; il reste, bien entendu, que les paroles qui accompagnent celui-ci — car les paroles font partie de l'agir — font ressortir certains aspects du sens de l'événement. »

47. F. HAHN, *Die alttestamentlichen Motive* (cf. n. 44), p. 336.

48. J. WEISS, *Die Predigt Jesu vom Reiche Gottes*, 1892, réimpr. Göttingen, [3]1964.

49. J. M. ROBINSON, *Kerygma und historischer Jesus*, Zurich-Stuttgart, [2]1967, p. 220 (= Trad., cf. *supra* p. 25, n. 14).

50. Sur ce point cf. J. DUPONT, *Les Béatitudes* II (EB) Paris [2]1969.

aux pauvres que le Royaume leur appartient, aux affamés qu'ils seront rassasiés, à ceux qui pleurent qu'ils connaîtront le rire libérateur. Mc ramène cette proclamation au thème général : « Le temps est accompli et le Règne de Dieu s'est approché » (Mc 1,15).

Or Jésus a souvent présenté la *basileia* d'une manière symbolique, en recourant à l'image du repas [51], de sorte qu'il est difficile d'écarter de la dernière Cène de Jésus la pensée du repas eschatologique. Aussi bien, selon le très ancien récit de la Cène, que nous avons en Lc 22,15-18 par. Mc 14,25 [52], Jésus, au cours de son dernier repas, renvoie explicitement au repas eschatologique : à une nouvelle célébration de la Pâque et à un nouveau « boire du fruit de la vigne », dans le Royaume de Dieu. Cette promesse se retrouve, sous une forme différente, en Lc 22,30a également : « afin que vous mangiez et buviez à ma table dans mon royaume ». Aussi bien, est-ce dans l' « allégresse » eschatologique que, d'après Ac 2,46, les chrétiens de la communauté primitive célébraient leur repas [53].

Que la pensée de l'irruption de l'*eschaton* avec ses forces et ses dons ait été dominante lors du repas d'adieux de Jésus, comme elle l'avait été dans l'ensemble de son comportement et de sa prédication, cela est en soi bien croyable; et il faut même aller plus loin : si Jésus a eu conscience — de quelque manière que ce soit — d'être celui qui doit annoncer et réaliser l'*eschaton,* alors cette mission devait nécessairement s'exprimer d'une manière actuelle à l'heure des adieux, en face de la mort qui approchait. Et lorsqu'on sait que l'image du repas, que le don du pain tout spécialement et davantage encore celui du vin étaient dans le monde juif des images eschatologiques [54], on conçoit aisément que Jésus, lui aussi, en offrant le pain et la coupe, ait voulu annoncer la promesse du salut eschatologique ou bien même le donner déjà sous forme de promesse. Aussi bien, la parole sur la coupe, sous toutes les formes qu'elle a

51. Cf. Mt 8,11; Lc 14,15-24; Mc 2,18 s. et souvent.

52. Cf. là-dessus H. SCHÜRMANN, *Paschamahlbericht* (cf. n. 29). Pour déterminer quelles paroles furent prononcées à la Cène, beaucoup d'auteurs aujourd'hui — cf. W. G. KÜMMEL, *Theologie* (cf. n. 44) — partent, avec raison, de Mc 14,25. Mais il faudra aussi prendre au sérieux les réflexions présentées ci-dessus (Chap. I, § VIII, B2) qui s'opposent à une interprétation exclusivement eschatologique.

53. Là-dessus cf. R. BULTMANN dans ThW I (1933), pp. 18-29.

54. Cf. J. JEREMIAS, *Abendmahlsworte* (cf. n. 23), pp. 225-228.

prises dans la tradition, parle expressément ou du moins substantiellement de la ou d'une « nouvelle » alliance. En Lc et Paul (Lc 22,20; 1 Co 11,25), la parole sur la coupe rappelle la « Nouvelle Alliance » eschatologique annoncée en Jr 31,31-34 : Cette coupe (offerte) est la « Nouvelle Alliance » (eschatologique), c'est-à-dire : fait participer à cette alliance. Une très grande partie des chercheurs aujourd'hui [55] tiennent cette forme (impaire) de la parole sur la coupe pour plus primitive que la parole sur le vin en Mc (et Mt), qui, elle, se réfère à l'alliance du Sinaï (Ex 24,8), qui est ainsi renouvelée.

Si maintenant nous prenons ensemble toutes ces observations et ces considérations, nous avons le droit d'estimer que même l'historien le plus sceptique, qui pense qu'il n'est pas sûr que l'idée d'alliance soit présente dans les paroles explicatives, ne pourra au moins pas éliminer l'idée eschatologique qui est à la base de l'idée d'alliance. Ainsi, en cette heure encore où il voyait la mort s'approcher, Jésus a attribué aux siens le salut eschatologique en des gestes solennels, en leur présentant le pain et la coupe de vin.

b) Et nous voici maintenant en face de la question difficile et disputée : est-ce que, en faisant ce double don, Jésus a conçu *sa mort comme ayant une signification de salut?* Comme nous l'avons déjà noté plus haut, il n'est guère contestable que Jésus a pris un ultime repas avec ses disciples et que celui-ci avait nettement le caractère d'un repas de fête, comme le montrent très clairement un certain nombre de traits, notamment l'heure nocturne, la position étendue pour le repas, l'usage du vin. Mais il fallait une raison pour organiser un repas comme celui-ci. Faut-il la chercher dans la fête de Pâque? Le repas de Jésus fut-il un repas pascal rituel (ou, par assimilation à ce dernier, un repas anticipé la veille), ou bien, est-ce que tout le climat pascal de ce repas n'a été introduit qu'après Pâques? Ce sont là des questions sur lesquelles les chercheurs ne sont toujours pas d'accord. C'est pourquoi nous renonçons à tous les arguments tirés du caractère pascal de ce repas (que Jeremias [56] veut prouver sans être tout à fait convaincant), car ils ne sont pas sûrs. Nous pouvons, par contre, faire confiance à la tradition lorsqu'elle présente le repas de Jésus comme un

55. Contre J. JEREMIAS, *ibid.* passim, et ses disciples.
56. J. JEREMIAS, *ibid.*, passim.

repas d'adieux, pris en face de la mort qui approchait. Aussi, faut-il absolument se demander si, en plus de la promesse eschatologique qui est maintenue, la pensée de la mort n'est pas devenue, elle aussi, un thème de réflexion. Or les paroles explicatives qui nous ont été transmises et qui sont marquées par une perspective eschatologique (Lc 22,15-18 par. Mc 14,25) sont d'accord sur le point suivant : Jésus, en présentant (le pain et) la coupe, s'est référé non seulement au salut eschatologique mais aussi à sa mort imminente.

La forme impaire de la *parole sur la coupe* dans la tradition de Lc-Paul (Lc 22,20 par. 1 Co 11,25) est aujourd'hui privilégiée avec raison par la plupart des chercheurs : « Cette coupe est la nouvelle Alliance en mon sang »; c'est-à-dire, elle donne part à l'Alliance eschatologique qui se réalise en vertu de ma mort imminente. « Sang » est le terme traditionnel pour désigner le martyre et il est possible qu'il vise ici spécialement la mort de l'Ebed Yahvé (Is 53). Mais ce n'est pas tout : même selon Mc (Mt), le renouvellement de l'alliance repose en fin de compte sur la mort de Jésus, qui est interprétée ici comme un sacrifice cultuel, à la lumière de Ex 24,8 : « Ceci est mon sang de l'Alliance [57]. »

Comme l'action sur le pain était séparée de celle sur la coupe par la durée d'un repas, il n'est pas possible d'interpréter l'action sur le pain comme le premier membre d'un parrallélisme synthétique, ce qui est la forme qu'elle a prise chez Mc (Mt). Ainsi on pense de plus en plus que, dans la *parole sur le pain* également, la forme plus pleine du parallélisme (climacique), telle qu'elle est attestée dans la tradition de Lc-Paul, est primitive : « Ceci est mon corps qui (est donné : Lc 22,19b) pour vous » (1 Co 11,24). Il y a là un rappel, ou bien, de l'offrande de lui-même par le Serviteur de Yahvé, comme dans la parole sur le vin, ou bien, du corps de Jésus offert en sacrifice; dans les deux cas, la mort est comprise comme une mort salutaire, ayant une efficacité vicaire et expiatrice [58].

Même si nous n'avons pas l'audace de préciser quelle fut, parmi ces formulations diverses, la diction authentique de Jésus, il reste pourtant la question de savoir si nous pouvons nous fier aux paroles explicatives, lorsqu'elles lient (quelle que soit d'ailleurs la nature précise de ce lien) le salut eschatologique qu'elles promettent à la mort de Jésus, comme un effet de celle-ci. Lors de son dernier repas et face à la mort

57. Pour une explication plus approfondie des divers récits cf. H. SCHÜRMANN, *Der Einsetzungsbericht* LK 22,19-20 (NTA XX/4), Münster, [2]1970.

58. Pour de plus amples renseignements, cf. *ibid.*

attendue, Jésus a-t-il renouvelé sa promesse du salut eschatologique et, à cette occasion, a-t-il présenté sa mort comme le moyen par lequel doit être réalisé ce salut? Jésus a-t-il conçu le salut eschatologique comme le fruit de sa mort?

Maint historien critique estime qu'il faut compter avec une autre possibilité : la signification salutaire de la mort de Jésus ne serait apparue qu'après coup, à la lumière de Pâques [59]; cela est d'autant plus possible, dit-on, que, si l'on fait abstraction des paroles de la Cène et du logion de Mc 10,45 — qui est également incertain —, il n'y a aucune parole de Jésus qui annonce clairement la portée salutaire de sa mort. Les prédictions « voilées » de la Passion (Lc 11,29 s. par.; 12,49 s.; 13,31 s. 33 P; 13,34 s. par.; Mc 2,18 ss. parr.; 10,38 s. parr.; 12,1-9.10 s. parr.) ne contiennent pas l'idée d'expiation; elle est absente également dans les prédictions « ouvertes », Mc 8, 31 parr. (et les textes dérivés). Il faut objecter ici que l'on ne peut absolument pas s'attendre à rien de tel si, jusqu'à sa dernière heure, Jésus a appelé l'ensemble d'Israël à la conversion en vue de la *basileia*. Mais Jésus ne pouvait-il pas finalement, en cette heure dernière où l'échec de sa mission était patent, engager consciemment sa mort (et parler en ce sens dans le cercle de ses disciples les plus proches) comme le moyen ultime pour obtenir le salut eschatologique de Dieu — non plus seulement pour Israël maintenant, mais « pour la multitude » c'est-à-dire pour les peuples païens également — en affrontant le martyre dans une attitude vicaire et expiatrice [60]? Personne ne voudra contester que cette explication est pleine de sens. De plus, nous avons montré dans l'exposé précédent qu'une méthode critique peut estimer « possible » ou en un certain sens même « vraisemblable » que Jésus ait attribué à sa mort imminente une portée salutaire [61].

Nous voulons essayer de rester sur un terrain solide, de ne pas nous appuyer sur les paroles explicatives ni sur les

59. Sur ce point, cf. Chap. I, § II, B2.

60. Cf. là-dessus A. VÖGTLE dans LThK V ([2]1960); ID., « Exegetische Erwägen über das Wissen und Selbstbewusstsein Jesu », dans *Gott in Welt* (Mélanges offerts à K. Rahner), Fribourg en Br.-Bâle-Vienne, 1964, t. I, pp. 608-687 (= Tr. « Réflexions exégétiques sur la psychologie de Jésus », dans *Le message de Jésus et l'interprétation moderne*, « Cogitatio Fidei » 37, Paris, Ed. du Cerf, 1969, pp. 41-113).

61. Certaines répétitions sont ici inévitables.

prédictions de la Passion qui nous ont été transmises, et de trouver une voie sûre. Sur la dernière Cène, nous avons la très ancienne tradition (plus ancienne — dans sa forme primitive [62] — que les récits de l'institution) que nous avons déjà examinée plus haut; selon cette tradition, Jésus prononce effectivement, au cours de son dernier repas une double prophétie de sa mort [63]. Cette prophétie — prononcée à la dernière heure — a la forme d'un « en dépit de... », c'est-à-dire, elle ouvre une perspective eschatologique en dépit de la défaite : « Jamais plus je ne la (cette Pâque) mangerai jusqu'à ce qu'elle soit accomplie dans le royaume de Dieu » (Lc 22,16); « jamais plus je ne boirai du fruit de la vigne jusqu'au jour où je le boirai, nouveau, dans la basileia de Dieu » (Mc 14,25 par. Lc). D'après ce texte, la basileia vient malgré la catastrophe de la mort et il y aura ensuite pour Jésus un repas nouveau dans la basileia qui vient. Plus haut déjà nous avons donné avec une grande confiance l'interprétation suivante : Jésus a tenu sa promesse eschatologique jusqu'au bout, jusque dans cette double action de la Cène, en cette dernière heure où il prend son repas d'adieux; il a exprimé cette promesse en des gestes qui traduisaient le don suprême de lui-même, pour le service des autres [64]. Face à la catastrophe, il promet aux siens le salut

62. Cf. *supra* Chap. I, § IV, A ainsi que l'étude indiquée n. 29, dans laquelle on trouvera de plus amples renseignements.

63. Non pas : « déclaration de désistement » (1re édit. : « vœu de renonciation »), comme l'écrit J. JEREMIAS, *Abendmahlsworte* (cf. n. 23), pp. 199-210; trad. pp. 247-260).

64. « Comme il est permis de le supposer avec une relative certitude, étant donné l'état actuel de la discussion qui reste encore ouverte sur de nombreux points de détail, le dernier repas de Jésus fut caractérisé, d'une part, par l'annonce qu'y fit Jésus de sa mort imminente et, d'autre part, par la promesse d'un nouveau repas communautaire lors de la venue du règne de Dieu... C'est en réfléchissant sur l'attitude de Jésus se comportant comme un serviteur, que la communauté, dans sa célébration du Repas du Seigneur, a découvert comment s'articulaient ces deux composantes. Alors il apparut clairement que le comportement de Jésus, au cours de son dernier repas, n'était pas autre chose que la conséquence extrême de son sacrifice au service des autres; conséquence, non seulement au plan de la causalité historique, mais en ce sens que, dans cette mort, se manifestait la dimension propre du comportement de Jésus à l'égard des pécheurs pendant sa vie terrestre », cf. J. ROLOFF, *Deutung* (cf. n. 42), p. 63; J. R. malheureusement méconnaît que ce qui relie ces deux composantes, à savoir l'attitude de service de Jésus, apparaît déjà dans les gestes de Jésus au cours de la Cène, et qu'il faut la chercher spécialement dans son comportement de serviteur au cours du dernier repas, et dans le don qu'il fait en cette occasion.

décisif tandis qu'il leur offre le pain béni et la « coupe de la bénédiction ». Mais celui qui, affronté à la mort, promet encore le salut de Dieu dans un tel geste de don total, ne se donne-t-il pas lui-même, en tant que mourant pour les autres, dans cette offre qu'il fait aux siens ? Du fait que celle-ci a lieu au moment de prendre congé des siens et face à la mort, ces gestes de don prennent un caractère solennel inouï; ils sont exécutés et interprétés comme un « en dépit de... » : « en dépit de l'échec total de mon activité et de ma prédication, je vous promets, en cette heure où je suis prêt à mourir, le salut eschatologique ».

Mais alors, on ne peut vraiment pas éviter de pousser plus loin l'interrogation : quelle peut bien être la nature de cette mort qui n'est pas capable d'arrêter la venue du salut eschatologique ? Cette question doit être posée si, adoptant un point de vue qui est très répandu même dans la recherche critique, on reconnaît que Jésus est davantage qu'un prophète (cf. Mt 12,41 s.), à savoir l'ultime messager de Dieu, tenu d'annoncer la venue de l'*eschaton* au nom de Dieu, en tant que messager et porteur de la basileia. Même l'historien le plus positiviste devra se demander si ce messager si qualifié du salut eschatologique n'a pas nécessairement mis en relation positive cette fin catastrophique qui atteignait sa personne et son message, avec la promesse du salut qu'il a maintenue jusqu'au bout. Il faudra en outre se demander ce que signifie cette mort si, adoptant un point de vue qui est également répandu, on comprend l' « essence » (« Wesen ») de Jésus comme une « pro-existence » radicalement centrée sur le prochain et sur Dieu. Du fait que ce qui est en jeu ici, c'est la compréhension d'un comportement personnel, l'historien devra rester très conscient des limites de sa méthode. Ainsi, les paroles explicatives, avec leur référence à la mort expiatrice du martyre (Lc 22,20a), du serviteur de Dieu dont la souffrance a une dimension vicaire (Lc 22,19 ; Mc 10,45) ainsi qu'aux représentations sacrificielles (spécialement en Mc 14,23 s.), explicitent peut-être — après Pâques seulement toutefois — ce qui était déjà impliqué dans l'action symbolique de Jésus ?

Le don de Jésus à la Cène annonce l'eschaton et y fait participer. Et alors, il se peut donc que la mort de Jésus ne soit pas seulement perçue comme l'occasion de donner à cette offre, au moment de prendre congé, une solennité suprême. Il faudrait prendre davantage au sérieux la tradition selon laquelle la mort, ici, est considérée comme le moyen qui permet de faire ce don eschatologique, de sorte qu'on pourrait concevoir le salut eschatologique comme étant le fruit de cette mort [65]. L'argumentation précédente permet non seulement de faire cette hypothèse, mais elle apporte aussi certains indices positifs qui militent en sa faveur. Lorsque celui qui allait prendre congé a exprimé la promesse du salut eschatologique et son offre du salut, quel langage exactement a-t-il utilisé pour faire ressortir cette idée que sa mort avait une valeur salutaire, et dans quelle mesure le sens salutaire de sa mort — en tant que celle-ci est un « langage par geste » — est-il resté implicite dans les gestes de présentation qui exprimaient une existence donnée pour les autres, tout cela n'est pas tellement important en fin de compte. Mais peut-être ferons-nous un pas en avant si, maintenant, nous examinons de plus près ces gestes ultimes de présentation accomplis par Jésus, en nous interrogeant sur la nature de leur langage (en tant que gestes précisément).

Nous voulons cependant ajouter une réflexion qui confirmera ce que nous venons de développer. « La cause de Jésus continue », après la mort de Jésus; cela ne peut pas avoir été une conviction acquise à Pâques seulement. En tout cas, voici ce que nous pouvons dire avec quelque assurance : si avant Pâques — au plus tard en cette heure des adieux, à la dernière Cène — il n'y avait pas eu une promesse de ce genre, il eût été difficile de voir dans les apparitions du Ressuscité l'exaltation de Jésus et le commencement de la résurrection générale et eschatologique des morts. D'après la tradition, la connaissance pascale selon laquelle la « cause de Jésus » continuerait au-delà de la mort, était anticipée déjà, sous forme de promesse, dans l'action symbolique de Jésus à la Cène; elle s'était déjà implicitement exprimée, dans ses ultimes faits et gestes, avec toute la force d'une promesse et d'un engagement formels. A s'en tenir aux faits, cela apparaît presque comme un postulat nécessaire. La connaissance pascale des disciples suppose une promesse, comme celle qui, d'après la tradition, a été faite à la Cène.

65. Cf. K. Kertelge, « Die urchristliche Abendmahlsüberlieferung und der historische Jesus », dans TThZ 81 (1972), pp. 193-202; K. K. essaie, lui aussi, de montrer que les interprétations sotériologiques ont leur fondement objectif dans le comportement de Jésus et la compréhension qu'il a eue de lui-même.

B) Les actions de Jésus à la Cène comme « signes de l'accomplissement » eschatologique

La tâche qu'il nous reste à accomplir est la suivante : classer d'après leur genre les actions accomplies par Jésus à la Cène et en même temps essayer de mieux les comprendre à la lumière de l'ensemble du comportement de Jésus et peut-être même à partir de sa mission et de ce qu'il est (seinem « Wesen »). Si nous réussissons dans cette entreprise, mais alors seulement, le point de vue selon lequel les gestes de présentation ainsi interprétés ne seraient compréhensibles qu'à partir de l'hellénisme, sera mis en question. Anticipant sur le résultat de la recherche, disons dès maintenant qu'il faut interpréter ces gestes comme des « signes de l'accomplissement eschatologique »; comme tels, il est impossible de les faire entrer dans aucun des genres traditionnels.

1. *Qu'est-ce qu'un « signe de l'accomplissement » eschatologique?*

Les actions symboliques de Jésus à la Cène ont été bien souvent comprises à partir des actions symboliques des prophètes [66], par ex. Ez 4,1-17; 5,1-17; Jr 19,1-15 etc. [67].

66. Cf. seulement R. Otto, « Vom Abendmahl Christi » (1917), dans *Sünde und Unschuld,* Munich, 1932, pp. 96-122; Id., *Reich Gottes und Menschensohn,* Stuttgart, [3]1954, pp. 239-244; J. Jeremias, *Abendmahlsworte* (cf. n. 23), pp. 196 ss., 244 s...; Id., Die *Gleichnisse Jesu,* Göttingen, [7]1965, p. 225 (= Tr. *Les Paraboles de Jésus,* Le Puy-Lyon-Paris, Ed. Xavier Mappus, 1962 p. 215); P. Brunner dans *Leiturgia* (cf. n. 40), spéc. pp. 229-232; cf. le rapport de W. Averbeck, *Der Opfercharakter des Abendmahls in der neueren evangelischen Theologie,* Paderborn, 1966, pp. 316-335; H. Patsch, *Abendmahl* (cf. n. 24), indique (p. 245, n. 185) les auteurs qui considèrent l'action de Jésus à la Cène comme une action parabolique; cf. aussi *ibid.* p. 246, n. 198 et 202. — Chez les catholiques, l'action de Jésus à la Cène a été interprétée comme *ōt* par : J. Dupont, « Ceci est mon corps, Ceci est mon sang », dans NRTh 80 (1958), pp. 1025-1041 et, à sa suite, par J. Betz, *Die Eucharistie in der Zeit der griechischen Väter* I/1, Fribourg en Br., 1961, spécialement pp. 46-59; J. B. a précisé sa pensée dans : *Mysterium salutis. Grundriss heilsgeschichtlicher Dogmatik* IV/2 (édit. par J. Feiner et M. Löhrer), Einsiedeln-Zurich-Cologne, 1973, pp. 196-205; cf. aussi N. A Beck, « The Last Supper as an efficacious Symbolic Act », dans JBL 89 (1970), pp. 192-198.

67. Cf. là-dessus G. Fohrer, *Die symbolischen Handlungen der Propheten,* Zurich, [2]1968; G. F. compte 32 actions symboliques chez les prophètes (p. 18).

Selon G. Delling également, Jésus « explique sa manière d'agir par des paroles interprétatives, comme une action ' symbolique ' qu'il accomplit par là même, à la manière des prophètes de l'Ancien Testament. ' Symbolique ' elle l'est dans la ligne de l' ' action-parabole ' (Gleichnishandlung) efficace (exactement comme la parole de Jésus est une parole efficace, parce qu'elle réalise ce qu'elle dit) [68] ». Il se pourrait — semble-t-il — que nous soyons là sur la bonne voie pour classer selon leur genre les actions de Jésus à la Cène.

Dans les actions prophétiques, « la nature de l'action qui doit s'accomplir... est imitée par l'action réalisée... L'action est accomplie selon la loi de l'analogie. Ce qui se produira dans l'original (i. e. dans ce qui est annoncé) sera analogue à ce qui se passe maintenant dans l'action accomplie [69] ». Mais est-ce

68. Voir *Der Gottesdienst* (cf. n. 13), p. 125 s.. Cf. aussi F. HAHN, « Methodologische Überlegungen zur Rückfrage nach Jesus », dans K. KERTELGE (édit.), *Rückfrage nach Jesus* (QD 63), Fribourg en Br., 1974, pp. 11-77 : « On peut dire carrément que la prédication de Jésus dans son ensemble est imprégnée par le discours en paraboles, et même, que sa manière d'agir révèle très souvent des traits paraboliques. Ses actions, en effet, depuis les guérisons jusqu'à son repas d'adieux en passant par la communauté de table avec les pécheurs, demandent à être comprises comme des actions paraboliques. Actions paraboliques, non pas en ce sens qu'elles ne seraient que l'illustration de quelque chose, mais en ce sens que la réalité du nouveau monde eschatologique qui fait irruption et vient à nous directement se concrétise actuellement et peut être expérimentée, sous forme symbolique, au cœur même de ce monde » (p. 46).

69. G. FOHRER, *Die symbolischen Handlungen* (cf. n. 67), p. 17. — C'est le mérite de G. STÄHLIN d'avoir franchement signalé ce phénomène, dans sa leçon d'ouverture à Mayence (12 févr. 1953) cf. « Die Gleichnishandlungen Jesu », dans *Kosmos und Ekklesia* (Mélanges offerts à W. STÄHLIN, Kassel, 1953, pp. 9-22. Mais cette « étude préliminaire » (p. 22) ne fut guère remarquée, parce que Stählin utilisait un concept d' « action parabolique » trop extensif. Il voit juste quand il dit que « le comportement de Jésus... dans toutes ses actions importantes tout au moins, est l'image de quelque chose qui se situe au-delà et au-dessus de ce comportement, et qui pourtant devient lumineux à travers ce comportement précisément »; aussi ce ne sont pas toutes les actions de Jésus qui sont « voulues comme actions paraboliques » (p. 14). On ne peut considérer comme telles que celles « où l'on peut lire un sens qui dépasse l'événement particulier, un sens plus profond ou universellement valable, que Jésus connaissait et qu'il visait » (p. 11). Mais — et ici nous corrigeons Stählin — on ne devra compter comme actions paraboliques que les actions de Jésus dont la fonction première est d'être au service de « ce sens plus profond ou universellement valable » (ou mieux : « d'être au service de l'annonce des *eschata* », *ibid.* p. 20). La parole de Jésus (Lc 10,23 s.), ses guérisons (Lc 10,9) et ses exorcismes (Lc 11,20) sont, il n'y a pas de doute, des signes très réels de la *basileia* qui fait irruption; leur sens premier toutefois se trouve dans cet acte de

qu'une description comme celle-ci correspond bien aux « signes de l'accomplissement eschatologique » présentés par Jésus? Les actions de Jésus diffèrent beaucoup des *ōt* des prophètes, tout comme son annonce eschatologique — « le temps est accompli et la basileia de Dieu s'est approchée » (Mc 1,15) — est davantage que la prophétie de l'Ancien Testament. Dans les actions symboliques de Jésus, ce n'est pas, à proprement parler, le futur qui est prophétisé avec force (et effectivement mis en œuvre); mais plutôt, dans ces actions, le futur annoncé par les prophètes de l'Ancien Testament, est montré et offert comme étant désormais accompli. C'est là, semble-t-il, la différence essentielle. Dans ces conditions, les « signes de l'accomplissement eschatologique » sont davantage que les actions symboliques des prophètes [70], car ils annoncent que l'avenir qui a déjà été prophétisé fait irruption ici et maintenant et en même temps ils l'actualisent. Il semble que ce « davantage » fonde aussi la possibilité d'une réitération (des gestes de Jésus) par mode d'application, comme cela a été le cas dès le début pour le baptême et l'action de Jésus à la Cène, qui se différencient par là des *ōt* prophétiques.

La différence qualitative de telles actions symboliques par rapport à celles des prophètes peut être illustrée déjà par le baptême de Jean. Sur l'ordre de Dieu, il mettait en scène, au moyen d'un signe accompagné d'une promesse, ce que les prophètes avaient promis pour les derniers temps : « Je répandrai sur vous une eau pure et vous serez purifiés » (Ez 36,25; cf. Za 13,1). Il faut comprendre cette mise en scène comme une annonce efficace du pardon de Dieu et pas seulement comme une action symbolique vide. On peut voir clairement ici combien il est insuffisant de concevoir les actions symboliques eschatologiques — telles que celles accomplies par Jésus à la Cène — comme s'il ne s'agissait là que de « pures actions symboliques ». Lorsque, d'une manière analogue, Jésus offre un don de l'ordre du salut au moyen du pain et de la coupe, il ne prophétise pas seulement, par mode

prêcher, de guérir et d'exorciser. Dans les actions paraboliques, le signifié proprement dit (la « partie réalité ») se trouve au-delà de l'action (la « partie image ») qui est posée d'abord à cause de son contenu représentatif, et non pas pour elle-même.

70. H. PATSCH n'a pas assez tenu compte de cette différence, cf. *Abendmahl* (cf. n. 24), pp. 40-50.

de parabole, le repas eschatologique à venir (et le salut lié à sa mort imminente), mais il le promet dans l'acte même de l'annonce, dans l'application symbolique et dynamique qu'il accomplit au moment même où il l'offre.

On peut ici, par mode de complément, glisser une remarque : on doit admettre que l'action symbolique accomplie par Jésus à la dernière Cène avait déjà un caractère efficace ; ce caractère va recevoir un fondement nouveau et un nouveau degré de réalité dans le Repas du Seigneur des origines chrétiennes, lorsque la présence du *Kyrios*, après Pâques, fera du pain le « pain du Seigneur » (1 Co 11,27) et de la coupe de vin la « coupe du Seigneur » (1 Co 10,21 ; 11,27). Mais la qualité supérieure de la célébration post-pascale n'est pas une raison pour ne voir dans l'action de Jésus à la Cène qu'une action symbolique non efficace.

En fin de compte, toutes les actions de Jésus, qui annoncent l'*eschaton* et le font advenir, sont symboliques. Mais on ne devrait parler des « actions symboliques eschatologiques » de Jésus que lorsqu'on peut prouver qu'il y a de la part de Jésus une volonté consciente de leur donner une dimension symbolique. On a souvent présumé l'existence d'une telle volonté dans des actions comme, par exemple, le rassemblement et la fondation du cercle des disciples de Jésus, l'institution des Douze, les repas pris avec les pécheurs, la multiplication des pains au désert, l'envoi des disciples en mission, l'entrée à Jérusalem, la purification du Temple. Il ne serait pas sans importance pour notre propos de prouver qu'il y a, dans la vie de Jésus, des « signes de l'accomplissement eschatologique », de ce genre ; les actions de Jésus à la Cène, en effet, pourraient être interprétées d'une manière plus convaincante comme signes de l'accomplissement eschatologique, si l'on pouvait montrer que ceux-ci existent par ailleurs dans la vie de Jésus. Il nous faut ici renvoyer à des exposés que nous avons présentés ailleurs [71]. Il reste que ce cadre plus vaste, constitué par l'ensemble du comportement de Jésus, peut montrer que des actions symboliques efficaces, comme les gestes de

71. H. SCHÜRMANN, « Die Symbolhandlungen Jesu als eschatologische Erfüllungszeichen. Eine Rückfrage nach dem irdischen Jesus » (1970), dans *Das Geheimnis Jesu* (Die Botschaft Gottes II, 28), Leipzig, 1972, pp. 74-110. — Voir également *supra* Chap. I, § III.

présentation de Jésus, sont tout à fait compréhensibles à partir de la tradition vétéro-testamentaire et palestinienne. Il n'y a aucun motif de les considérer comme un produit du milieu hellénistique.

2. *L'action de Jésus à la Cène comme « signe de l'accomplissement » eschatologique*

Dans les « signes de l'accomplissement eschatologique » que nous avons mentionnés précédemment, il devient de plus en plus clair lorsqu'on approche de la fin — spécialement lors de l'entrée à Jérusalem et de la purification du Temple — que Jésus maintient sa promesse eschatologique face à la mort, et même que son comportement et son annonce eschatologique deviennent presque nécessairement symboliques, dans l'échec et dans la mort. Les derniers signes accomplis par Jésus avaient quelque chose de « provocateur » qui rendait son arrestation presque inévitable. A partir d'une telle résolution de Jésus face à la mort, on est conduit directement à l'action symbolique du repas d'adieux; bien plus, tous les signes d'accomplissement eschatologique semblent culminer d'une manière singulière dans cette ultime action symbolique : Jésus, en dépit de la mort imminente, renouvelle la promesse eschatologique et il l'incarne dans des gestes de présentation qui expriment son existence-pour-les autres; nous avons ainsi une situation qui invite fortement à penser que sa mort doit être interprétée comme un événement hautement significatif dans l'ensemble de cette promesse et de cet engagement.

Jésus proclame la grâce eschatologique de Dieu, malgré sa mort qu'il a prévue et voulue.

Dans l'examen des actions accomplies par Jésus à la Cène, il faut donc maintenir un lien étroit entre mort et *eschaton*, comme le font d'ailleurs avec netteté — nous l'avons vu — les paroles de Jésus à la Cène qui nous ont été transmises par la tradition. Le comportement de Jésus, qui se manifeste d'une manière particulièrement claire dans ses actions symboliques, suggère cette interprétation. La mort de Jésus, en tant que jugement de Dieu sur le monde, fut la fin de l'histoire; mais à cause de cela elle fut en même temps l'ouverture de l'histoire au monde eschatologique de Dieu (cf. Mc 15,33; Lc 23,45;

Mt 27,51 ss.) [72]. Cela se manifeste d'une manière solennelle dans le « signe de l'accomplissement eschatologique » du dernier repas de Jésus. Dans la mesure où il voit s'évanouir l'espérance que la *basileia* pourrait faire irruption en puissance, par la conversion d'Israël, Jésus donne à son annonce un accent fortement symbolique : les signes de l'accomplissement, exceptionnels et transitoires, atteignent leur sommet à la fin de la vie de Jésus, dans la double action symbolique de son repas d'adieux, qui devait être confirmée par l'événement de Pâques et devait garder une valeur permanente. Il faut donc s'accommoder avec cette donnée : il existe une action symbolique, ayant la valeur d'une annonce réelle, par laquelle « la mort du Kyrios est proclamée, jusqu'à ce qu'il vienne » (1 Co 11,26). Et la communauté des disciples qui en mangeant et en buvant pose ce signe efficace devient elle-même, dans cet acte et par lui, une réalité symbolique dressée dans le monde, un « facteur de trouble » durable qui attire l'attention sur le monde eschatologique, tout en laissant ouverte la question de savoir ce que sera le contenu de ce monde eschatologique. En tant que « signe pour le monde », toutefois, elle n'est pas un phénomène seulement post-pascal, tant il est vrai qu'elle est d'abord Église en tant que communauté de ceux qui croient au *Kyrios,* en tant que communauté rassemblée dans l'Esprit Saint. En tant qu'institution symbolique également, elle se trouve, grâce au repas sacré qu'elle célèbre, en continuité avec la vie terrestre de Jésus et avec les signes de l'accomplissement eschatologique qu'il a posés, spécialement avec ceux de son repas d'adieux (malgré toutes les discontinuités que l'on peut relever par ailleurs, notons-le bien une fois encore). Il y a donc une « continuité des signes dans la discontinuité des temps », s'il est permis de transposer ainsi la parole connue de E. Käsemann sur la « continuité de l'Évangile dans la discontinuité des temps ».

Résumons-nous : la « cause de Jésus » continue-t-elle à vivre dans le repas du Seigneur post-pascal — et par là même dans nos célébrations eucharistiques? Nous avons essayé d'apporter

72. Cf. H. Urs v. BALTHASAR, *Zuerst Gottes Reich* (Theologische Meditation 13), Einsiedeln, 1956; ID., dans GuL 43 (1970), p. 175 : « Le geste eucharistique par lequel Jésus se donne lui-même en partage aux siens et, par eux, au monde, est un geste définitif, eschatologique et par là même irréversible. »

une réponse en deux temps : (I.) Au centre du Repas du Seigneur des origines chrétiennes, il y a une double action symbolique de Jésus qui, fondamentalement, se présente comme l'offre d'un don. — (II.) L'interprétation de cette action symbolique, conduite à la lumière de l'ensemble du comportement de Jésus et de l'aspect central de son message, a fait apparaître les points suivants : la promesse du salut eschatologique, faite par Jésus, atteint son sommet ici, face à la mort (et par cette mort qui sera le moyen de sa réalisation), et elle prend de ce fait un caractère solennel ; elle culmine dans ces gestes symboliques de présentation accomplis au moment où il va prendre congé des siens.

Le salut eschatologique qui fait irruption par sa mort pour les pécheurs : telle est en fin de compte la « cause de Jésus », qui s'exprima d'une manière symbolique à la dernière Cène, qui devint après Pâques et d'une manière nouvelle, le centre du Repas du Seigneur des premières communautés chrétiennes et qui reste vivante aussi dans les célébrations eucharistiques de nos églises.

CHAPITRE III

« LA LOI DU CHRIST » (Gal. 6,2)

Le comportement et la parole de Jésus comme norme morale suprême et définitive, d'après saint Paul *

Dans une synthèse théologique consacrée aux exigences morales, Paul forge un titre qui résume ses consignes et qu'il énonce en ces termes : « La Loi du Christ » (Gal 6,2; cf. 1 Co 9,21). Dans cette expression, lestée d'une forte charge théologique, il résume ce que — par contraste avec la « Loi de Moïse » — il considère comme la norme [1] de l'exigence morale

* Publié pour la première fois dans : J. GNILKA (édit.), *Neues Testament und Kirche* (Mélanges offerts à Rudolf Schnackenburg), Fribourg en Br., 1974, pp. 282-300 (repris ici avec quelques compléments).

1. Nous ne voudrions pas ici nous engager dans les problèmes posés par le concept de « norme », utilisé dans le sous-titre; on veut dire uniquement que, pour Paul, le comportement et la parole de Jésus sont la règle suprême du comportement moral et ont un caractère obligatoire universel. — Pour comprendre la notion de « norme » cf., par exemple, J. GRÜNDEL dans J. GRÜNDEL-H. van OYEN, *Ethik ohne Normen? Zu den Weisungen des Evangeliums,* Fribourg en Br.-Bâle-Vienne, 1970, pp. 17-25. — Fidèles à la bonne vieille tradition, les encyclopédies catholiques courantes préfèrent omettre l'article « norme »; par contre, cf. notamment I. T. RAMSEY, Art. « Normen », dans RGG ([3]1960), pp. 1520 ss. (avec bibliogr.) et — d'un point de vue marxiste — l'art. « Norm », dans : G. KLAUS-M. BUHR (édit.). *Philosophisches Wörterbuch* II, Berlin-R.D.A., [10]1970, pp. 877-879. Les notions de « paradigme » ou de « modèle éthique » ne correspondent pas, ni au point de vue du genre littéraire ni au point de vue de la compréhension herméneutique,

(et du don qui permet de répondre à cette exigence). Dans les pages qui suivent, nous voulons : (I.) étudier la pensée de Paul sur le caractère obligatoire de l'appel contenu dans *le comportement et la parole*[2] de Jésus; nous essaierons ensuite (II.) de comprendre objectivement — dans son contenu et dans sa forme — ce centre de l'obligation morale, présenté comme « *la Loi du Christ* ».

I

LE COMPORTEMENT ET LA PAROLE DE JÉSUS COMME NORMES SUPRÊMES

On s'est toujours étonné de ce que Paul, dans ses directives aux chrétiens, se réfère si rarement aux paroles du Seigneur et n'invoque expressément leur autorité que deux fois seulement

aux « directives » pauliniennes, comme nous le montrons dans notre étude : « Haben die paulinischen Wertungen und Weisungen Modellcharakter? Beobachtungen und Anmerkungen zur Frage nach ihrer formalen Eigenart und inhaltlichen Verbindlichkeit », dans *Gregorianum* 56 (1975), pp. 237-271; ID., « Die Frage nach der Verbindlichkeit der neutestamentlichen Wertungen und Weisungen », dans J. RATZINGER (édit.), *Prinzipien christlicher Moral,* Einsiedeln, 1975, pp. 9-39 (Cf. la version française (plus courte) dans : *Actes du Saint Siège* nº 1682, 7-21 sept. 1975, pp. 763-766.)

2. A cet égard, il ne faut bien sûr pas oublier que, dans l'éthique paulinienne, l' « être-en-Christ » a plus d'importance que n'importe quelle « normativité » extérieure; cf. *infra* en II, B2. — Ce thème a été traité assez souvent : cf. seulement O. MERK, *Handeln aus Glauben. Die Motivierungen der paulinischen Ethik,* Marbourg, 1968, spécialement pp. 4-41 : « Die Gottestat als Voraussetzung christlichen Seins und Handelns »; G. STAFFELBACH, *Die Vereinigung mit Christus als Prinzip der Moral bei Paulus* (FreibThSt 34), Fribourg en Br., 1937; G. SCHNEIDER, « Biblische Begründung ethischer Normen », dans BuLit 14 (1973), pp. 153-164. Dans une perspective plus particulière, N. GAÜMANN, *Taufe und Ethik. Studien Zu Röm 6* (BeihEvTh 47), Munich, 1967; H. FRANKEMÖLLE, *Das Taufverständnis des Paulus* (StBSt 47), Stuttgart, 1970; au plan des principes, J. KRAUS, « Vorbildethik uns Seinsethik im Neuen Testament », dans FZThPh 13/14 (1966-67), pp. 341-369; d'une manière synthétique, R. SCHNACKENBURG, art. « Biblische Ethik », II. NT, dans *Sacramentum mundi* I (1967), spécialement col. 550.

pour appuyer les consignes qu'il donne (cf. ci-dessous), bien que, en 1 Co 7,10 (12.25), il fasse ressortir avec une grande fermeté le caractère obligatoire absolu d'une parole du Seigneur, conservée dans la tradition. S'il renonce à en appeler ainsi aux paroles du Seigneur, ce n'est manifestement pas parce qu'il fait l'expérience de la présence toujours actuelle du *Kyrios* qui, par l'Esprit, continue à se manifester et à guider les siens [3]. La raison principale de ce comportement est bien plutôt la suivante [4] : Paul comprend les paroles de Jésus à la lumière du « Fils » livré par Dieu, qui dans l'obéissance se fit homme et se donna jusqu'à en mourir (cf. *infra* pp. 124 ss.). Pour Paul, c'est seulement à partir de ce comportement exemplaire du Fils (B) que l'on peut en fin de compte interpréter le contenu des paroles de Jésus transmises par la tradition (A).

A) Le caractère obligatoire des paroles du Seigneur transmises par la tradition

1. Paul ne se réfère *expressément* à l'autorité d'une parole du Seigneur ayant la valeur d'une directive [5] qu'en 1 Co 9,14 et 7,10 (12.25). Ce ne doit pas être un hasard si dans les deux cas il s'agit de réglementations visant le bon ordre (« rechtlich ») de la vie de la communauté [6]. Lorsqu'il s'agit de l'ordre dans la

3. C'est le point de vue, par ex., de W. G. Kümmel, « Jesus und Paulus » (1963/64), dans *Heilsgeschehen und Geschichte. Gesammelte Aufsätze* 1933-1964, Marbourg, 1965, p. 84.

4. Cf. H. W. Kuhn, « Der irdische Jesus bei Paulus als traditionsgeschichtliches und theologisches Problem », dans ZThK 67 (1970), pp. 295-320; K. ne saisit pas le problème à un niveau assez profond lorsqu'il veut expliquer cette absence par les démêlés de Paul avec ses adversaires qui en appelaient à ces paroles du Seigneur. Voir par contre L. Goppelt, « Jesus und die ' Haustafel '-Tradition », dans *Orientierung an Jesus* (Mélanges offerts à J. Schmid), Fribourg en Br., 1973, pp. 93-105, spéc. p. 102 s.; cf. aussi E. Güttgemanns, *Der leidende Apostel und sein Herr*, Göttingen, 1966, pp. 351-372 : présentation de travaux anciens; J. Blank, *Paulus und Jesus* (StANT 18), Munich, 1968, spéc. pp. 304-326; W. G. Kümmel, *Jesus* (cf. n. 3), pp. 81-106, 439-456.

5. 1 Thess 4,15 donne des éclaircissements sur le sort des défunts et de ceux qui seront encore en vie lors de la parousie. Cf. encore la citation des paroles de la Cène en 1 Co 11,23-25.

6. C'est ce que remarquait déjà J. Weiss, *Das Urchristentum*, Göttingen, 1917, pp. 118, 431.

communauté, il faut dans une plus grande mesure, semble-t-il, en appeler expressément à une consigne du Seigneur; et la manière dont Paul procède dans l'utilisation de ces consignes mérite attention (cf. plus loin). En ce qui concerne les directives morales, ce recours est moins nécessaire, car le jugement moral peut déjà s'orienter dans une certaine mesure d'après le comportement de Jésus.

a) En 1 Co 9,8 et 9,13, où il s'agit de faire valoir le *droit des serviteurs de l'Évangile* à leur entretien, Paul en appelle à la Tora (Dt 25,4; Nb 18,8.31; Dt 18,1 ss.), et ensuite à la consigne de Jésus en Lc 10, 7b = Mt 10,10b (voir aussi l'allusion de 2 Co 11,7). Si la consigne de Jésus en 1 Co 9,14 est placée juste à côté d'une consigne analogue de la Tora [7], c'est pour souligner le caractère obligatoire émanant d'une autorité. Et si le renvoi à la parole de Jésus est placé, par mode de crescendo, après celui fait à la Tora, c'est pour faire ressortir le plus grand poids de la consigne de Jésus — et cela dans une question qui touche moins à la morale qu'au bon ordre de la communauté : manifestement, ce que Paul connaît, ce n'est pas simplement un logion transmis isolément par la tradition comme Lc 10,7b = Mt 10,10b, mais ce logion inséré déjà dans une sorte d' « agende », c'est-à-dire, en l'occurrence, un ensemble de textes destinés à guider les disciples qui ont été envoyés proclamer l'Évangile.

A vrai dire, il faut remarquer que Paul, ici, en même temps qu'il établit un droit, a conscience de ne pouvoir, au nom d'exigences morales plus hautes, en bénéficier lui-même. Des disciples marchant sur les traces de leur maître, comme aux jours de la vie terrestre de Jésus, il n'y en a plus. Avec plus de justesse que ses adversaires peut-être, Paul comprend la parole de Jésus, pour le temps d'après Pâques, comme accordant un « droit », une « permission » (1 Co 9,4 s. 12. 18 : *exousia*), non pas comme un précepte obligatoire.

b) En 1 Co 7,10, Paul présente la *défense de divorcer* expressément comme un ordre du Seigneur (*parangelia ;* 7,25 : *epitagè*) et, par là même, il indique clairement qu'elle est soustraite à toute espèce de discussion. A côté de cet ordre du

7. Appel aux deux instances « qui proclamaient le droit de Dieu », selon A. SCHLATTER, *Paulus, der Bote Jesu*, Stuttgart, ²1956, p. 273.

Seigneur, les propres directives de Paul (7,12) ne peuvent être qu'une « opinion » (*gnômè*) (cf. 7,25), l'opinion de quelqu'un, il est vrai, qui croit « avoir l'Esprit de Dieu » (7,40). Paul ne cite pas expressément la parole du Seigneur, mais manifestement il en connaît très exactement le contenu, sous la forme attestée dans Mc (cf. 10,11 s.), qui oblige également la femme [8] et l'homme. Bien que Paul reconnaisse à la parole du Seigneur un caractère obligatoire absolu, il donne pourtant, au verset 11, son propre avis, pour le cas où l'ordre du Seigneur aurait déjà été transgressé (c'est ainsi qu'il faut interpréter ce verset) : dans ce cas, l'ordre du Seigneur doit être respecté en ce sens qu'il faut s'abstenir d'un nouveau mariage. Il apparaît donc clairement que Paul comprend la parole du Seigneur, non pas seulement comme un appel au don total, mais comme un authentique commandement à accomplir [9].

Dans la décision que prend Paul en 1 Co 7,12-16 — ce qu'on appelle, d'une manière pas très heureuse (cf. ci-dessous), le « privilège paulin » — le v. 15 n'apporte à vrai dire aucune exception à la loi (est-ce que la clause matthéenne, Mt 5,32;

8. Le fait que en 1 Co 7 il envisage en premier lieu le cas de la femme, doit tenir aux circonstances.

9. Chez Marc déjà nous avons une interprétation semblable : après avoir présenté la défense absolue en 10,2-9 (« Que l'homme ne sépare pas ce que Dieu a uni », v. 9), Mc 10,11 s. parr. envisage le cas d'une « séparation » possible (« Si quelqu'un répudie sa femme et en épouse une autre... »). Peut-être Paul connaît-il la parole du Seigneur, avec cette possibilité implicite. Deux questions se posent, l'une exégétique : Jésus voulait-il que son interdiction absolue du divorce soit comprise « comme une loi » (« gesetzlich »)? L'autre herméneutique : concrètement, nous aujourd'hui, sommes-nous liés à l'interprétation de la primitive Église (cf. Mc 10,11 s.; 1 Co 7, 10.12-16; cf. *supra*)? Sur ces deux questions, voir la position équilibrée de R. SCHNACKENBURG, « Die Ehe nach dem Neuen Testament » (1969), dans R. SCHNACKENBURG, *Schriften zum Neuen Testament,* Munich, 1971, pp. 414-434, spéc. 421 s. — Sur la question du mariage et du divorce dans le NT, cf. — au sein d'une littérature immense! — les indications de R. SCHNACKENBURG, *Die sittliche Botschaft des Neuen Testaments* (Manuel de Théologie morale VI), Munich, ²1962, pp. 194-204 (= Tr. *Le message moral du Nouveau Testament,* Le Puy, 1963, pp. 120-130); ID., *Die Ehe, ibid.,* pp. 214-237, avec d'autres indications bibliogr. p. 234; H. BALTENSWEILER, *Die Ehe im Neuen Testament,* Zurich-Stuttgart, 1967; K. H. SCHELKLE, *Theologie des Neuen Testaments,* III. Ethos, Düsseldorf, 1970, pp. 125, 241-265 (avec bibliogr.); K. K. HAACKER, *Ehescheidung und Wiederverheiratung im Neuen Testament,* dans ThQ 151 (1971), pp. 28-38; G. SCHNEIDER, « Jesu Wort über die Ehescheidung in der Überlieferung des Neuen Testaments », dans TThZ 80 (1971), pp. 65-87.

19,9, en apporte une?)[10]; il faut y voir une application de la consigne du Seigneur, application qui tient compte des circonstances et révèle la largeur de vue de l'Apôtre; et au v. 12, Paul remarque expressément que cette application de la parole du Seigneur à une situation nouvelle, n'est pas garantie par un « *logos* du *Kyrios* ». Si le non-croyant veut se séparer, Paul concède la séparation (et alors un nouveau mariage, il semble bien[11]); ce n'est donc pas du tout dans un sens « nomistique », comme fermé à toute exception, qu'il comprend le commandement du Seigneur, mais comme une « directive »; laquelle bien sûr, ordonne un comportement tout à fait concret pourrait-on dire, mais, selon la situation, doit être accomplie d'une manière qui réponde le mieux possible à ce qu'elle réclame. A proprement parler, Paul n'entend pas établir un « privilège », entendu au sens juridique, qui dispenserait d'une obligation en vigueur; il applique une directive en fonction des circonstances et en restant le plus fidèle possible au sens de cette directive.

2. On rencontre plus fréquemment, chez Paul, des passages qui font *écho* — d'une manière plus ou moins nette[12] — à certaines paroles du Seigneur; c'est là un nouvel indice montrant à quel point il a tenu ces paroles pour normatives. S'il ne les cite pas expressément (abstraction faite des deux exceptions précédentes), mais se contente d'évoquer leur

10. A la suite de J. BONSIRVEN (*porneia* = mariage illégitime) et de H. BALTENSWEILER, *Die Ehe* (cf. n. 9), R. SCHNACKENBURG pense de nouveau que ce n'est pas certain, cf. *Die Ehe* (cf. n. 9), p. 419 s.; mais, tenant compte de travaux plus récents, il se montre ensuite plus réservé dans la « postface » où il estime qu'il n'est plus possible « de se faire un jugement sûr », cf. *ibid.*, p. 433 s. — Rien chez Paul ne montre qu'il connaît la clause matthéenne.

11. Peut-être que *dedoulôtai* (qu'il ne faut assurément pas considérer comme identique à *dedetai*) doit être compris comme exprimant la concession d'un nouveau mariage, et pas seulement la permission de se séparer; la séparation, en effet, était déjà concédée par la parole du Seigneur qui, d'après les vv. 10 s., était connue de Paul. Sinon 7,12-14 n'apporterait vraiment rien de neuf par rapport aux vv. 10 s., et l'indication du v. 12 (« c'est moi qui parle et non le Seigneur ») ne serait pas nécessaire; elle serait même mal venue.

12. Certains de ces textes devraient assurément être interrogés d'une manière critique en se demandant sérieusement si les traits communs à Paul et aux logia des synoptiques ne s'expliquent pas par le fait que ces deux courants s'inspirent de traditions parénétiques plus anciennes du judaïsme.

contenu, c'est là un procédé prouvant déjà que, d'un point de vue formel, il ne les a pas comprises dans la perspective « légaliste » des rabbins, comme des « normes ».

En n'envisageant que les directives morales, les auteurs rappellent [13] spécialement les textes suivants :

1 Th 5,2 (cf. Lc 12,39 s. par.);
Ga 5,14 et Rm 13,8-10 (cf. Mc 12,30 s. parr.);
Ga 6,1 (cf. Lc 17,3 par.);
1 Co 4,12; 6,7 et Rm 12,14.17.21 (cf. Lc 6,27 s.);
1 Co 8,12 s.; 16,17 (cf. Mc 9,42 parr.);
1 Co 9,19 (cf. Mc 10,44 parr.);
1 Co 13,2 (cf. Mc 11,23 parr.);
2 Co 11,7 (cf. Lc 14,11 parr.);
Rm 2,1; 14,4.13.21 (cf. Lc 6,37 par.);
Rm 13,6 s. (cf. Mc 12,17);
Rm 14,14.20 (cf. Mc 7,15);
Rm 16,19 (cf. Mt 10,16b).

Une étude systématique de ces textes nous apprend que Paul se réfère — mises à part quelques exceptions [14] — à des logia relatifs au commandement d'amour donné par Jésus : la demande de servir les autres (1 Co 9,19) et de s'abaisser soi-même (2 Co 11,7); le commandement de l'amour du prochain (Ga 5,14; Rm 13,8 ss.) et des ennemis (1 Co 4,12; 6,7;

13. Voir par exemple H. J. HOLTZMANN, *Lehrbuch der neutestamentlichen Theologie* II, Tübingen, ²1911, pp. 232 s.; W. SCHRAGE, *Die konkreten Einzelgebote in der paulinischen Paränese,* Gütersloh, 1961, p. 243, n. 250; J. P. BROWN, « Synoptic Parallels in the Epistles and Form-History », dans NTS 10 (1963/64), pp. 27-48; J. BLANK, *Paulus* (cf. n. 4), pp. 129, 323 s.; H. W. KUHN, *Der irdische Jesus* (cf. n. 4), p. 296; d'autres indications bibliogr. dans D. L. DUNGAN, *The Sayings of Jesus in the Churches of Paul,* Philadelphie, 1971, pp. XXVIII s., n. 4 (Dungan ne traite que les deux citations expresses); B. FJÄRSTEDT, *Synoptic Tradition in I Corinthians. Themes and Clusters of Theme Words in I Corinthians 1-4 and 9,* Uppsala, 1974; R. PESCH-A. ZWERGEL, *Kontinuität in Jesus,* Fribourg en Br., 1974, pp. 29 s.

14. Les demandes suivantes de Paul pourraient éventuellement (?) s'appuyer sur des paroles du Seigneur fournies par la tradition : celles concernant la foi (1 Co 13,2), le Jour du Seigneur (1 Th 5,2) et l'invitation à être avisé (Rm 16,19), les paroles contre la pureté lévitique (Rm 14,14-20), les indications sur le devoir de payer l'impôt (Rm 13,6 s.); le droit à la subsistance (2 Co 11,7).

Rm 12,14.17.21); la mise en garde de Jésus contre le scandale (1 Co 8,12 s.; Rm 16,17) et contre le jugement (Rm 2,1; 14,4.13.21). Le fait que Paul se réfère avec une telle prédilection aux paroles du Seigneur relatives au commandement de l'amour, demande une explication; on ne devrait pas se tromper en répondant que cette attitude tient à ce que Paul interprète la parole de Jésus à la lumière de l'amour du Fils de Dieu qui s'est abaissé lui-même. C'est ce qu'il faut maintenant montrer.

B) Le comportement de Jésus comme modèle et règle du comportement moral

C'est à la lumière de l'ensemble du comportement de Jésus que Paul comprend les paroles du Seigneur, qui lui ont été transmises par la tradition. Le comportement du Fils de Dieu » préexistant (Rm 1,3; cf. Col 1,15 ss.) qui a montré son amour par l'Incarnation et la mort sur la croix, mais encore son comportement pendant sa vie terrestre : telle est, pour Paul, la règle de la vie morale des croyants [15].

1. Les consignes du Jésus terrestre se situent, pour Paul, dans le contexte de l'exemplarité et, par là même, de l'appel à

15. Cf. G. Delling, *Der Kreuzestod Jesu in der urchristlichen Verkündigung*, Berlin, 1971, spéc. pp. 36-45 : « Jesu Kreuzestod in der Paränese ». — Débordant le cas de Paul, voir aussi K. H. Schelkle, *Theologie* (cf. n. 9), pp. 50-55 : « Wort und Beispiel Christi ». — Cf. F. Böckle, *Das Naturrecht im Disput*, Düsseldorf, 1966, p. 142 : « Celui qui veut savoir ce qu'est l'amour doit regarder l'exemple du Seigneur. » Cf. A. Gräbner-Haider, « Zur Geschichtlichkeit der Moral », dans : Cath 22 (1968), pp. 262-270, spéc. p. 266 : « Par sa vie, sa mort et sa résurrection, c'est-à-dire par son amour, Jésus Christ (est) l'unique (?) règle de la paraclèse. » Cf. également *infra* n. 37 et W. D. Davies, *Die Bergpredigt* (édit. anglaise, *The Sermon on the mount*, Cambridge, University Press, 1966), Munich, 1970, p. 135 : « Bien que... les paroles de Jésus soient importantes pour Paul, la référence de Paul à Jésus vise en tout premier lieu la participation à sa vie marquée par le don de soi » — et par là même, peut-on ajouter, l'imitation de cette vie; voir aussi *infra* n. 18.

l'imitation [16], qui découle du comportement du *Fils de Dieu préexistant.*

Les exhortations de Ph 2,1-4 — spécialement la demande de pratiquer la *tapeinosis,* v. 3 — sont motivées en 2,5 : « Ayez entre vous les dispositions qu'il convient d'avoir en Christ Jésus [17]. » Or le comportement du Christ Jésus, d'après Ph 2,6 ss., fut la *kénosis* et la *tapeinosis* de celui qui, dans sa préexistence, était de condition divine : étant de condition divine il s'est « vidé lui-même » et s'est « abaissé » en prenant la condition humaine, se faisant « obéissant » jusqu'à la mort sur une croix. D'après 2 Co 8,9, ce comportement de « notre Seigneur Jésus-Christ » s'est transformé en « grâce », c'est-à-dire en générosité inspirée par l'amour; et sa « pauvreté extrême » est devenue la richesse de (sa) bonté (cf. 2 Co 8,2). Car, « alors qu'il était riche, il s'est fait pauvre à cause de vous, pour vous enrichir de sa pauvreté » (2 Co 8,9). Ensuite, en Rm 5,6 ss. et Ga 2,20, Paul mentionne expressément l'amour qui a poussé le Christ à se « faire faible » et à se « livrer lui-même ». Puisque le Christ « nous a accueillis », nous devons nous aussi, « nous accueillir les uns les autres » (Rm 15,7). « Comme le Seigneur vous a pardonnés, faites de même, vous aussi » (Col 3, 13). Puisque la promesse de Dieu a trouvé son OUI en la personne du Christ, la parole de l'Apôtre, elle aussi,

16. Sur ce point cf. A. SCHULZ, *Nachfolgen und Nachahmen* (StANT 6), Munich, 1962, spéc. pp. 270-289. (L'ouvrage paru sous le titre : *Suivre et imiter le Christ, d'après le Nouveau Testament,* Paris, Éd. du Cerf, 1966, est la traduction d'un abrégé de son étude dû à Schulz lui-même); H. D. BETZ, *Nachfolge Jesu Christi im Neuen Testament* (BHTh 37), Tübingen, 1967; R. SCHNACKENBURG, « Nachfolge Christi », dans : *Christliche Existenz nach dem Neuen Testament* I, Munich, 1967, pp. 87-108, spéc. pp. 102 ss.; dans une perspective théologique cf. J. KRAUS, *Vorbildethik* (cf. n. 2); J. MOLTMANN, *Der gekreuzigte Gott,* Munich, 1972, pp. 55-66; trad. pp. 66-80. Bibliogr. plus ancienne dans E. LARSSON, *Christus als Vorbild,* Uppsala, 1962, p. 9, n. 3.

17. D'après le contexte il n'est pas permis de négliger l'interprétation « exemplaire » — (E. KÄSEMANN avait insisté sur ce point, cf. « Kritische Analyse von Ph 2,5-11 » (1950), dans : *Exeget. Versuche und Besinnungen* I, Göttingen, [4]1965, pp. 51-95 [= Tr. « Analyse critique de [2]Ph 2,5-11 », dans : *Essais exégétiques,* Delachaux et Niestlé, 1972, pp. 63-110]) —, même si l'on interprète le double *en* de la traduction ci-dessus dans le sens de « correspondant » : « C'est parce que vous êtes en Christ, qu'il vous est demandé d'avoir un comportement *correspondant* à l'égard des frères »; c'est la position de J. GNILKA, *Der Philipperbrief* (HThK X/3), Fribourg en Br., 1968, ad. loc. (avec bibliogr.). Il faut préciser : « ... qu'il vous est demandé d'avoir un comportement *qui corresponde au comportement du Christ* ».

n'est pas OUI et NON en même temps (2 Co 1,18; cf. 2 Co 11,10). En 2 Co 5,14 s., la pensée de Paul est commandée par le motif de l' « amour du Christ », qui est « mort pour tous » (cf. aussi 1 Co 11,1). Celui qui « n'a pas recherché ce qui lui plaisait » (Rm 15,3) doit être un exemple pour les « forts » de la communauté (cf. 14,1 — 15,13); Celui qui est « mort pour le frère » doit être, pour le chrétien « gnostique », une invitation à être plein d'égards pour les autres (1 Co 8,11). En Ep 5,2 (cf. 5,25), Paul s'exprime en ces termes : nous devons nous aimer les uns les autres, « comme le Christ nous a aimés et s'est livré lui-même pour nous »... Même la « faiblesse » de l'existence apostolique trouve son modèle (et son fondement) dans la « faiblesse du Christ » (2 Co 13,4) : Paul porte dans son corps « l'agonie de Jésus » (2 Co 4,10), les « stigmates de Jésus » (Ga 6,17), les « souffrances du Christ » (2 Co 1,5); il souffre avec le Christ (Rm 8,17); pour lui, il est « exposé à la mort tous les jours » (1 Co 15,31; Rm 8,36)[18].

2. Paul voit la *vie terrestre*[19] de Jésus avec le même regard qu'il a porté sur le Fils de Dieu préexistant, qui par amour s'est dépouillé. Cette « vie terrestre » d'ailleurs reste toujours celle du Fils de Dieu préexistant. Contemplant la croix du Christ, Paul peut dire : « Que chacun de nous cherche à plaire à son prochain en vue du bien, pour édifier. Le Christ, en effet, n'a pas cherché ce qui lui plaisait, mais comme il est écrit : les insultes de tes insulteurs sont tombées sur moi » (Rm 15,2 s; cf. 1 Co 8,11). Une exhortation comme celle-ci est faite « à cause de la douceur et de la bonté du Christ » (2 Co 10,1)[20]. Selon Ph 2,8 et Rm 5,19, il faut également se

18. Cf. A. SCHULZ, « Leidenstheologie und Vorbildethik in den paulinischen Hauptbriefen », dans *Neutestamentliche Beiträge* (Mélanges offerts à J. Schmid), Ratisbonne, 1963, pp. 265-269.

19. Cela doit être souligné vis-à-vis d'une tendance contraire de la recherche, cf. seulement R. BULTMANN, *Theologie des Neuen Testaments*, Tübingen, [5]1965, p. 185; W. SCHRAGE, *Die konkreten Einzelgebote* (cf. n. 13), pp. 239 ss., 246; cf. par contre W. G. KÜMMEL, *Jesus* (cf. n. 3), pp. 86 s., 451 : le point de vue qu'il a adopté, en liaison avec C. H. DODD, est juste.

20. Pourtant on peut se demander si Paul, ici, n'a pas en vue le comportement seigneurial du *Kyrios;* cf. H. PREISKER, dans ThW II (1935), p. 585.

souvenir de l' « obéissance » du Jésus terrestre [21]. A la lumière de la connaissance qu'il a du mystère du Christ, Paul se fait donc une représentation très caractéristique de la « vie de Jésus », essentiellement marquée par la croix, de sorte que, à ce niveau également, il a conscience d'être tenu à « imiter Jésus » (1 Th 1,6; 1 Co 11,1). Étant donné cette vision qu'a Paul du comportement du Jésus terrestre, on comprend pourquoi il doit accueillir les paroles du Seigneur, en y voyant surtout l'appel à l'amour qu'elles contiennent.

La parole du Seigneur et, davantage encore, le comportement du Fils de Dieu qui est une invitation à l'imitation, sont donc la norme suprême du comportement moral; et il faut remarquer que, dans la parénèse de Paul, le renvoi au comportement de Jésus a manifestement été plus important que la citation des paroles du Seigneur. Comme nous l'avons vu, Paul, pour dégager le contenu de la parole de Jésus, interprète celle-ci à la lumière de son comportement; par ailleurs, parole et comportement sont rapportés d'une manière très accentuée au commandement de l'amour. Mais, c'est à partir du comportement du Fils se dépouillant lui-même, que le commandement de l'amour prend son caractère propre et sa radicalité extrême. Si maintenant nous portons notre attention sur ce que Paul ose appeler « la Loi du Christ », il ne faudra donc pas nous étonner de retrouver — avec son caractère tout à fait particulier — l'appel à l'amour.

II

LE COMPORTEMENT ET LA PAROLE DE JÉSUS COMME « LOI DU CHRIST »

L'expression « la Loi du Christ » (Ga 6,2) dit deux choses : au point de vue formel, elle attribue aux directives de Jésus l'autorité la plus haute qu'on puisse imaginer; au point de vue

21. Même autrement on ne peut pas, dans les textes pauliniens cités ci-dessus, séparer avec netteté ces deux aspects l'un de l'autre.

du contenu, ces directives sont détachées nettement de la Tora de Moïse. Il s'agit donc de réfléchir avec Paul sur le caractère obligatoire des directives de Jésus, au double point de vue de la forme et du contenu. Il faut d'abord s'interroger sur les exigences qui, selon Paul, sont contenues dans l'expression « La Loi du Christ » (A); ensuite on réfléchira sur l'aspect formel de ces exigences (B).

A) Les exigences de la « Loi du Christ »

Comme le donnent déjà à penser les explications du paragraphe I, le contenu de « la Loi du Christ », selon Paul, est un appel à *l'amour du prochain;* amour dont la caractéristique est d'être vécu à la lumière du comportement et de la parole de Jésus : la loi du Christ est « accomplie » lorsqu'on suit la consigne de Ga 6,2 : « Portez les fardeaux les uns des autres. »

1. Cela apparaît d'une manière plus claire encore si l'on tient compte du *contexte immédiat* de Ga 6,2 : « la vie selon l'Esprit » (5,25) est inconciliable avec le vain désir de se faire valoir (5,25, cf. 6,3 ss.) qui, en Ph 2,3 est opposé à la *tapeinophrosynè* (du Christ; cf. 2,6-9); dans les deux textes, cette recherche de soi est présentée comme un comportement provocateur qui blesse la charité et l'unité —, tout comme l' « envie ». Les hommes « spirituels » sont capables de pratiquer la *correctio fraterna* affectueuse, « dans un esprit de douceur » (cf. 5,23), tout en étant conscients des dangers auxquels ils sont eux-mêmes exposés (6,1; cf. 6,3 ss.). C'est de cette manière que l'on porte « les fardeaux de l'autre » (6,2), dans la patience (cf. Rm 15,1.4 s.) et tout en portant sa « propre charge » (6,5); la pensée de Paul, bien sûr, ne se limite pas aux fardeaux concrets qui étaient le lot des communautés galates; elle voit plus grand et, fondamentalement, elle embrasse tout ce qui peut accabler les frères.

Mais lorsqu'il s'agit — comme c'est le cas principalement — de porter le fardeau (des péchés), la pensée de Paul se tourne facilement vers le « Christ » qui « n'a pas cherché ce qui lui plaisait », sur qui au contraire, d'après le Ps 68, 10 (LXX), sont « tombées les insultes » (Rm 15,3). Ainsi, en Ga 6,2 également, le regard intérieur de Paul peut s'arrêter sur le Serviteur de Yahvé qui, d'après Is 53,12 « fut compté parmi les criminels » et « porta le péché des multitudes » et, d'après Is 53,3 s., fut « méprisé » et « porte nos péchés [22] ». Lorsque Rm 15,1 demande de porter (*bastazein*) les « faiblesses » des frères et que le verset 3 (en utilisant le Ps 69,10) motive ensuite cette exhortation en se référant à l'attitude du Christ, nous avons là « une description imagée du comportement qui caractérise le Serviteur de Dieu [23] »; et cette description suggère qu'en Ga 6,2 il y a peut-être bien la même idée à l'arrière-plan : « En ce qui concerne Ga 6,2, on peut au moins se demander si la loi du Christ n'est pas la loi de l'amour accomplie par le Crucifié lorsqu'il portait notre fardeau [24]. » Cette conjecture se recommande pour d'autres raisons encore que celle fournie par le contexte immédiat de Ga 6,2; une explication de ce genre, en effet, permettrait de mieux comprendre également la coloration caractéristique qu'a, chez Paul, l'appel à la charité (cf. *supra*, pp. 122-123 et *infra* p. 130); appel qui, d'une manière réaliste et en songeant au comportement de Jésus qui s'est dépouillé lui-même et s'est abaissé (cf. *supra* pp. 124 ss.), insiste davantage sur la charité en tant qu'elle est effacement de soi, acceptation des autres et prise en charge de leurs propres fardeaux. « La nature... de l'*agapè* »

22. Il est vrai qu'en 53,12 la LXX porte *anènegke* (Aq Sym Theod v. 1.) et en 53,4, *pherei*. Mais en Is 53,11.86 Chry et Theod écrivent *bastasei*. — Mt 8,17 est plus proche du TM que la LXX : « Il a pris nos infirmités (cf. Rm 15,1) et s'est chargé (*ebastasen*) de nos maladies; sur ce point cf. K. STENDAHL, *The School of St Matthew and its Use of the Old Testament*, Copenhague, ²1969, pp. 106 s. Il n'est donc pas possible de prouver que Paul, ici, a présent à l'esprit — comme cela lui arrive très souvent par ailleurs — le texte d'Isaïe sous une forme qui s'écarte de la LXX, et qu'il voit en Jésus le Serviteur qu'il s'agit d'imiter; mais cela n'est pas précisément invraisemblable non plus.

23. O. MICHEL, *Der Brief an die Römer* (Meyer K IV), Göttingen, ⁴1966, p. 354, n. 3 : il renvoie au texte même de Is 53,4 et à Mt 8,17; cf. aussi H. W. SCHMIDT, *Der Brief des Paulus an die Römer* (ThHk 6), Berlin, 1962, p. 237.

24. G. DELLING, *Der Kreuzestod Jesu* (cf. n. 15), p. 43. Point de vue différent dans W. SCHRAGE, *Die konkreten Einzelgebote* (cf. n. 13), p. 99; O. MERK, *Handeln aus Glauben* (cf. n. 2), p. 77; A. van DÜLMEN, *Die Theologie des Gesetzes bei Paulus* (StBM 5), Stuttgart, 1968, p. 67, n. 151.

nous a été révélée « par l'exemple de Jésus, par le don qu'il a fait de lui-même, don sans limite et sans aucune arrière-pensée. » « Le commandement : ' Tu aimeras ton prochain comme toi-même ' est le commandement du nouveau Moïse, du Messie, et sa norme nous est donnée par la vie et la parole de Jésus lui-même [25]. »

2. A la lumière d'*autres déclarations pauliniennes*, il se confirme que — par antithèse à la « Loi de Moïse » et par une conception nouvelle de celle-ci — Paul en Ga 6,2 centre « la Loi du Christ » sur le précepte de la charité tout spécialement, dans lequel il voit l'intention profonde de cette loi :

a) Dans « la Loi du Christ », la Tora de Moïse est orientée vers le commandement de l'amour [26] comme vers son centre [26a]. Paul lui-même, en tant que l'*ennomos Christou* (1 Co 9,21), se fait le « serviteur de tous » (1 Co 9,1.19); et ce comportement, il l'érige en prescription générale : par l'amour, « faites-vous les serviteurs les uns des autres » (Ga 5,13). « Que personne ne cherche son propre intérêt, mais celui d'autrui » (1 Co 10,23 s.). « N'ayez de dettes envers personne sinon celle de l'amour mutuel » (Rm 13,8). « Plaire » au prochain (1 Co 10,33; 15,2), « édifier » (1 Co 8,1; 10,23 et passim) : tel est le devoir tout simplement. Tout doit se passer « dans la charité » (1 Co 16,14). « Marcher selon l'amour » (Rm 14,15) : tel est le commandement décisif. Une fois acquise la liberté

25. Cf. W. D. DAVIES, *Die Bergpredigt* (cf. n. 15), p. 164; ID., « Die Bedeutung des Gesetzes im Christentum », dans *Conc.* 10 (1974) pp. 551-556 (= édit. fr. Conc. n. 98 (1974), pp. 29-40).

26. Sur ce point cf. S. LYONNET, « Die ' Moral ' des hl. Paulus », dans *Bibel und Liturgie* 23 (1955/56), pp. 89-95; J. MOFFAT, *Love in the New Testament,* Londres, 1959; C. SPICQ, *Agapè dans le Nouveau Testament : Analyse des textes* EB I-III, Paris, 1958/59; J. COPPENS, « La doctrine biblique sur l'amour de Dieu et du prochain », dans EThL 40 (1964), pp. 252-299; H. SCHLIER, *Nun aber bleiben diese Drei,* Einziedeln, 1971 p. 67 s.; V. P. FURNISH, *The Love Command in the New Testament,* Nashville-New York, 1972; G. SCHNEIDER, *Nächstenliebe* (cf. n. 46) pp. 257-275; voir la bibliogr. dans K. H. SCHELKLE, *Theologie* (cf. n. 9) p. 125; A. NISSEN, *Gott und der Nächste im antiken Judentum* (WUNT 15), Tübingen, 1974.

26a. Cf. J. ECKERT, *Die urchristliche Verkündigung im Streit zwischen Paulus und seinen Gegnern nach dem Galaterbrief* (Bibl. Untersuchungen 6), Ratisbonne, 1971, pp. 156-162 : « Das Gesetz des Christus. »

à l'égard de la Loi, la règle de l'action reste le « profitable » (1 Co, 6,12; 10,23). L'amour : voilà précisément l' « accomplissement » (cf. ci-dessous) de la Loi (Ga 5,14; cf. Rm 13,8-10).

b) C'est dans l'*ordre de l'intention* qu'il faut comprendre l'accomplissement de la Loi par l'amour. Il est vrai que l'amour doit informer l'ensemble du comportement; mais il ne dissout pas pour autant les autres commandements [27]. L'amour lui-même s'exprime dans des comportements et des vertus de diverses sortes, qui d'ailleurs ne lui sont pas tout à fait identiques, cf. seulement 1 Co 13,4-7; 2 Co 8,7-11; Rm 12,9 s.; Col 3,12-15. L'amour, il n'y a pas de doute, est le plus haut de tous les dons (1 Co 12,31; cf. 13,13); il est le « rappel » de « la voie à suivre dans le Christ Jésus » (1 Co 4,17); mais il peut aussi représenter encore d'autres exigences concrètes.

B) Le caractère formel des exigences de la « Loi du Christ »

L'expression « la Loi du Christ » souligne aussi l'aspect formel des exigences impliquées dans cette loi, leur caractère

27. Exiger l'amour ne suffit pas; voir sur ce point le § II, 2 de notre étude indiquée *supra* n. 1; W. SCHRAGE, *Die konkreten Einzelgebote* (cf. n. 13), pp. 9-12, 271; H. D. WENDLAND, *Ethik des Neuen Testaments* (NTD, vol. de compl. 4), Göttingen, 1970, p. 63 (= Tr. *Éthique du Nouveau Testament*, Genève, Éd. Labor et Fides, 1972); K. H. SCHELKLE, *Theologie* (cf. n. 9), p. 38 s.; H. van HOYEN, « ' New Morality ' und christliche Ethik », dans : ZevE 11 (1967), pp. 34-42. Cf. aussi J. FUCHS, « Der Absolutheitscharakter sittlicher Handlungsnormen », dans *Testimonium Veritati* (FrankfThSt 7), Francfort sur le M., 1971, pp. 211-240 : « Porté par le dynamisme de la foi et de la charité, le chrétien vise non seulement à vivre dans la foi et l'amour, mais à les vivre de telle sorte qu'il réalise un accomplissement de vie, qui soit conforme à une ' existence humaine chrétienne '. Ainsi, foi, charité et salut ne dépendent pas de la justesse des normes de vie qui sont le fondement de l'accomplissement de la vie; mais la foi et la charité ne sont pas authentiques si elles ne s'efforcent pas de s'exprimer dans un accomplissement de vie qui soit une manière de vivre ' juste ', c'est-à-dire conforme à la réalité de l'existence humaine et chrétienne » (p. 211).

obligatoire absolu qui dérive de la parole et du comportement du Christ.

1. Lorsque Paul forge cette locution, il est possible qu'il dépende d'une expression juive comme « la Tora du Messie [28] ». Dans certains milieux juifs, on s'attendait à ce que le Messie apporte une compréhension nouvelle de la Tora [29]. Quoi qu'il en ait été, Paul en tout cas, en utilisant l'expression « la loi du Christ », *remplace* [30], tant au point de vue de la forme qu'à celui du contenu et spécialement dans le contexte de l'Épitre aux Galates, « la loi de Moïse » par les exigences de Jésus (1 Co 9,9).

a) Commençons par une remarque fondamentale : il faut d'abord parler de « la loi » (du Christ), au *sens propre* du terme. Car même une formulation antithétique repose encore sur un aspect commun. De plus, dans cette partie de l'Épitre aux

28. Cf. Midr. Qoh 11,8 (52a) dans BILLERBECK III, 577, qui n'a « rencontré l'expression qu'une seule fois ». — Non seulement cette confrontation, mais déjà l'importance de l'expression invite à penser que « Christ » ne doit pas être compris simplement comme nom; la traduction « la Loi *du* Christ » s'impose presque.

29. C'est le point de vue, contestable — de H. J. SCHOEPS, *Paulus. Die Theologie des Apostels im Lichte der jüdischen Religionsgeschichte,* Tübingen, 1959, pp. 177-183. — W. D. DAVIES, *Torah in the Messianic Age and/or the Age to Come,* Nashville, 1952; ID., *The Setting of the Sermon on the Mount,* Cambridge, 1964; ID., *Die Bergpredigt* (cf. n. 15), pp. 45-78, spéc. 71-78 : examen critique des données fournies par la tradition : « Les textes que nous avons apportés justifient le point de vue selon lequel certains milieux rabbiniques attribuaient au Messie une fonction d'enseignement » (p. 76). « La notion de ' Tora nouvelle ' est apparue dans le judaïsme et elle peut avoir fait son apparition dès le premier siècle du judaïsme pharisien » (p. 77). Cf. aussi BILLERBECK IV, pp. 1-3 : « Der Messias der alten Synagoge als Ausleger der Tora », et U. KELLERMANN, *Messias und Gesetz* (BSt 61), Neukirchen — Vluyn, 1961; d'une manière plus critique, cf. P. SCHÄFER, « Die Thora der messianischen Zeit », dans ZNW 65 (1974), pp. 27-42 : « Il est apparu que ni l'idée de la nouvelle Thora, ni l'attente d'une suppression totale de la Thora n'est caractéristique du judaïsme rabbinique... La plupart des rabbins ont espéré que... l'époque messianique apporterait une compréhension plus parfaite de la Thora du Sinaï, une perception des fondements eux-mêmes des commandements et des défenses et, surtout, la restauration de l'unité primitive de la Thora » (p. 42).

30. Cf. J. ECKERT, *Verkündigung* (cf. n. 26a), p. 160 s.; E. s'appuie souvent sur R. Schnackenburg.

Galates, qui a un caractère parénétique, la formulation a une portée trop générale pour qu'il soit possible de l'expliquer uniquement à partir du caractère polémique de la situation. Il faut donc d'abord s'interroger sur le motif profond qui amène Paul à reprendre la terminologie de la Loi. En Ga 5,14 nous trouvons l'explication suivante : « La loi tout entière trouve son accomplissement en cette unique parole : tu aimeras ton prochain comme toi-même »; la Tora est « condensée » dans le précepte de l'amour (Rm 13,9). Le fait que la théologie juive déjà pouvait, d'une manière analogue, considérer l'amour de Dieu et du prochain comme le centre de la Loi [30a], peut avoir contribué à ce que Paul ramène la Tora de Moïse au précepte de la charité comme à son centre; précepte dans lequel il voyait l'intention profonde de cette Tora; toutefois il y a une autre hypothèse plus vraisemblable : le fait de savoir que l'amour était purement et simplement le précepte de Jésus (cf. *supra* p. 122, I. et 128, A) a aidé Paul à découvrir l'intention profonde de la Tora et à l'interpréter comme un discours sur l'amour du prochain et, à partir de là, comme un commandement obligatoire (cf. *supra,* pp. 124 ss.), comme une « loi ».

b) S'il faut bien voir le sens propre de ce que l'on dit quand on parle de « loi », il faut en même temps relever franchement le caractère *paradoxal* d'une telle manière de parler. Une loi centrée sur l'amour comme sur l'intention profonde qui l'anime, ne peut être appelée « loi » que dans un sens paradoxal. Il ne s'agit donc « pas seulement d'une interprétation de la Tora, mais d'une loi rénovée radicalement par le Christ [31] »; la Tora de Moïse est refondue dans une perspective « messianique » et devient à un titre nouveau une source de consignes que l'on ne peut encore appeler « loi » [32] que dans un sens paradoxal [33]. Cela apparaît d'une manière particulièrement nette s'il est permis, quand on parle de « la loi du

30a. Voir les références dans l'étude de G. SCHNEIDER, mentionnée n. 46.

31. Cf. H. SCHLIER, *Der Brief an die Galater,* Göttingen, ¹²1962, p. 272.

32. Jean s'exprime d'une manière « plus vraie » (« eigentlicher ») lorsqu'il parle du « nouveau commandement » en 13,34 (1 Jn 2,7 s. 10; 3,11.23; 4,10.19; 5,1.3; 2 Jn v. 5). Barn 2,6 combine peut-être Jean et Paul, quand il écrit : « La nouvelle loi de notre Seigneur Jésus Christ » (texte qui révèle une compréhension encore plus nomistique).

33. P. BLÄSER, *Das Gesetz bei Paulus* (NTA XIX/1-2), Münster, 1941, spéc. pp. 235-243; J. ECKERT, *Verkündigung* (cf. n. 26a), spéc. pp. 156-162.

Christ », de ne pas songer uniquement à la « parole » de Jésus, qui ordonne; après tout ce qui a été dit ci-dessus (cf. § I, B), on sera enclin à songer aussi — et le contexte de Ga 6,2 (cf. *supra* § II, A1) autorise cette interprétation — à cet « esprit de la loi » (*Gesetzlichkeit*) qui a marqué le comportement du Fils de Dieu, dans sa préexistence, et pas seulement au commandement de l'amour qu'il a donné pendant sa vie terrestre. Mais le comportement du Fils de Dieu, qui s'est dépouillé lui-même et s'est abaissé, dépasse trop le cadre de toute loi.

2. On ne peut pas ne pas remarquer que — dans le contexte de Ga 6,2 —, l'amour du prochain dont il est question en 5,14 est présenté en 5,16.25 comme un « cheminement sous l'impulsion de l'Esprit », comme une « vie dans l'Esprit » et, en 5,18, comme une « conduite inspirée par l'Esprit »; il en résulte que l'on n'est plus « sous la Loi » (5,18). En 5,22, on décrit comme « fruit de l'Esprit » ce qui en 6,1 ss. est présenté comme le commandement de « la Loi du Christ ». Il est donc permis de dire que l'aspect paradoxal inhérent à l'expression « la Loi du Christ » repose en fin de compte fondamentalement sur *une manière de parler analogique,* telle qu'elle apparaît en Rm 8,2 ss. (cf. aussi 2 Co 3,6) : dans la « Loi de l'Esprit qui donne la vie [34] », il y a l' « Esprit de vie » qui s'oppose à la Loi comme telle, en tant qu'il est « Loi » nouvelle [34a]. Si indéniable soit-il que « la Loi du Christ » est d'abord un titre extérieur de directives, pour Paul elle n'est pas seulement cela; « la Loi du Christ », en effet, atteint toujours celui qui est déjà un *ennomos Christou* (1 Co 9,21) [35], qui a déjà été « instruit par Dieu » (1 Th 4,9) en accomplissement des promesses comme

34. Formule de nouveau différente en Rm 3,27 : « la loi de la foi »; cf. G. Friedrich, « Das Gesetz des Glaubens, Röm 3,27 », dans ThZ 10 (1954), pp. 401-417; P. Stuhlmacher, « Das Ende des Gesetzes », dans ZThK 67 (1970), pp. 14-39 : « ainsi appelée par Paul dans le dessein de provoquer » (p. 35).

34a. E. Lohse, *ho nomos tou pneumatos tès zôès*. « Exegetische Anmerkungen zu Röm 8,2 » dans *Neues Testament und christliche Existenz* (Mélanges offerts à H. Braun), Tübingen, 1973, pp. 279-287.

35. Cf. C. H. Dodd, « ENNOMOS XPISTOU », dans *Studia Paulina* (in honorem J. de Zwaan), Haarlem, 1953, pp. 96-110.

Jr 31,31 ss. et Ez 36,26 s. [36]. Il ne faut pas oublier que ce que la « Loi du Christ » exige est « fruit de l'Esprit » (Ga 5,22; cf. Col 1,8) qui « répand dans nos cœurs l'amour de Dieu » (pour nous) (Rm 5,5). L'amour, qui est d'abord don de l'Esprit, le charisme par excellence (1 Co 12,31; cf. 13, 8-13), reste bien cependant un commandement extérieur, malgré toute son « intériorisation » dans l'Esprit. « La Loi du Christ » comme telle est d'abord, en Ga 6,2 en tout cas, un titre extérieur de directives qui vise le « cœur » des exigences chrétiennes, à savoir : le comportement et les paroles exemplaires de Jésus, en tant que « norme extérieure » — et en même temps bien sûr, en tant que don intérieur [37]; car le contexte de Ga 6,2 aussi bien que l'ensemble de la théologie paulinienne montrent que cette « Loi du Christ » est aussi toujours la « loi » donnée par le Seigneur glorifié qui, par son Esprit, rappelle cette loi et l'intériorise.

En forgeant l'expression « la Loi du Christ », Paul a réussi à exprimer les exigences de la morale dans une « formule brève » d'une grande densité; cette formule en même temps centre les prescriptions de l'Ancien Testament sur le commandement de la charité; par là même elle les adapte en dégageant l'intention profonde qui les animait. Il reste toutefois que, fondamentalement, Paul comprend le précepte de l'amour du prochain, non pas dans la perspective de l'Ancien Testament, mais à la lumière des exigences posées par le Seigneur et, surtout, à la lumière du comportement de Jésus qui, par sa *kenosis* et sa *tapeinosis*, a montré ce qu'est l'amour qui porte à se dépouiller de soi-même et à s'abaisser; c'est à partir de là que ce précepte reçoit toute sa force. L'amour du Christ qui s'est donné lui-même et qui s'est abaissé : telle est, pour Paul, la norme suprême et la source énergétique du comportement moral. « C'est la Tora du Seigneur, celle qu'il a vécue lui-même, celle

36. Pour plus de détails, cf. notre étude : « Die Gemeinde des Neuen Bundes als der Quellort des sittlichen Erkennens nach Paulus », dans : Cath 26 (1972), pp. 15-37, spéc. pp. 15-19.

37. Cf. J. GRÜNDEL, *Ethik* (cf. n. 1), p. 79 : « En ce qui concerne le contenu d'un amour fondé sur la foi, le chrétien trouve un modèle et une règle dans l'exemple du Seigneur et du don qu'il a fait de lui-même sur la croix, don inspiré par l'amour et porteur de salut; mais il trouve là également l'origine (au sens de : source de la grâce) authentique de l'amour qu'on réclame de lui. » Cf. déjà *supra* n. 15.

qu'il rend active maintenant en donnant la vie; c'est pourquoi il peut exiger qu'on l'accomplisse [38]. »

Après les exposés qui précèdent, il est bon, en guise de conclusion, d'aborder d'une manière nouvelle la question, très discutée aujourd'hui, de savoir s'il existe une éthique chrétienne avec un *contenu* spécifiquement chrétien. A cet égard il faudrait séparer, davantage [39] qu'on ne le fait généralement, le problème du contenu spécifique de l'éthique chrétienne de celui concernant le caractère formel de cette éthique. Il y a effectivement un « *proprium* » [40] dans le comportement moral du chrétien (et dans l'éthique chrétienne). Au total, l'ensemble du comportement moral des chrétiens a indiscutablement une autre coloration que celui des non-chrétiens; et il faut en dire autant du système de l'éthique chrétienne par rapport à tous les autres systèmes éthiques, qu'ils soient ouverts à la transcendance ou non; sur ce point tout le monde est d'accord. Mais la question qu'on pose aujourd'hui avec insistance se situe au-delà; elle porte sur l'existence de *contenus* moraux spécifiquement chrétiens [41]. Cela étant, nous ferons bien de

38. H. H. ESSER, art. « Gesetz », dans *Theol. Begriffslexikon zum NT* (édit. par L. Coenen) I, Wuppertal, 1967, p. 527.

39. Sur ce point, cf. par ex. W. SCHRAGE, *Die konkreten Einzelgebote* (cf. n. 13), spéc. pp. 187-210; J. GRÜNDEL, *Ethik* (cf. n. 1), pp. 69-87; K. E. LOGSTRUP, « Das Proprium des christlichen Ethos », dans ZevE 11 (1967), pp. 135-147; F. BÖCKLE, « Was ist das Proprium einer christlichen Ethik? » dans ZevE 11 (1967), pp. 148-159; J. FUCHS, « Gibt es eine spezifisch christliche Moral? », dans StdZ 95 (1970), pp. 99-112; G. ERMECKE, « Zur Christlichkeit und Geschichtlichkeit der ' Moral in der Krise ' », dans MüThZ 21 (1970), pp. 297-312; H. WEBER, « Um das Proprium christlicher Ethik », dans TrThZ 81 (1972), pp. 257-275 (l'auteur examine par mode d'exemple la doctrine catholique sur la société); H. ROTTER, « Die Eigenart der christlichen Ethik », dans : StdZ 98 (1973), pp. 407-416 : « L'éthique est toujours imprégnée d'une eschatologie qui en fait partie » (p. 410). On trouvera d'autres indications bibliogr. sur le sujet dans F. BÖCKLE, « Zur Aufgabenstellung einer fundamentalen Moraltheologie », dans : *Humanum* (édit. par J. GRÜNDEL; F. RAUSCH; V. EID), Düsseldorf, 1972, pp. 17-46, spéc. p. 28 n. 21.

40. Cf. la problématique de H. URS von BALTHASAR, « Merkmale des Christlichen », dans *Verbum Caro* (Einsiedeln 1960), pp. 172-194; cf. aussi F. BÖCKLE, *Proprium* (cf. n. 39), *ibid.*

41. Cf. J. FUCHS, *Der Absolutheitscharakter* (cf. n. 27), p. 224 : « Les normes d'action des chrétiens, considérées dans leur contenu matériel, ne sont pas

nous interroger d'abord uniquement sur le contenu central caractéristique des exigences chrétiennes, sur ce qui est le « cœur » de la morale chrétienne.

Étant donnée l'orientation transcendante de l'homme vers un Dieu personnel, fondée sur l'origine transcendante de sa liberté; orientation qui s'accomplit concrètement en se fixant sur l'œuvre salutaire du Fils de Dieu et l'attente de l'avenir eschatologique : est-ce que cette situation de l'homme fait surgir des contenus moraux d'une espèce nouvelle, ou bien contribue-t-elle seulement à donner une intelligence plus claire et plus profonde des contenus éthiques [42]? Il n'est pas possible

spécifiquement des normes chrétiennes... »; la n. 22 (*ibid.*) mentionne d'autres auteurs qui partagent ce point de vue. W. SCHRAGE en mentionne également, cf. *Die konkreten Einzelgebote* (cf. n. 13), pp. 200 ss.; cf. aussi F. SCHLOSSER, *Moral braucht Normen* (Offene Gemeinde 10), Limburg, 1970, pp. 169 ss.; A. AUER, *Autonome Moral und christlicher Glaube,* Düsseldorf, 1971 (avec bibliogr.); B. SCHÜLLER, « Die Bedeutung des natürlichen Sittengesetzes für den Christen », dans *Herausforderung und Kritik der Moraltheologie,* Wurtzbourg, 1971, pp. 105-130. B. SCHÜLLER déclare : « En ce qui concerne l'objet matériel de la morale, le chrétien n'est pas soumis à d'autres prescriptions que celles qui obligent le non-chrétien »; G. ERMECKE lui objecte : « N'admettre que des normes morales naturelles, c'est méconnaître les exigences de la vie de la grâce, c'est tomber dans le naturalisme, le pélagianisme et le rationalisme », cf. *Zur Christlichkeit* (cf. n. 39), p. 306. Le problème est traité avec nuances par J. FUCHS, *Spezifische christliche Moral* (cf. n. 39) : Le contenu spécifique de l'*humanum* chrétien est à chercher concrètement dans des données telles que v. g. : « la personne du Christ, l'Esprit Saint qui agit en nous, la communauté chrétienne, l'Église hiérarchique, les sacrements, l'anthropologie chrétienne », toutes choses à vrai dire qui — selon J. Fuchs — restent au niveau des « relations humaines ». Fuchs estime « que le *christianum* de l'homme chrétien peut, lui aussi, influencer son comportement particulier (catégorial), surtout par une motivation chrétienne... et en s'élevant à une vie religieuse et cultuelle, c'est-à-dire vécue dans la communauté des croyants et en relation à Dieu ». Cf. aussi B. SCHÜLLER, *ibid.,* p. 112 s.

42. W. SCHRAGE a posé la question mais sans tenir suffisamment compte des principes qui y sont engagés, cf. *Die konkreten Einzelgebote* (cf. n. 13), pp. 201-211 ss. — J. GRÜNDEL écrit : « Le Nouveau Testament ne présente pas de nouvelles prescriptions matérielles qui soient spécifiquement chrétiennes »; mais il complète cette phrase en attirant l'attention sur la nouvelle vision de la réalité qui est procurée au chrétien du fait qu'il lui est proposé un but nouveau : « La théologie de la croix, l'imitation du Seigneur préférée à tous nos liens personnels ou familiaux, ce qu'on a appelé les conseils évangéliques de pauvreté, de virginité et d'obéissance, la demande de renoncer à toute violence, d'aimer le prochain sans réserve, en étant prêt à donner sa vie pour lui : ce sont là autant de notions dont le contenu profond restera inaccessible à une éthique purement naturelle », cf. *Ethik* (voir n. 1) p. 30 s., ici p. 73. Cf. aussi F. BÖCKLE,

de répondre à cette question par une comparaison avec une éthique purement humaine, horizontale [43]; la réponse devrait venir d'un dialogue avec une éthique religieuse et d'une comparaison avec des systèmes éthiques de religions non chrétiennes [44]; l'homme, en effet, est par nature déjà un être capable de se dépasser en s'ouvrant à un avenir absolu. Il y a principalement deux réponses possibles à la question de savoir s'il existe un contenu central spécifique :

Aufgabenstellung (cf. n. 39), pp. 34 s.; B. renvoie spécialement au message de l'amour réconciliateur de Dieu; B. STOECKLE va plus loin : « L'éthique chrétienne, parce que fondée sur la foi d'après laquelle le commencement aussi bien que la fin de l'homme sont disposés par Dieu (c'est-à-dire : parce qu'elle est reliée à une protologie et une eschatologie), oriente le regard vers des contenus moraux que l'homme de lui-même ne perçoit absolument pas, ou bien ne perçoit que d'une manière voilée ou imprécise. Cela concerne spécialement les « réalités de la croix », comme : la solidarité inconditionnelle avec les faibles et ceux qui n'ont aucune protection, le renoncement à la violence, l'espérance contre toute espérance. Et d'une manière plus concrète encore, des exigences telles que : dire oui à la vie, même lorsque, d'un point de vue humain, elle a perdu son sens et son utilité (problèmes de l'euthanasie et du suicide!), fidélité absolue dans l'acceptation du fardeau que représente un mariage manqué au point de vue humain, conscience de la dimension eschatologique de la vie humaine, qui empêche d'ériger en absolu des projets d'existence terrestre. Dans le cadre d'une éthique autonome, de telles exigences ne doivent pas être présentées comme des postulats évidents », cf. « *Autonome Moral* », dans StdZ 98 (1973), pp. 723-735, ici p. 735.

43. W. KERBER, « Hermeneutik in der Moraltheologie », dans ThuPh 44 (1969), pp. 42-66, spéc. p. 55; K. écrit : « Il est difficile de nommer des commandements moraux du Nouveau Testament, qu'on ne puisse pas, en principe tout au moins, reconnaître aussi comme loi morale naturelle »; mais il précise que ce jugement doit être compris au sens étroit seulement, c'est-à-dire en référence aux « vertus morales » (*ibid.*, n. 60). Il faut assurément approuver J. FUCHS quand il dit que « les affirmations de l'Écriture sur les comportements particuliers (catégoriaux) à adopter dans les différents secteurs de la vie (comportement social, morale de la famille et du mariage, etc.) sont peu abondantes; quant à leur signification et à leur portée pour les différentes périodes historiques de l'humanité, elle n'apparaît pas nettement », cf. *Spezifische christliche Moral* (cf. n. 39), p. 100.

44. Selon F. BÖCKLE, « Il ne faut pas s'attendre à ce qu'on puisse isoler le spécifiquement chrétien par la méthode comparative de l'histoire des religions, car cela n'est pas réalisable par cette méthode », cf. *Proprium* (cf. n. 39), p. 149; cette thèse n'est valable que lorsqu'une telle comparaison (comme le fait remarquer K. GOLDHAMMER dans : *Fuldaer Hefte* 16 [1966] pp. 108 s.) est limitée, d'un point de vue formel, à certains motifs tels que « le motif de la Loi, de la foi, de la grâce, le motif de l'amour et de la miséricorde, du Dieu unique, du sauveur et rédempteur »; ce n'est certainement pas ici que l'on peut trouver le spécifiquement chrétien.

1° Les développements des pages précédentes suggèrent d'abord l'hypothèse suivante (qu'il faudra vérifier) : c'est dans l'*exigence radicale de l'amour,* tel qu'il s'est manifesté dans le comportement du Fils de Dieu, que se trouve le « *proprium* de l'éthique chrétienne [45] ». Lorsque nous nous interrogeons sur le contenu spécifique de l'éthique chrétienne, nous sommes renvoyés à l'*amour,* qui se manifeste d'une manière spécifique dans le comportement du Fils de Dieu : « Celui qui... veut savoir ce qu'est l'amour doit porter son regard sur l'exemple que nous a donné le Seigneur. En se donnant totalement à Dieu pour ses frères, le Christ a réconcilié l'humanité avec Dieu et il a montré aux hommes — en même temps qu'il leur a permis d'y accéder — cette force qui est capable de transformer le monde et de conduire l'humanité à la paix et à l'ordre. L'amour est pour le monde une force créatrice et une source d'ordre en ce sens que, au lieu de convoiter, il se donne. L'amour est patient, il rend service, il ne cherche pas son intérêt; bref, il fait tout ce que, habituellement, on ne fait pas [46]. » Mais ce don généreux de soi, ce que l'homme d'habitude ne fait pas, serait-ce là déjà ce qui dépasse l'homme? Le commandement de l'amour excède-t-il vraiment les capacités naturelles de l'homme et représente-t-il, par rapport tout spécialement à une éthique non chrétienne mais ouverte sur la transcendance, un contenu nouveau spécifiquement chrétien? Il n'y a pas de doute que la radicalité du précepte chrétien de l'amour, dans la mesure en tout cas où il exige que l'on se sacrifie au bénéfice de l'autre, dépasse en fait

45. F. BÖCKLE, *Proprium* (cf. n. 39), p. 159; ID., *Die Probe aufs Humane. Über die Normen sittlichen Verhaltens,* Düsseldorf, 1970, spéc. pp. 21 s.; B. met ici l'accent sur le don du Christ, en tant que modèle. Cf. aussi H. D. WENDLAND, *Ethik* (cf. n. 27), p. 59.

46. F. BÖCKLE, *Proprium* (cf. n. 39), p. 159; G. SCHNEIDER, « Die Neuheit der christlichen Nächstenliebe », dans TThZ 82 (1973), pp. 257-275, p. 275 : Une « prescription spécifiquement chrétienne » doit être « le commandement d'aimer son ennemi en allant au-delà de ce que lui-même exige » (p. 274), c'est la « règle d'or sous sa forme positive »,... qui représente un apport original (ein Novum) de l'éthique chrétienne » (p. 274 s.), un « commandement nouveau » parce que, « non seulement il est prescrit par Jésus, mais surtout parce qu'il est fondé sur son action (cf. Ep 5,1 s.) ». Cela est sans doute valable au niveau de l'histoire, au niveau des faits; mais peut-on en dire autant si l'on va au fond des choses, si l'on pose la question de principe?

largement les capacités du comportement humain; mais les dépasse-t-il aussi a priori? Est-ce que l'imitation de l'abaissement de Jésus jusqu'à la Croix n'est pas inscrite au cœur de tout amour véritable? « Si la charité du Nouveau Testament, caractérisée comme *agapè,* visait à dépasser la loi de la réciprocité inhérente à tout amour, c'est-à-dire visait le renoncement radical à soi-même par lequel on est prêt à porter la croix au bénéfice du prochain, alors le plan de la *philia* serait dépassé. Nous sommes d'avis que... le commandement d' ' aimer le prochain sans réserve ' représente une exigence beaucoup trop grande pour les capacités de l'homme réel »; ainsi s'exprime H. van Oyen [47]. On ne peut être que tout à fait d'accord sur la situation de fait; au plan des principes, toutefois, le point de vue exprimé par J. Fuchs [48] doit être juste : « C'est précisément la prise de conscience du caractère in-humain de l'égoïsme et du caractère humain de l'amour, qui fait comprendre que la victoire sur l'égoïsme dans l'action (victoire qui suppose que l' « homme déchu » assume la croix), est une exigence fondamentale d'un humanisme authentique ». Mais notre question est-elle résolue pour autant? L'amour, à vrai dire, ne reçoit aucun contenu spécifiquement chrétien du fait qu'il est prêt à prendre la croix, si on l'identifie avec la « victoire sur l'égoïsme » (ce qui est vraiment une exigence humaine!). Mais est-ce que l'amour chrétien ne dit pas davantage, puisque l'amour du Christ, tel que Paul le décrit (cf. *supra* § IB et § II, A1.), reste en fin de compte incomparable et signifie donc davantage? « Dans l'intention de l'affirmation chrétienne », il faut que « l'amour unique du Dieu unique reste le modèle normatif (analogatum princeps) de tout amour inspiré par lui... Il ne faut pas se lasser de mesurer l'isolement sans pareil dans lequel est placé le christianisme primitif par de telles pensées, isolement de toutes les théologies

47. H. van OYEN, *Ethik* (cf. n. 1), p. 134.

48. J. FUCHS, *Spezifische christliche Moral* (cf. n. 39), p. 107. Cf. aussi H. Urs v. BALTHASAR, « Gott begegnen in der heutigen Welt », dans *Spiritus Creator,* Einsiedeln, 1967, pp. 264-279, spéc. p. 275 : l'auteur souligne que la victoire sur l'égoïsme reste encore tout à fait dans le cadre des possibilités de la nature; les exigences de celle-ci, en effet, « peuvent absolument inclure que l'individu soit, en cas de nécessité, sacrifié au profit du bien commun (à l'exemple de ce qui se passe dans les sociétés animales), et qu'il soit considéré comme un geste noble d'accepter volontairement un tel sacrifice. De là au fait chrétien, il y a un abîme... 1 Jn 5,16 ».

du monde et, par là-même, de toutes les morales du monde également [49] ». L'amour désintéressé de Dieu a au moins une particularité sans pareille en ce sens que l'homme n'est pas capable — non seulement de fait, mais absolument, par essence — de « vaincre l'égoïsme » au point d'atteindre à cette abnégation divine.

2° Si l'on ne veut pas accepter ce qui vient d'être dit, peut-être est-il possible, lorsqu'on rencontre cet amour plein d'abnégation dans *la poursuite de la ressemblance avec le Crucifié,* de parler alors d'un contenu spécifique de l'éthique chrétienne?

Serait-il possible de déceler un aspect spécifique dans le comportement chrétien, lorsque celui-ci vise à imiter la *kenosis* et la *tapeinosis* du Christ, à souffrir avec le Christ et par amour du Christ [50]? Prendre la croix à l'exemple du Christ, en imitation de sa *tapeinosis,* s' « associer » au Crucifié : c'est là un comportement tout à fait singulier, qui a son fondement dans une communion personnelle avec le Christ; un comportement aussi qui, dans cette économie du salut vraiment paradoxale instituée par Dieu, est lui-même un paradoxe, mais qui est pourtant chargé de valeur. Paul voudrait « connaître » de cette manière Jésus, « la puissance de sa résurrection » à la fin, mais d'abord « la communion à ses souffrances »; il veut « devenir semblable à lui dans sa mort » (Ph 3,10; cf. Rm 8,17). C'est ainsi que « mourir lui est un gain » (Ph 1,21) et il « se glorifie dans la croix de notre Seigneur Jésus-Christ, par laquelle le monde est crucifié » pour lui et lui « pour le monde » (Ga 6,14, cf. 5,24). Il se glorifie de sa « faiblesse » (2 Co 4,7-18; 11,16-33; 12,7-10 et passim) et il « se complaît dans les faiblesses, dans les outrages, dans les détresses, dans les persécutions et les angoisses endurées pour le Christ » (2 Co 12,10; cf. 6,4 s.). Depuis Paul, « le plus grand don de soi », comme dit Ignace de Loyola (Exercices spirituels, n° 97) *se présente* comme un désir

49. H. Urs v. BALTHASAR, « Die Liebe zu Jesus Christus », dans *Klarstellungen,* (Herder-Bücherei 393), Fribourg en Br., 1971, pp. 46-52, ici p. 47 s.

50. G. ERMECKE, *Zur Christlichkeit* (cf. n. 39), p. 302 (contre J. Fuchs) : « Souvent on remarque trop peu qu'il y a... des valeurs qui... ne peuvent être perçues que dans la foi, comme par exemple : mourir et ressusciter avec le Christ. »

d'être associé au Crucifié et de l' « imiter dans l'acceptation de toutes les avanies, de tout opprobre, de toute pauvreté » (nº 98); et c'est ainsi, ou d'une manière analogue que s'exprime traditionnellement la *theologia experimentalis* des saints, tout comme la théologie ascétique de l'Église. Porté par cet élan du « plus grand don de soi » on peut même affirmer que « l'on *désire,* que l'on *implore* et *supplie* » d'être choisi pour vivre dans la pauvreté spirituelle et réelle (nº 157). On peut aussi, « pour imiter plus parfaitement le Christ, notre Seigneur, et lui devenir réellement plus semblable, *vouloir* et *souhaiter* la pauvreté avec le Christ pauvre plutôt que la richesse, les outrages avec le Christ outragé plutôt que les honneurs, et *demander* d'être considéré comme simple d'esprit et fou pour l'amour du Christ qui, le premier, fut considéré comme tel, plutôt que d'être tenu pour sage et rusé en ce monde » (nº 168). (Il faut noter que, par une discrétion peu commune, de tels propos restent cachés dans le texte de la prière.)

Cette attitude d' « association », ne peut-on pas en principe l'attribuer aussi aux « relations humaines [51] » et la considérer comme de soi accessible au comportement de la personne humaine dans l'amour? Une amitié personnelle portée par la charité est bien capable au fond d'assumer beaucoup de souffrance dans le destin de l'être aimé. Y a-t-il là vraiment un contenu spécifiquement chrétien? Peut-être que oui, mais à condition que l'on soit d'accord avec ce qui a été dit en 10 et que, par conséquent l'on reconnaisse la différence qualitative de cette « association ». On peut laisser la question ouverte. Il y a un point. toutefois qui devrait faire l'unanimité sans discussion possible et que l'on devrait pouvoir, de nouveau et progressivement, mettre davantage en relief : s'il n'est pas absolument certain que cette aspiration à s'associer au Crucifié et à se conformer à son exemple représente un contenu spécifiquement chrétien, il n'y a pas de doute, en tout cas, qu'elle est ce qu'il y a de plus profond et de plus caractéristique dans le comportement chrétien. Cela apparaîtrait de nouveau avec davantage de relief si la théologie morale ne se limitait pas à entretenir des rapports de bon voisinage — toujours nécessaires d'ailleurs — avec l'éthique philosophique, mais si elle savait recréer des liens étroits d'amitié avec la

51. Cf. J. FUCHS, *supra* n. 41.

théologie spirituelle. Face à cette manière de se comporter, typiquement chrétienne, toute éthique philosophique — et par conséquent l'herméneutique en théologie morale, qui en dépend — rendra pratiquement les armes, parce que en fin de compte la « folie de Dieu est plus sage que les hommes et la faiblesse de Dieu, plus forte que les hommes » (1 Co 1,25).

La foi au Dieu de la Révélation, qui se « transcende » lui-même en quelque sorte par son incarnation et sa mort en faveur de l'homme, rend possible « en Christ » un accomplissement moral spécifique; accomplissement qui, en principe [52], dépasse toute éthique purement humaine et qui, pratiquement, n'est pas atteint non plus par aucune éthique religieuse non chrétienne. On peut laisser ouverte la question de savoir si l'on peut considérer cet appel à suivre le chemin de croix de Jésus comme un contenu matériel spécifique de l'éthique chrétienne; en tout cas, il faut y voir un comportement moral tout à fait caractéristique du Nouveau Testament, un comportement moral spécifique qui, en tant qu'acceptation de la souffrance avec le Christ et pour le Christ, est en lui-même un comportement personnel chargé de valeur, qui en outre, dans un champ de lutte plus vaste, donne un style caractéristique à l'amour du prochain [53] et à la vie en commun [54] en premier lieu, et ensuite à la pauvreté conseillée et rendue possible dans l'amour, à la virginité, à l'abandon de soi dans l'obéissance et

52. Les développements de W. SCHRAGE, *Die konkreten Einzelgebote* (cf. n. 13), pp. 204 s., doivent être complétés : au niveau de la révélation vétérotestamentaire déjà, on aperçoit la *tapeinophrosynè;* cf. A. HESCHEL, *Die Prophetie,* Cracovie, 1936; P. KUHN, *Gottes Erniedrigung in der Theologie der Rabbinen* (StANT 17), Munich, 1968. Mais celle-ci ne deviendra une propriété du comportement moral que lorsqu'elle sera liée au désir, porté par l'amour, de se conformer au Christ crucifié.

53. R. EGENTER, « Die Organtransplantation im Lichte der biblischen Ethik », dans *Moral zwischen Anspruch und Verantwortung* (Mélanges offerts à W. Schöllgen), Düsseldorf, 1964, pp. 142-153; l'auteur montre, en prenant comme exemple le problème de la transplantation des organes, qu'une éthique naturelle n'arrive à aucune certitude dans la question de savoir si l'homme a le droit — en vertu de la possession commune de l'essence humaine — de mettre sur le même pied la menace qui affecte la vie de l'*alter ego* et celle qui affecte sa propre vie corporelle. Mais il a ce droit « de par le nouveau mode d'existence surnaturelle fondée sur la communion au Christ, l'ego et l'alter ego, et de par le commandement nouveau du Seigneur » (p. 150).

54. Cf. G. STÄHLIN, « ' Um mitzusterben und mitzuleben '. Bemerkungen zu 2 Co 7,3 », dans *Mélanges H. Braun* (cf. n. 34a), pp. 503-521.

dans le renoncement à la violence (Lc 6,29), et qui est, enfin, l'âme de tout le comportement du chrétien, ce qui l'atteint jusque dans ses racines et le forme d'une manière à nulle autre pareille.

Si le comportement chrétien, lorsqu'il est vraiment vécu, se détache d'une manière caractéristique comme un « *proprium* », de tout autre comportement moral, qu'il soit naturel (innerweltlich) ou déterminé par une religion en appelant à la transcendance, si de plus, les systèmes spéculatifs de morale chrétienne, considérés comme des touts, ont également un autre visage que les systèmes humains et ceux des religions non chrétiennes — malgré le large accord qu'il peut y avoir par ailleurs avec ces derniers, en ce qui concerne les contenus moraux —, cela tient en fin de compte à cette donnée qui est comme le cœur du christianisme : l'imitation du Fils de Dieu qui, en assumant la condition du Christ, s'est abaissé par amour dans l'incarnation et dans la mort. Tout comme l'Évangile, les prescriptions morales, elles aussi, ont leur « centre » qui est justement « la Loi du Christ ».

CHAPITRE IV

PERSPECTIVES

Le Christ « pro-existant » sera-t-il au cœur de la foi de demain? Méditation théologique *

Aucune époque n'a jamais réussi à épuiser « l'insondable richesse du Christ » (Ep 3,8), à saisir ce qu'est « la largeur, la longueur, la hauteur et la profondeur » du Christ, « l'amour du Christ, qui surpasse toute connaissance » (Ep 3,18 s.), la « plénitude » qui est en lui (Col 1,19 et souvent). Nous reprenons volontiers l'image de Ida Friederike Görres [1] : « Représente-toi une montagne. Il n'est pas nécessaire que ce soit le mont Blanc, n'importe quelle montagne... que tu connais bien. Riche de mille aspects, elle repose en elle-même.

* Publié pour la première fois dans *Diakonia* 3 (1972), pp. 147-160 (ici, considérablement augmenté). — Il va sans dire que cette « méditation théologique » ne prétend pas esquisser une « christologie » qui présenterait même tant bien que mal l' « essence » du Christ. Le thème de la staurologie pro-existante devrait évidemment conduire à une réflexion sur la Résurrection plus poussée que la nôtre. Dans les pages qui suivent on ne présente qu'un essai d' « orientation » (« Hinführung ») mettant en relief certains aspects du problème, liés aux besoins de notre temps et à certaines situations; peut-être facilitera-t-il à certains l'entrée dans le mystère du Christ. — Des ébauches christologiques apparentées ou différentes (cf. *infra* n. 8) ont été souvent citées, afin de mettre en lumière une tendance commune — orientée vers la « foi de demain ». C'est intentionnellement qu'on a renoncé à toute discussion.

1. I. F. GÖRRES, « Zu unserem Christusbild », dans EAD., *Im Winter wächst das Brot* (Kriterien 19), Einsiedeln, 21970, pp. 9-30, ici, pp. 9 ss., 18.

Chacun la voit à sa manière : le forestier, le peintre, le géographe, le mineur qui pénètre en son sein ; l'aviateur qui du haut des nuages embrasse d'un seul regard l'ensemble du paysage ; les mineurs qui ont bâti leur maison sur ses pentes... Qui songerait à opposer une manière de voir à une autre ? C'est bien la même réalité en effet que toutes décrivent ; aucun regard n'est capable de la saisir dans sa totalité, mais pris tous ensemble, ils se complètent l'un l'autre et c'est à partir d'eux tous que se construit ce grand tableau : LA MONTAGNE. Mais la montagne et son image, même la meilleure, la plus riche, sont encore deux choses différentes. Ainsi en va-t-il de notre image du Christ... La réalité du Seigneur est tellement inépuisable qu'aucun individu, aucun groupe, aucune génération, à eux seuls, ne peuvent la saisir et l'exprimer. » Jésus, en tant que « Celui qui vient » (Lc 7,19 etc.) est celui qui est « venu », qui continue à venir dans notre présent et a encore un « à-venir ». Dans cette tension entre le « déjà venu » et le « qui vient encore » se dévoile, au cours de l'histoire de l'Église la « plénitude du Christ » (Ep 1,23) ; mais cette plénitude se dévoile toujours de telle sorte que ce qui est connu d'une manière différente et toujours nouvelle, c'est spécialement « l'amour du Christ » « qui surpasse toute connaissance ». « Le Saint-Esprit a été donné au peuple de Dieu pour, sans cesse, prendre du Christ et le porter en avant, dans l'inédit de l'histoire [2]. »

Le concile œcuménique Vatican II nous a appris qu'il fallait être attentif aux « signes des temps » avec un sens plus aigu de notre responsabilité (*L'Église dans le monde de ce temps*, § 4,11 ; *Décret sur l'œcuménisme*, § 4 ; *Décret sur le ministère et la vie des prêtres*, § 6,9, etc.). Le temps présent est donc, en un certain sens, une source de connaissance théologique (un « lieu théologique ») lorsqu'il s'agit de « dévoiler » le contenu de la révélation (achevée) eschatologique du Christ, de « dévoiler » « le Fils » par lequel « Dieu nous a parlé en la période finale où nous sommes » (He 1,2), le Fils qui est la « Parole » de Dieu, absolument (cf. Jn 1,1-18). A partir de chaque moment de l'histoire, il est possible d'accéder à une connaissance du Christ plus approfondie, connaissance à chaque époque différente et

2. Y. CONGAR, « Die Geschichte der Kirche als ' locus theologicus ', dans *Conc.* 6 (1970) pp. 496-501, ici p. 499 (= « L'histoire de l'Église, ' lieu théologique ' », *Conc.* n° 57 (1970) pp. 75-83, ici p. 82).

d'un genre nouveau. Le concile Vatican II (cf. *Gaudium et spes,* 22,5; 26,4; 38; 41,1.) nous apprend en effet que « le Saint-Esprit est à l'œuvre dans l'histoire du monde[3] ». Cette idée est élargie par W. Kasper[4]. A la suite de Melchior Cano, il pense aussi que le « monde » est un « *locus theologicus* » : étant donné que « l'Évangile n'est pas seulement une réalité historique du passé mais qu'il a encore une portée actuelle et reste ouvert sur l'avenir », il se présente « dans chaque situation comme une force créatrice nouvelle en quelque sorte ». Il y a donc un « aujourd'hui » de la foi au Christ.

Mais aujourd'hui est toujours un point de rencontre entre hier et demain, entre le passé et l'avenir. Le Christ aussi, et lui précisément, ne peut être compris « aujourd'hui » qu'à la lumière du passé et de l'avenir, car il est « l'Alpha et l'Oméga, le Premier et le Dernier, le commencement et la fin » (Ap 22,13). Nous allons donc, dans une première partie (« Rétrospective »), appliquer notre principe heuristique au passé en montrant comment celui-ci l'illustre et, dans une deuxième partie (« Perspectives »), nous tenterons de faire un pronostic sur l'image du Christ qui prévaudra demain.

I

RÉTROSPECTIVE

C'est toujours dans un « aujourd'hui » et de manière nouvelle que le message du Christ devient intelligible, car à chaque moment du temps le Christ est présent et donne sa

3. Y. CONGAR, *ibid.*, p. 500 (= édit. fr. p. 83).

4. W. KASPER, « Die Welt als Ort des Evangeliums », dans W. KASPER, *Glaube und Geschichte,* Mayence, 1970, pp. 209-223, ici p. 222; ID., dans A. SCHILSON-W. KASPER, *Christologie im Präsens. Kritische Sichtung neuerer Entwürfe,* Fribourg en Br., 1974, pp. 157 s. et, d'un point de vue spécialement christologique, pp. 139-146 : « Il faut que nous partions de la situation historique concrète de l'homme, si nous voulons exposer la foi en Jésus-Christ d'une manière qui soit aujourd'hui compréhensible » (p. 143) — « même s'il n'est pas possible de la (la christologie) déduire des besoins de l'homme ou de la société » (p. 139).

lumière. Si nous voulons maintenant expliquer brièvement le développement de la connaissance du Christ, il nous faut d'abord faire une distinction : dans l'« Église en train de se faire » (celle qui recevait encore la Révélation), il y a une « histoire de la Révélation ». Cette étape doit être distinguée de cette autre qu'est l'« histoire de la connaissance » du Christ dans l'« Église constituée » (« gewordenen Kirche »), qui doit regarder en arrière pour rencontrer la révélation du Christ achevée.

A) Le déploiement de la révélation de la « plénitude du Christ » dans le Nouveau Testament

Nous ne pouvons ici — avec un schématisme à peine tolérable [5] — que présenter quelques étapes marquantes de ce développement; nous ne le faisons, à vrai dire, que pour reconnaître les normes — auxquelles il a été déjà fait allusion plus haut dans l'introduction — qui déterminent ce déploiement.

Pendant la période néotestamentaire — c'est-à-dire en quelques décades —, « la largeur, la longueur, la hauteur et la profondeur » du Christ (Ep 3,18) se déploie dans de telles proportions qu'elle ressemble à une « explosion pneumatique [6] ». Au point de vue théologique, nous devons accorder encore à ce déploiement le caractère de Révélation.

5. Les développements qui suivent ne veulent d'aucune manière présenter les débuts de la christologie ni l'histoire primitive de son développement; sur ce problème, cf. spécialement R. Schnackenburg, « Christologie des Neuen Testaments », dans *Mysterium Salutis* III/1 (édit. par J. Feiner et M. Löhrer), Einsiedeln 1970, pp. 227-388 (= Tr. « La Christologie du Nouveau Testament », dans : *Mysterium Salutis, Dogmatique de l'histoire du salut,* t. 10, Paris, Éd. du Cerf, 1974, pp. 13-227; cf. aussi J. Gnilka, *Jesus Christus nach frühen Zeugnissen des Glaubens,* Munich, 1970 (= Leipzig, 1972); F. J. Schierse, « Christologie-Neutestamentliche Aspekte », dans Id., (Ed.), *Jesus von Nazareth,* Mayence, 1972, pp. 135-155.

6. M. Hengel, « Christologie und neutestamentliche Chronologie », dans *Neues Testament und Geschichte* (Mélanges offerts à O. Cullmann pour son 70e anniversaire), Zurich-Tübingen, 1972, pp. 43-67, ici p. 63 s. : « La nais-

Dans les rencontres pascales, le Ressuscité apparaît comme celui qui a été « exalté » et, par là-même, comme celui qui est « présent ». Ainsi que l'a montré d'une manière convaincante Wilhelm Thüsing [7], c'est en cela qu'a dû consister l'expérience pascale la plus primitive. Mais cette expérience s'est ensuite développée, selon les situations et les moments :

1. On comprend que les judéo-chrétiens de Palestine aient conçu celui qui avait été « exalté » comme le « Sauveur » et le « Christ » (Lc 2,11) dont ils espéraient la venue prochaine, comme le roi de la maison de David (Rm 1,3; Lc 1,32) qui régnerait pour toujours sur la maison de Jacob, et dont le règne n'aurait pas de fin (Lc 1,33). Ils voyaient en celui qui avait été « exalté » « la corne de salut » (de la délivrance), plantée « dans la maison de David » (Lc 1,69).

C'est ce « Sauveur » qui était bien sûr attendu dès le commencement, comme « l'astre levant venu d'en haut » (Lc 1,78), du ciel — la foi pascale savait bien qu'il avait été « exalté »! — Il fallait le prier de descendre : « Marana tha — Seigneur, viens! » (1 Co 16,22; cf. Ap 22,20). Le salut qu'apporte ce « Messie » transforme la situation de détresse d'où l'on crie vers Lui, et d'abord tout spécialement celle du peuple d'Israël qui gémit sous le joug des Romains; à la différence des Zélotes et des Sicaires, c'est de *lui* que les chrétiens espèrent « un salut qui nous libère de nos ennemis et des mains de tous ceux qui nous haïssent » (Lc 1,71).

2. Très tôt déjà — peut-être même avant l'étape que nous

sance de la christologie primitive... ne devient compréhensible que si l'on tient compte comme il se doit des deux données qui marquent le christianisme primitif à sa naissance : *a*) L'activité de Jésus, dont nous arrivons à peine aujourd'hui à nous représenter l'influence extraordinaire qu'elle a eue sur les disciples et aussi sur de larges couches du peuple, aussi bien en Galilée qu'en Judée. Il n'y a que le terme « messianique » pour la qualifier convenablement. — *b*) La catastrophe du crucifiement de Jésus comme agitateur messianique, suivie du changement radical provoqué par les apparitions pascales. Cette suite d'événements complexes donna une ' *impulsion d'un dynamisme créateur unique* ', qui se manifesta dans l'association des chrétiens en communauté sainte eschatologique, dans l'expérience de l'Esprit, l'envoi en mission par le Ressuscité et aussi dans la réflexion christologique. »

7. W. THÜSING, *Erhöhungsvorstellung und Parusieerwartung in der ältesten nachösterlichen Christologie* (SBS 42), Stuttgart, sans date (1969?).

venons d'évoquer ou, alors, en même temps —, les disciples palestiniens de Jésus — influencés par l'univers spirituel de Jésus et du milieu environnant, qui avait une coloration apocalyptique — ne conçoivent plus la puissance salvatrice du « *mar* » qu'ils attendent, uniquement comme une puissance politique qui, dans un esprit particulariste, eût été accordée au seul peuple d'Israël. Ils invoquent comme « *mar* » celui qu'ils attendent comme le « *Fils de l'homme* ». C'est comme tel qu'il apportera le changement d'*éon*. Alors, quand viendront bientôt les terreurs de la fin des temps et le jugement du monde, on pourra « relever la tête et regarder vers lui car, venant de lui, « la délivrance approche » (Lc 21,27 s.) pour les fidèles du Christ. Dans la foi, ils voient en Lui le « Fils » qu'ils « attendent des cieux — Jésus qu'il (Dieu) a ressuscité des morts et qui nous arrache à la colère qui vient », selon la formule toute faite de la prédication missionnaire (1 Th 1,10). Dans l'apocalyptique du judaïsme tardif, le mal est conçu aux dimensions du monde et comme coextensif à l'histoire universelle; c'est pourquoi Jésus, en tant que Sauveur, est présenté comme le « Fils de l'homme » qui exécute le jugement du monde, mais surtout comme celui qui sera le salut du monde nouveau.

3. Lorsque le message du Christ est porté au monde hellénistique, il faut alors que Jésus, en tant que Sauveur (*soter*), soit annoncé d'une autre manière. Le « *mar* » est maintenant conçu comme le « *Kyrios* » en majesté céleste : « Si, de ta bouche, tu confesses que Jésus est Seigneur et si, dans ton cœur, tu crois que Dieu l'a ressuscité des morts, tu seras sauvé » (Rm 10,9 s.); c'est ainsi que se reflète la situation du baptisé. A partir de la confession de foi baptismale, les chrétiens se caractérisent comme ceux « qui invoquent le nom du Seigneur » (Rm 10,13 et passim). Portés par la puissance pneumatique du *Kyrios,* ils se savent efficacement protégés contre tous les dangers et toutes les angoisses venant du monde et des puissances démoniaques, qui inquiétaient le monde hellénistique d'alors. A la fin, Jésus est reconnu comme celui qui est le « Seigneur des seigneurs et le Roi des rois » (Ap 17,14), comme le « Sauveur » puissant, qui arrache la jeune communauté chrétienne aux dangers que le culte de

l'empereur et l'apothéose de l'État faisaient peser sur elle, à cette époque où résonnait le « *Dominus ac Deus noster Domitianus* ».

4. Les hommes de la vallée du Lycos, en Asie Mineure, se croyaient poursuivis par toutes sortes de « puissances et de forces » cosmiques et historiques ; selon toutes les apparences, une gnose primitive est en train de couver dans ces régions. Alors le Ressuscité y est annoncé comme celui que Dieu « a fait asseoir à sa droite dans les cieux, bien au-dessus de toute Principauté, Pouvoir, Puissance et Souveraineté » (Ep 1,20 s.) ; comme le « *sommet de tout* », et par conséquent comme celui qui est aussi « la tête de l'Église » (cf. Ep 1,22 s.). Couverts par sa puissance, les chrétiens se savent délivrés de toutes les puissances mauvaises ; ils « siègent » dès maintenant avec lui « dans les cieux » (Ep 2,6) où leur « vie est cachée avec le Christ en Dieu » (Col 3,3). Ce sont de nouveau les nécessités du moment qui contribuent à dévoiler la « plénitude du Christ » comme salut, en faisant ressortir cette fois sa dimension supra-cosmique et supra-historique.

5. En Syrie et en Asie Mineure la connaissance du « moi » qui n'appartient pas à ce monde et dépasse tout ce qui est naturel, prend des proportions imposantes ; par ailleurs, cette connaissance est maintenant propagée comme la voie du salut ; aussi les cercles johanniques proclament-ils que *la* vie, c'est la connaissance du *Fils :* « La vie éternelle, c'est qu'ils te connaissent (' qu'ils aient la gnose de toi '), toi le seul vrai Dieu et celui que tu as envoyé, Jésus-Christ » (Jn 17,3). La confession de foi de ces chrétiens, qui donne la « vie éternelle », s'exprime ainsi : « Nous avons cru et nous avons connu (' reçu la gnose ') que tu es le Fils de Dieu » (Jn 6,69). — Cette connaissance profonde du Christ a donné naissance à cette spiritualité « johannique » caractéristique qui devait ensuite — dans l'Église orientale en particulier — susciter des courants spirituels d'une si grande richesse.

6. Dans les années quatre-vingt-dix, les chrétiens étaient

encore tout proches des sévices néroniens et, déjà, ils tremblaient à la pensée de la persécution de Domitien, qui s'annonçait. Alors, ils commencèrent à scruter l'horizon dans l'attente de celui qui avait été exalté, le « Seigneur des seigneurs et le Roi des rois » (Ap 17,14). Celui-ci apparaissait maintenant aux chrétiens opprimés comme « l'Agneau qui semblait immolé » (Ap 5,6 s. et souvent), lequel, en vertu de sa mort, est capable de rompre les sept sceaux du plan de Dieu sur le monde et d'apporter le salut de Dieu. Le salut ne vient plus de l'Empire romain, de la bête aux sept têtes et aux dix diadèmes (Ap 13,1-10) à laquelle « il fut donné de faire la guerre aux saints »; mais, chose paradoxale, il vient de l' « Agneau qui a été immolé » sur la montagne de Sion (Ap 14,1-5). Ce symbole de faiblesse qu'était l' « Agneau immolé » devient maintenant un symbole cultuel chargé de puissance.

Les six exemples qui viennent d'être présentés confirment notre thèse fondamentale : « L'insondable richesse du Christ » (Ep 3,8), la révélation du Christ se développa (comme révélation) dans la mesure où — au temps de la fondation de l'Église — elle fut proclamée comme message de salut dans le monde d'alors, en tenant compte des diverses situations. C'est dans cette annonce « adaptée au monde » (« welthaften ») que le Seigneur se révéla lui-même et montra son visage sous un jour chaque fois nouveau et différent, mais toujours comme sauveur et secourable.

B) Le déploiement au cours de l'histoire de l'Église de « la connaissance du Christ : bien suprême »

La révélation du Christ qui, dans la période de formation de l'Église, était encore « explosive », se développa ensuite, au cours de l'histoire de l'Église, dans un sens gnoséologique toujours plus accusé. « A bien des égards, l'Église primitive était un bouton qui recelait des fruits innombrables. Toutefois, c'est l'arbre adulte seulement qui montre ' vraiment ce qu'est devenu ce bouton ' et donc ' ce qu'il portait en lui-même '... Cela est méconnu par ceux qui voudraient que nous revenions en deçà de toute l'évolution et que nous nous accrochions une fois encore au noyau desséché que quelques théologiens croient pouvoir isoler du reste et présenter comme la ' foi des Apôtres '... La foi des Apôtres, elle aussi, a d'abord été un commencement. Tout y était contenu, mais à l'état encore implicite... Ce processus de développement, il est sans doute possible de le saisir en partie en regardant vers le passé, mais il n'est plus possible de le ' remettre en bobine '. Il est irréversible et irrévocable. Mais il n'est pas encore achevé [8]. » Ici encore il nous faudra négliger toutes les répercussions de ce processus et les transformations qu'il a connues en cours de route, et nous contenter de quelques indications :

1. Au cours des premiers siècles, le christianisme dut lutter à la vie à la mort avec cette religion mondiale qu'était la gnose. Nous voyons encore dans les absides des basiliques tardives le Christ exalté qui regarde vers nous, tenant à la main le rouleau de parchemin; il se présente à nous comme le « *Christos didascalos* [9] » qui dispense à la communauté la « parole de la vie

8. I. F. GÖRRES, *Winter* (cf. n. 1), pp. 18 s. — On trouvera un exposé du développement historique des dogmes christologiques et de l'enseignement officiel, notamment dans J. LIÉBAERT, *Christologie. Von der Apostolischen Zeit bis zum Konzil von Chalcedon* (451), dans HDG III/1a (1965) pp. 19-127 (= Tr. *L'Incarnation* I. *Des origines au Concile de Chalcédoine,* Histoire des dogmes, nº 14, Paris, Éd. du Cerf, 1966; P. SMULDERS, dans *Mysterium Salutis* III/1 (cf. n. 5), pp. 351-476 (= Tr. *Mysterium Salutis, Dogmatique de l'histoire du salut,* t. 10, Paris, Éd. du Cerf, 1974, pp. 237-355. — On trouvera une présentation des ébauches christologiques dans la théologie actuelle dans H. TIEFENBECHER-A. SCHILSON, « Die Frage nach Jesus, dem Christus », dans HerKorr 26 (1972), pp. 563-570; W. KASPER, « Jesus im Streit der Meinungen », dans ThdG 16 (1973), pp. 233-241; ID., Einmaligkeit und Universalität Jesu Christi, dans ThdG 17 (1974), pp. 1-11 (avec d'autres indications bibliogr. à la n. 1); Kl. REINHARDT, « Die Einzigartigkeit der Person Jesu Christi. Neue Entwürfe », dans IKZ 3 (1973), pp. 206-224; D. WIEDERKEHR, « Konfrontationen und Integrationen der Christologie », dans : *Theol. Berichte* II (édit. par J. Pfammater et F. Furger), Zurich, 1973, pp. 11-119; A. SCHILSON-W. KASPER, *Christologie* (cf. n. 4), avec d'autres indications bibliogr. p. 152, ainsi que dans H. SCHÜTZEICHEL, « Der Todesschrei Jesu », dans TThZ 83 (1974), pp. 1-16, spéc. p. 1 n. 4 et dans les travaux récents mentionnés *supra,* p. 80, n. 174. — Sur le témoignage de l'histoire de l'art, cf. E. DINKLER-*v.* SCHUBERT, art. « Christusbild », dans RGG ([3]1957), pp. 1789-98 (avec bibliogr.); H. PAULUS, art. « Christusbild », dans LThK I ([2]1958), pp. 1175 ss.; P. HINZ, *Deus homo. Das Christusbild von seinen Ursprüngen bis zur Gegenwart,* I : *Das erste Jahrtausend,* Berlin-DDR, 1974.

9. Cf. le livre de F. NORMANN, *Christos Didaskalos. Die Vorstellung von Christus als Lehrer in der christlichen Literatur des 1. und 2. Jhdt.,* Münster, 1966.

éternelle » (Jn 6,68). C'est particulièrement le Christ enseignant de l'évangile de Matthieu, qui marque la christologie des plus anciens Pères.

2. Vers la fin de l'Antiquité, et ensuite à l'époque des grandes invasions barbares qui vit l'effondrement de la puissance impériale en Occident et son impuissance en Orient, les chrétiens tournent leurs regards vers le *maître universel* très éloigné du monde, vers le *roi du ciel* auquel ils attribuent une puissance lumineuse. Il siège dans une transcendance lointaine d'où il gouverne le monde; il est capable, de cette distance souveraine, d'intervenir efficacement dans les désordres du temps.

3. Sur les tympans des églises romanes nous voyons le Christ qui regarde vers nous, assis sur un trône comme l'*imperator* et, d'autre part, tout proche de la terre : l'empire et le sacerdoce, fondus ensemble comme une seule puissance d'ordre, lui sont soumis. C'est l'époque où les cathédrales ressemblent à de puissantes forteresses divines et où les églises de village sont souvent des installations de défense.

4. A l'époque où la peste fait le tour de l'Europe et où les croisades tournent à l'échec, le peuple, inspiré spécialement par saint François, découvre l'*homme des douleurs* sur la croix et sur les genoux de la Pietà, mais aussi l'enfant de la crèche, faible et pauvre, lui qui depuis toujours a porté toute la misère humaine et continue à la porter avec nous.

5. La connaissance du Christ trouve son expression la plus forte et la plus valable dans la *theologia crucis* des Réformateurs [10], qui supprime tout humanisme mondain, tout l'aspect somptueux de la Renaissance (avec ses représentations du Christ humanisées) et, en même temps, tout le côté mondain de l'Église — même si la Renaissance se rebiffe et, par des

10. Cf. W. v. LOEWENICH, *Luthers Theologia crucis*, Munich, 1929, [4]1954; ID., art. « Theologia crucis », dans LThK ([2]1965), pp. 60 s. (avec bibliogr.).

voies sinueuses, s'introduit dans des réalisations baroques et triomphalistes qui sont le contraire de la Réforme. Ces germes se développent dans la théologie de la kénose chez les Orthodoxes et, sous une autre forme, dans le piétisme; dans le catholicisme, il y a la *dévotion au cœur de Jésus* par laquelle on atteint une fois encore à une connaissance du Christ valable et qui porte des fruits.

6. Ensuite, il n'y a plus que l'*époque sans images*, l' « époque terrible » qui ne s'exprime plus que dans le classicisme de Thorwaldsen, dans le romantisme de jardin, l'art des Nazaréens, l'art de Beuron dans ses meilleures réalisations, et dans le courant de piété (assez tardif et très marqué par la spiritualité ignatienne) centré sur le Christ-roi, où elle a produit des images du Christ plus ou moins faibles — dépourvues de force vitale.

Cet aperçu — certainement très schématique et simplificateur et, par là-même, très problématique — sur l'histoire de l'Église « donne... une radiographie de la face cachée, intérieure, de l'histoire de l'Église qui, à chaque étape, découvre dans le visage du Christ un nouveau trait qu'elle essaie de mettre en relief[11] ». Cet aperçu nous intéresse en ce sens qu'il nous apporte une confirmation sur deux points :

Tout d'abord : Une fois close, la révélation du Christ s'explicite au plan de la connaissance lorsque — et dans la mesure où — le Christ est proclamé d'une manière adaptée à la situation et à la réalité de chaque époque et de chaque milieu (Welt). Mais cette constatation fondamentale doit être complétée par une *deuxième :* lorsque la « largeur, la longueur, la hauteur et la profondeur » du Christ se manifeste sous une forme nouvelle dans la connaissance de foi, au cours de l'histoire, il s'agit spécialement de « l'amour du Christ qui surpasse toute connaissance » (Ep. 3,18 s.). Cet amour est reconnu dans des dimensions toujours nouvelles, non pas d'abord par un activisme engagé, c'est certain; ni même par

11. I. F. Görres, *Winter* (cf. n. 1), p. 20. Cf. E. Dinkler - v. Schubert, *Christúsbild* (cf. n. 8), p. 1970 : Les représentations du Christ au cours des siècles « reflètent les changements de la piété »; elles représentent « des sources historiques importantes à côté de l'histoire de l'Église et de l'histoire des dogmes ». Cf. aussi la préface de P. Hinz, *Christusbild* (cf. n. 8).

des théologiens en acte de recherche. Il est toujours reconnu en premier et le plus profondément par ceux qui prient, qui attendent du Christ leur salut, qui, solidaires de la misère de leur temps, s'adressent au Christ comme au Sauveur capable d'apporter le salut dans ce temps où ils vivent précisément.

A l'aide des deux normes — l'adaptation à la « mentalité du temps » (« Zeitgemässheit ») et la « capacité de faire face aux nécessités du moment » (« Not-Wendigkeit ») — que nous avons repérées aussi bien dans l'Église « en train de se faire » que dans l' « Église constituée », nous pouvons maintenant tenter un essai de « futurologie », tout en restant bien conscient que nous ne devons pas pour autant nous arroger des dons prophétiques.

II

PERSPECTIVES

On peut façonner le présent d'une manière critique non seulement à partir de l'évocation du passé, mais aussi à partir de l'utopie, d'une vue d'ensemble de l'avenir. L'annonce de l'Évangile ne doit jamais se réduire à une répétition de ce que les générations passées nous ont appris sur le Christ; si elle veut avoir une influence sur le temps présent, elle doit comporter une dimension prophétique. Si nous voulons que notre annonce du Christ, aujourd'hui, soit adaptée à la mentalité et aux besoins actuels, il faut que nous sachions comment le Christ, en tant qu'il est le salut du monde, sera prêché demain, ce que sera demain la foi et la vie dans le Christ. Mais, « dans cette courbe » que nous franchissons aujourd'hui, « l'Église, l'Église pérégrinante, le redécouvre avec une stature et un visage nouveaux. Et comme c'est généralement le cas, ce sont les saints et les voyants — non les facultés de théologie! — qui sont les premiers à faire cette découverte, tout comme des alpinistes qui, du sommet d'une haute montagne découvrent les premiers les rayons d'un lever de soleil. Nous nous rendons bien compte aujourd'hui, avec une évidence qui ne laisse rien à désirer, que des hommes comme Charles de Foucauld, Teilhard de Chardin rappellent avec force à la conscience de l'Église des aspects de l'être du Christ, qui, jusque-là, étaient restés inaperçus ou n'avaient pas été mis en valeur. Peut-on imaginer des tempéraments plus opposés? Et pourtant l'un et l'autre sont convaincants et combien féconds [12] ! »

De nos jours, on trouve surtout deux sortes d'images du Christ, représentées d'une manière assez caractéristique par les deux hommes nommés ci-dessus. Mais faut-il absolument les considérer comme opposés l'un à l'autre? Est-ce que le salut apporté par le Christ ne doit pas être conçu à la fois dans sa dimension existentiale et sociale ou cosmique? Conformément à ce que nous avons dit, nous allons maintenant interroger ces deux images sur leur adaptation à la mentalité de notre temps, d'une part, et sur leur capacité de répondre aux besoins actuels, d'autre part.

A) Le Christ évolutif
comme point de convergence de l'évolution

« La christologie à l'intérieur d'une vision évolutive du monde », tel est le titre d'une étude de K. Rahner [13].

1. *Le Christ dans la conception évolutive du monde et de l'avenir*

L'humanité d'aujourd'hui se sent portée par la vague de l'évolution et elle espère atteindre des rivages merveilleux. Aujourd'hui, nous pensons dans un schéma d'évolution et il nous est absolument impossible de penser autrement. On trouve une certaine ébauche biblique évolutive du Christ dans le Christ cosmique tel qu'il nous est dépeint, par exemple, dans l'hymne christologique de Col 1,15-20 (cf. Ep 1,4.10;

12. I. F. Görres, *Winter* (cf. n. 1), p. 24.
13. Écrite en 1961, dans : SchrzTh V (1962), pp. 183-221 (= Tr. dans K. Rahner, *Science, évolution et pensée chrétienne,* D.D.B., 1967, pp. 121-168.

4,9 s.; He 1,2 s, 10 s.; Jn 1,3.10), mais également en 1 Co 8,6 déjà et dans d'autres passages du Nouveau Testament, bien que le « changement d'éon », ici, représente autre chose que l' « évolution » pour nous aujourd'hui. Cette image a quelque chose de fascinant pour beaucoup d'esprits, car elle offre la possibilité d'ordonner dans un tableau d'ensemble la connaissance du monde et la connaissance de foi. L'image évolutive du Christ ne doit pas être abandonnée, car la « largeur, la longueur, la hauteur et la profondeur » (Ep 1,18) du Christ y est évaluée d'une manière qui correspond à notre vision du monde; et surtout, l'homme qui veut construire lui-même son univers et son avenir se sent ici compris, accepté, approuvé et encouragé, tel qu'il est : avec sa volonté de façonner le monde, avec toutes ses utopies futorologistes et même avec sa « dévotion au monde » (« Weltfrömmigkeit »).

a) Aussi l'image du Christ que Teilhard de Chardin [14], de la manière la plus valable peut-être, a peinte devant nos yeux, est génératrice de joie : l'évolution conduit de la cosmogénèse à la Christogénèse, en passant par la biogénèse, la psychogénèse et la noogénèse. K. Rahner a repris la construction de cette christologie à partir d'une philosophie transcendantale [15] : en vertu du don transcendantal que Dieu fait de lui-même, la matière est animée d'une force transcendante qui la porte à des niveaux de développement toujours plus élevés, jusqu'au

14. Spécialement : P. TEILHARD de CHARDIN, *La place de l'homme dans la nature. Le groupe zoologique humain*, Paris, A. Michel, 1956; d'autres études christologiques de cet auteur sont indiqués dans A. SCHILSON-W. KASPER, *Christologie* (cf. n. 4), pp. 157 s. (avec une présentation critique de A. Schilson pp. 72-80); cf. aussi P. SCHELLENBAUM, dans *Theol. Berichte* II (cf. n. 8), pp. 223-274.

15. Cf. ses travaux mentionnés aux nn. 13 et 19; de plus : « Christologie im Rahmen des modernen Selbst- und Weltverständnis », dans SchrzTh IX (1970) pp. 227-241. On peut trouver maintenant les études christologiques les plus importantes de K. RAHNER, commodément rassemblées par S. Hubner (édit.) dans : K. RAHNER, *Beiträge zur Christologie*, Leipzig, 1974; voir aussi K. RAHNER, « Zur Selbstkritik der systematischen Christologie im Dienst der Exegese », dans *Wort Gottes in der Zeit* (Mélanges offerts à K. H. Schelkle), Düsseldorf, 1973, pp. 333-346. Cf. la brève présentation de la christologie de K. Rahner, dans : A. SCHILSON-W. KASPER, *Christologie* (cf. n. 4), pp. 80-89 (*ibid.*, p. 158 s. : les travaux christologiques les plus importants de K. Rahner); voir aussi A. GRÜN, *Erlösung durch das Kreuz. Karl Rahners Beitrag zum Verständnis der Erlösung heute*, Münsterschwarzach, 1974.

Christ, en qui Dieu se communique lui-même d'une manière irréversible. Le Christ est ainsi le principe (l'Alpha) en même temps que le point de mire et de convergence (l'Oméga) de l'évolution; et ce « Christ cosmique » est aussi bien le « Christ social », car là où le « Seigneur » exalté, qui est l' « Esprit », exerce sa puissance, il se produit une « transformation », et un espace de « liberté » surgit (cf. 2 Co 3,17 s.). L'union et la paix de l'humanité dans l'Esprit du Christ et par l'amour : tel est le but ultime poursuivi par Dieu dans l'évolution.

b) Assurément, il y a un point qu'il faut dès maintenant signaler avec netteté (pour plus de détails cf. ci-dessous) : un regard réaliste ne peut pas méconnaître que l'amour parfait implique le don de soi jusqu'à la mort et que, dans ce monde pécheur, il ne peut pas être vécu de cette manière radicale qui résoudrait les problèmes toujours en suspens de l'humanité. Le « Christ social », l'humanité nouvelle, ne peut être réalisé pleinement comme *communio sanctorum* qu'au-delà de la mort, dans le nouveau monde de Dieu, si vrai soit-il par ailleurs que la « communion des saints » doive trouver déjà (et trouve) un commencement de réalisation dans le peuple de Dieu en marche sur la terre.

2. *Contradictions et divergences dans la conception évolutive du monde et de l'avenir*

En recourant à un langage figuré, nous dirions volontiers que la réalité d'ici-bas, considérée à chacun des niveaux de son évolution, semble ne pouvoir se maintenir dans l'existence que si elle s'accroche à elle-même dans une « affirmation de soi » d'une vigueur extrême. C'est là, semble-t-il, une caractéristique de tout ce qui ne subsiste que d'une manière contingente. Et c'est là que se trouve le fondement du malheur, de la souffrance et de la mort, mais aussi de la lutte pour l'existence, de l'agressivité, des égoïsmes individuels et collectifs et en fin de compte du péché.

a) Un simple coup d'œil déjà jeté sur la *création infra-humaine* nous montre cela. S'il nous est permis d'utiliser encore un langage d'amateur, imagé et simplificateur, nous dirons que le *monde matériel* jusque dans ses éléments ultimes, jusque dans l'atome, est un monde qui, avec une force d'adhésion énorme, reste « concentré sur soi ». Depuis quelques décades, nous savons quelles forces extraordinaires sont libérées par la fission d'un noyau d'atome. — La *sphère biologique* se construit à partir de la cellule qui est elle-même centrée sur un noyau. Dans le monde des êtres doués *de psychisme* règne la loi de conservation de l'espèce et de l'individu et, par le fait même, la lutte pour l'existence qui élimine le plus faible au profit du plus fort. Il ne semble y avoir un développement évolutif vers le haut qu'à travers un processus de dépérissement et de mort, au cours duquel les formes inférieures et plus faibles sont englouties par les formes supérieures et plus fortes.

b) La loi que nous venons d'esquisser se vérifie dans l'*histoire de l'humanité* mieux que partout ailleurs. L'humanité actuelle est d'autant plus effrayée d'elle-même qu'elle prend davantage conscience de ses problèmes. L'optimisme face à l'avenir, les perspectives futurologistes et les utopies prometteuses se trouvent aujourd'hui curieusement mélangés de peur cosmique et d'inquiétude pour l'avenir.

Nous vivons un moment exceptionnel de l'histoire de l'humanité, qu'il n'est pas possible d'appeler l'heure de la « révolution technique » à moins de s'en tenir à des aspects bien extérieurs et dérivés. A considérer les choses d'une manière plus approfondie, nous vivons l'heure d'une libération de l'homme encore jamais connue. Mais le fait que l'homme reconnaisse ses possibilités d'avenir et prenne en main l'évolution elle-même n'est pourtant qu'un aspect de la situation que nous avons devant nous. L'autre aspect tient à ce que, de nos jours, on se rend compte de plus en plus que le progrès technique a ses dangers et aussi ses limites [16].

16. Cf. par ex. J. MESSNER, « Alarmstufe des Fortschritts? », dans I.K.Z.1 (1972), pp. 566-572 : réflexions sur le rapport du M.I.T. (Massachusetts Institute of Technology) établi en collaboration avec des savants connus, originaires d'autres pays); cf. D. H. MEADOWS-D. L. MEADOWS-J. RANDERS-W. W. BERENS, Die Grenzen des Wachstums, Stuttgart, 1972; Les auteurs indiquent les cinq dangers qui menacent l'humanité : le mouvement de la population, la production alimentaire, les sources de matières premières, la production industrielle et la pollution de l'environnement. — H. BUSCH, « Am Ende des industriellen Zeitalters », dans EvKomm 5 (1972), pp. 457-60;

Voici quelques exemples des inquiétudes qui assombrissent l'avenir : des bombes H circulent au-dessus de nos têtes tandis que d'autres sont à l'affût au fond de la mer. Le danger d'une destruction massive de la terre par l'*arme atomique* et de l'anéantissement de toute civilisation humaine doit être envisagé froidement comme une possibilité. L'*explosion démographique*, qui dès maintenant livre à la famine un tiers de l'humanité, suscitera presque inévitablement des tensions mondiales, des révolutions et des guerres. — La *révolution technique* peut devenir une manipulation psychologique et biologique de l'homme, capable d'atteindre le patrimoine héréditaire lui-même et de rompre ainsi l'harmonie de la vie humaine, qui avait été préétablie par une nature bonne. Il faut ajouter que le progrès technique, par tous les résidus qu'il accumule, *pollue* l'atmosphère et les eaux; il menace d'empoisonner la planète et d'y rendre impossible une vie qui soit digne de l'homme. — L'*homo faber*, l'homme de la révolution technique, dont toute l'activité spirituelle se réduit au calcul et à la planification, ne se sent plus très bien dans sa peau : dans les zones les plus profondes de la nature humaine, il y a des puissances affectives, intuitives et religieuses qui commencent à se réveiller (il suffit de regarder la jeunesse actuelle) et l'*homo ludens* redevient un idéal. Il ne faut pas méconnaître, bien sûr, que les forces de ces zones profondes ne sont peut-être capables que de rompre, avec une violence « démoniaque », les frontières du raisonnable et du volontaire, chez l'individu et dans la société, ce qui peut de nouveau conduire au *chaos culturel.* — Elle ne semble plus très éloignée, l'heure où l'humanité ne supportera plus son *manque d'orientation métaphysique* et le vide sur lequel débouche la question du sens. L' « éclipse de Dieu » (M. Buber), la « perte de Dieu » (Pascal), la « mort de Dieu » (expression qui, depuis Luther, en passant par Hegel, retentit jusqu'à Nietzsche et jusqu'à nos jours où elle est devenue un slogan), le « manque de Dieu » (Heidegger), son « absence » : c'est là un phénomène qui raréfie de plus en plus l'atmosphère dont l'esprit de l'homme a besoin pour respirer. Le monde désacralisé, devenu opaque, mais par contre dominé par des idoles tyranniques et des impératifs matériels démoniaques, devient un milieu où il n'est plus possible de mener une vie qui soit digne de l'homme.

H. B. remarque que la « société postindustrielle » a déjà commencé et qu'il faut la planifier; cf. aussi J. MILLENSDORFER, « Grenzen des Fortschritts — Aufgaben des Christentums », dans : *Wort und Wahrheit* 98 (1973), pp. 400-421; K. LORENZ, *Die acht Todsünden der zivilisierten Menschheit* (Serie Piper), Munich, 21973. Cf. la bibliographie « technique » et « théologique » sur le sujet dans P. ERBRICH, « Christliche Hoffnung und Grenzen des Wachstum », dans *Orientierung* 39 (1975), pp. 22-24, spéc. p. 24; cf. aussi M. GROEK, « Ökologie in sozialethischer Perspektive », dans TThZ 83 (1974), pp. 298-317 (avec bibliogr.).

Le plus inquiétant toutefois est de constater que le progrès moral ne marche pas du tout au même pas que le progrès technique remarquable de l'humanité. Les difficultés de l'ère industrielle, que nous avons mentionnées, semblent être un terreau nourricier où les égoïsmes individuels et collectifs, l'agressivité et les systèmes idéologiques coercitifs prospèrent au mieux. L'homme de l'avenir aurait besoin d'une force morale inimaginable, et d'un extraordinaire sens de l'autre pour conjurer ces dangers qui montent. Il lui faudrait en outre une intelligence surhumaine qui soit capable de maîtriser, d'une manière méthodique et systématique, les puissances réactionnaires et agressives, sans toutefois céder lui-même à l'agression et à la violence. Une longue expérience a appris à l'humanité qu'il n'est pas possible de chasser le diable en cultivant Beelzebul, que la malédiction de l'acte mauvais est d'engendrer le mal, que l'oppression suscite une contre-oppression et que la violence est destructrice. Il est certain que nous ne pouvons plus aujourd'hui concevoir une charité chrétienne qui se réduirait à une aide individuelle entre voisins, qui ne songerait pas à un aménagement de la société, qui soit à l'échelle du monde et qui ne travaillerait pas avec des outils sociaux, en sachant ce qu'elle veut et d'une manière résolue. Mais cela ne peut réussir en fin de compte que dans un effort mobilisant le monde entier, et porté par un désintéressement absolu qui accepte de se sacrifier pour vaincre ce chaos. Seule une révolution déclenchée par l'amour, qui serait un martyre inspiré par l'amour, serait capable de faire avancer le développement de l'humanité, à condition qu'on accepte d'y sacrifier sa vie. Mais où donc peut-on découvrir — ou tout au moins espérer la naissance — de telles forces, assez nombreuses et assez intenses pour faire face à la situation?

De cet aperçu sur les divergences de l'évolution et les contradictions de la vie sociale, il ressort que celles-ci semblent diamétralement opposées à l' « image évolutive du Christ » : on ne peut pas considérer le Christ comme le principe et le point de convergence de l'évolution et du développement de l'humanité, car l'évolution et le développement de l'humanité semblent diverger et non pas converger. Cependant il est également certain que nous ne voyons pas le « Christ évolutif » dans la bonne perspective si nous le considérons comme un principe ne rencontrant aucune opposition, ou même comme le produit d'une évolution convergente, partant d'en bas. Il nous faut tenter un nouveau démarrage et prendre une piste dont le point de départ se situe résolument en haut, dans l'au-delà.

Il semble en outre que l'homme d'aujourd'hui ne se sent pas en sécurité en la compagnie de ce « Christ évolutif », ni suffisamment adopté tel qu'il est : avec sa peur face au monde et son inquiétude pour l'avenir. Il ne peut pas du fond de sa détresse invoquer le « Christ cosmique » ni le prier, du fait surtout que celui-ci est davantage le principe de l'évolution et sa forme finale qu'un « sauveur » personnel [17]. La deuxième loi que nous avons rencontrée ci-dessus dans la « rétrospective » ne joue pas très bien ici : le Christ ici confirme l'homme en tant que *homo faber*, c'est-à-dire dans sa volonté de façonner le monde, dans sa force et son optimisme face à l'avenir; mais il ne l'aide pas dans sa peur abyssale ni dans la misère qui l'oppresse. Ainsi l'image du Christ évolutif ne pourra pas donner davantage qu'une vague représentation de l'horizon vers lequel on marche. Mais on peut sortir de l'impasse lorsque l'on découvre qu'il y a une autre expérience du Christ : l'expérience du « Christ pro-existant », comme le centre de tout. En définitive — nous aurons l'occasion de le voir encore — c'est bien l'engagement de Dieu dans l'engagement du Christ, qui est le principe de l'évolution [18]; et à partir de là, nous avons la « pro-existence » qui est comme l'essence et l' « âme » du « Christ évolutif [19] ».

17. I. F. GÖRRES, *Winter* (cf. n. 1) p. 24 s. : « Les idées de Teilhard font d'abord l'effet d'une jonglerie intellectuelle; mais peut-être ferons-nous là aussi l'expérience de communautés nouvelles d'un type surprenant »; il y a peu de chance que cette attente se réalise, pour la raison indiquée ci-dessus.

18. Cf. R. STALDER, « Die Christuserfahrung des Ignatius von Loyola », dans : IKZ 3 (1973), pp. 239-250, spéc. p. 243 : « Au fondement le plus profond de l'être règne le Christ en tant que nourriture du monde, c'est-à-dire en tant que vie divino-humaine livrée aux hommes. » « Le Christ est... la source de vie universelle, mais de telle sorte que nonobstant son universalité, il communique à chacun ce qui lui revient. Il est l' ' universel concret ' (Balthasar). L'expérience ignatienne du Christ se présente de telle sorte que le Christ, par sa présence, constitue l'avenir absolument accompli de chaque homme aussi bien que de tout le genre humain » (*ibid.*, p. 247 s.).

19, Kl. REINHARDT, *Einzigartigkeit* (cf. n. 8), pp. 206-224. Reinhardt trouve « dans les ébauches christologiques récentes... trois points de départ principalement, à partir desquels la théologie actuelle cherche un accès à la compréhension de Jésus : l'expérience de l'existence humaine, l'expérience du monde dans son développement universel et l'expérience de l'histoire (cf. K. RAHNER, « Auf der Suche nach Zugängen zum Verständnis des gott-menschlichen Geheim-

B) Le Christ pro-existant comme principe de la société et de l'évolution cosmique

L'homme de l'avenir aurait besoin non seulement d'une intelligence surhumaine et de moyens sociaux à l'échelle du monde, mais encore et surtout d'une force morale inimaginable et d'une abnégation exceptionnelle, pour maîtriser tous ces dangers qui fondent sur lui. Dans cette situation difficile, il lèvera les yeux vers celui qui a été le seul à vivre une existence totalement donnée aux autres : Jésus-Christ. Nous voudrions dès maintenant formuler la thèse qui sera développée dans les pages suivantes : les forces qui seraient capables de faire converger l'évolution et l'avenir de l'humanité sont concentrées dans le « Christ pro-existant », en qui nous rencontrons Dieu-pour-le-monde. Dans l'engagement de Jésus, c'est Dieu qui s'engage et va chercher le monde pour le prendre avec lui — non sans notre concours d'ailleurs. Le Christ pro-existant, c'est là sûrement une intuition d'abord ou une idée théologique, davantage qu'une image; mais cette intuition ouvre des perspectives. Nous voulons en premier lieu présenter sous forme d'esquisse l' « image » du Christ pro-existant (1.); nous l'interpréterons ensuite, à partir de son arrière-plan trinitaire (2.) et en montrant son retentissement spirituel (3.).

1. *La pro-existence de Jésus*

Ce qui est au premier plan de notre recherche, ce n'est pas

nisses Jesu », dans *Schriften zur Theologie* X, Einsiedeln, 1972, pp. 209-214); cf. aussi A. SCHILSON-W. KASPER, *Christologie* (cf. n. 4) : « La responsabilité universelle de la foi » comme perspective commune de la christologie actuelle (pp. 25-30), « christologie à l'échelle des problèmes du monde » (pp. 71-74); voir spéc. W. KASPER, *ibid.*, pp. 139-146. — Dans le présent essai nous voudrions embrasser dans un même regard l'aspect existentiel, social et cosmique et alors nos affirmations centrales pourront bien sûr être différentes de celles qui essaient de scruter l'horizon. Malgré toutes les ébauches christologiques actuelles qui s'engagent sur des voies étroites — existentiale, personnaliste et transcendantale — on ne peut pas renoncer à centrer la christologie sur la question du salut, qui concerne chaque individu.

l' « essence » du Christ, mais son existence; celle-ci toutefois, en tant qu'elle est pro-existence, nous apparaîtra comme étant son « essence » (*a*). D'autre part, nous comprenons ici la christologie selon ce qu'elle est foncièrement, c'est-à-dire une sotériologie; mais nous tiendrons compte aussi de ses répercussions au plan de la sociologie et de l'évolution (*b*).

a) Dès le point de départ, il faut présenter cette pro-existence de Jésus dans ses dimensions verticale et horizontale; et à cet égard, une théologie « narrative »[20] (J. B. Metz) pourra davantage au plan performatif qu'une théologie systématique qui vise à la compréhension. Jésus a été l' « homme pour les autres »[21] parce que et du fait même qu'il a vécu pour le « tout Autre ». Mais cela n'est compréhensible que si *dans l'amour de Jésus, c'est l'amour de Dieu* qui est apparu parmi nous, si dans la pro-existence de Jésus, c'est l'Emmanuel (« Dieu avec nous ») que nous rencontrons.

1° Les évangiles nous présentent Jésus comme celui qui s'est engagé au service des pauvres et des pécheurs, qui leur a offert le salut et a maintenu cette offre jusqu'à la mort : « Ceci est mon corps, qui est pour vous » — « la nouvelle alliance en mon sang » (I Co 11,25)[22]. Jésus est l' « homme pour les autres » qui, en tant que « *Christus traditus* »[23], livré « *pro vobis* » (Lc 22,19 s.) et « pour la multitude » (Mc 14,24), s'est transcendé lui-même en se donnant jusqu'à l'extrême.

Face à un certain ' jésuanisme ' à la mode et bon marché, il faut insister : ce dépassement de soi-même, dans une attitude de vraie abnégation au service du prochain, n'est possible d'un point de vue anthropologique que parce qu'elle est la répercussion et la conséquence d'un dépassement de soi-même dans une attitude de désaisissement total de soi au service de

20. Sur ce point voir *supra* p. 13, n. 6.

21. Lorsque nous parlons ici de pro-existence, nous n'entendons pas ce terme au sens du *Pro nobis* de D. Bonhoeffer dans ses premiers écrits, mais au sens du « *Pro aliis* » de ses écrits ultérieurs; cf. E. FEIL, *Die Theologie Dietrich Bonhoeffers. Hermeneutik — Christologie — Weltverständnis,* Munich — Mayence, [2]1971, pp. 209-213.

22. Cf. *supra* pp. 83-116 : La survie de la cause de Jésus dans le Repas du Seigneur après Pâques.

23. L'expression est empruntée au titre de l'ouvrage de W. POPKES, *Christus traditus* (cf. *supra* p. 18 n. 24).

Dieu[24]. C'est d'abord vers le « tout Autre » que Jésus oriente sa vie; il est mort dans une attitude d'obéissance et de don total de soi à Dieu, avant de mourir pour les hommes[25].

2° Plus profondément encore : seul un homme, que Dieu a déraciné et arraché du terreau de son propre moi, peut être « livré » d'une manière si radicale pour le salut du monde. La pro-existence de Jésus, son engagement total au service de Dieu et au service des hommes, ne peut être comprise que si l'on y découvre l'engagement de Dieu lui-même. — « Peut-on dire, demande Klaus Reinhardt[26], que Jésus, par l'acceptation volontaire de sa mort volontaire, a donné la preuve la plus grande de son amour pour les hommes et de son obéissance à Dieu? Peut-on vraiment comprendre cet amour en y voyant l'expression suprême de l'amour humain, ou alors, n'est-ce pas bien plutôt l'amour de Dieu qui apparaît ici, amour dont la mesure n'est pas en ce monde mais dans un partenaire divin sur lequel il se porte de toute éternité? » La pro-existence de Jésus représente la pro-existence de Dieu. En reprenant les termes de Walter Kasper, nous dirons : ce qui « est caractéristique du Jésus de l'histoire, c'est qu'il ne sépare jamais sa personne de sa cause. Dans sa venue, c'est le règne de Dieu lui-même qui vient. Il est donc sa cause en personne. Personne et cause se recouvrent chez lui parfaitement. Cela toutefois ne vaut pas seulement pour ce qu'il revendique, mais tout autant pour son comportement. Par son obéissance et par le don de lui-même, il est totalement un « espace d'accueil » (« Hohl-

24. C'est ce que souligne à très juste titre R. Schäfer, *Jesus und der Gottesglaube*, Tübingen, 1970. Cf. aussi H. Braun, *Spätjüdisch-häretischer und frühchristlicher Radikalismus* I-II, Tübingen, [2]1958; W. Kasper, « Wer ist Jesus Christus für uns heute? Zur gegenwärtigen Diskussion um die Gottessohnschaft Jesu », dans ThQ 154 (1974), pp. 203-222, ici p. 219 : « L'attitude obéissante de Jésus à l'égard de son Père... est la *réponse* à l'attitude bienveillante de Dieu à son égard. Ainsi Jésus s'origine en Dieu d'une manière totale et radicale et par là même et du plus profond de son être il se donne à Dieu. Dans tout ce qu'il est, il se reçoit d'un autre. Dans toutes les dimensions de son existence, et donc dès le tout premier commencement aussi, il est totalement et absolument fruit de l'amour de Dieu se communiquant lui-même. Il n'est rien en dehors de cette communication que Dieu fait de lui-même dans l'amour. »

25. C'est dans ce comportement transcendant qu'on peut voir en Jésus le sommet de tout l'humain; cf. spéc. K. Rahner dans les travaux mentionnés *supra* n. 15.

26. Kl. Reinhardt, *Einzigartigkeit* (cf. n° 8), p. 214.

raum ») pour Dieu et son amour; c'est dans sa liberté humaine précisément, qu'il révèle (et qu'il est) la manière dont Dieu existe pour les autres (cf. K. Barth, H. Urs v. Balthasar, J. Ratzinger, W. Pannenberg et d'autres). Pendant sa vie terrestre déjà, il est donc implicitement non seulement l'annonciateur, mais aussi celui qui est annoncé... Cette identité entre la personne et la cause de Jésus représente vraiment le *proprium christianum.* Il faut donc bien voir que « l'ouverture (Hinwendung) sans réserve de Jésus à Dieu présuppose... l'ouverture de Dieu au monde et la communication qu'il fait de lui-même. Le dogme ultérieur de l'Incarnation, de la venue de Dieu dans notre histoire, est donc le résumé précis de cette histoire de Jésus, de sa vie, de sa mort et de sa résurrection [27] ».

Nous avons vu ci-dessus que le monde contingent ne peut subsister que par une affirmation de lui-même constante et que — à tous ses niveaux et d'une manière d'autant plus forte qu'on est à un niveau plus élevé — il reste centré sur lui-même dans une attitude « égoïste »; en Jésus de Nazareth, au contraire, il nous semble rencontrer un homme qui, au lieu de ce cœur humain centré sur lui-même, a un « espace libre » (« Hohlraum ») : un espace libre d'où se répand à flots un amour sans réserve et sans exigence de réciprocité, pour Dieu et pour le prochain; mais il en est ainsi parce que, à travers cet « espace libre », c'est l'amour de Dieu qui se répand dans le monde. Jésus est donc l'homme vraiment « libre », libéré de lui-même et de tout ce qui entrave son existence. Ainsi est-il la manière dont Dieu existe pour l'humanité et pour le cosmos. C'est uniquement parce que Dieu a « fait irruption » en Jésus, parce qu'il est devenu présent en lui au prix d'un « abaissement » (« Abstieg ») étonnant et parce qu'il habite en lui dans l'amour, que dans la pro-existence de Jésus il y a la pro-existence de Dieu pour les hommes, et que dans l'engagement de Jésus nous rencontrons l'engagement de Dieu.

Il est évident que l'image de Jésus que nous venons de présenter n'est même pas une esquisse à grands traits. Il faut nous en tenir à ces quelques indications. Mais il est permis de dire au moins ceci : c'est bien cette « image du Jésus pro-

27. W. Kasper, « Die Sache Jesu, Rechte und Grenzen eines Interpretationsversuches », dans HerKorr 26 (1972), pp. 185-189, ici p. 188; Id., *Christologie* (cf. n. 4).

existant » qui attire de larges cerclès dans un élan plein de ferveur, même s'ils y opèrent des déplacements d'accent considérables; on la trouve aussi bien chez les « jésuanistes » engagés que chez les représentants du « Jesus-people », davantage tournés vers le monde intérieur [28]. On la trouve également dans des travaux de théologie systématique : chez K. Barth [29], D. Bonhoeffer [30], W. Pannenberg [31], pour l'Église évangélique; chez H. Urs von Balthasar [32], J. Ratzinger et K. Rahner [33], pour l'Église catholique. Mais il est nécessaire de marquer les traits « christologiques » (auxquels nous avons déjà fait allusion) de cette image de Jésus et de la comprendre à partir de l'horizon trinitaire (cf. *infra* pp. 170 ss.).

b) Un regard sur le Jésus pro-existant, sur le Jésus de l'engagement, peut nous apprendre ce que devrait être — et où chercher — le *pouvoir social* qui, animé d'un amour vraiment désintéressé, serait capable de transformer la société humaine avec ses antinomies, en créant un type de communauté vraiment social. Il apparaît immédiatement que Jésus, par son existence totalement au service des autres, par son engagement ouvert sur la transcendance et dans lequel s'exprime l'engagement de Dieu, pourrait être cette force que notre monde appelle.

1° A vrai dire, le modèle moral que représente Jésus par sa

28. Cf. *supra* p. 15, notes 12 et 13.

29. Cf. spéc. H. U. v. BALTHASAR, *Karl Barth. Darstellung und Deutung seiner Theologie*, Cologne, ²1962, pp. 210-259; cf. aussi — en le comparant spéc. avec F. Gogarten, W. Marxsen et W. Pannenberg — B. KLAPPERT, *Die Auferweckung des Gekreuzigten. Der Ansatz der Christologie Karl Barths im Zusammenhang der Christologie der Gegenwart,* Neukirchen-Fluyn, 1971; cf. la bibliogr. dans A. SCHILSON-W. KASPER, *Christologie* (cf. n. 4) p. 156 (indication des travaux les plus importants).

30. Cf. D. BONHOEFFER (édit. E. BETHGE), *Widerstand und Ergebung* (édit. augm., Munich 1970 et Berlin 1972), spéc. l' « ébauche d'une étude » du 3-8-1944 sur l' « existence pour les autres » de Jésus comme expérience de la transcendance (= Tr. *Résistance et soumission,* Genève, Labor et Fides, 1967, pp. 178-182); voir aussi l'exposé systématique de la Christologie de D. Bonhoeffer par E. FEIL, *Theologie* (cf. n. 20), pp. 137-220, spéc. pp. 209-213.

31. Sur la christologie de W. Pannenberg, cf. A. SCHILSON dans : A. SCHILSON-W. KASPER, *Christologie* (cf. n. 4), pp. 90-100 (*bibliogr. p. 159 s.*).

32. Sur H. Urs v. BALTHASAR, voir l'exposé de A. SCHILSON dans A. SCHILSON-W. KASPER, *Christologie* (cf. n. 4), pp. 63-70 (travaux de Urs v. BALTHASAR, *ibid.*, p. 157; cf. aussi *infra* nn. 41, 42, 56, 65).

33. Sur K. RAHNER, cf. *supra* n. 15.

vie pro-existante ne suffirait pas pour réaliser l'unité de l'humanité, qui est le but de toute l'évolution voulue par Dieu; il faudait que la force du Jésus pro-existant et la puissance de son engagement saisissent le cœur des hommes et le transforment; par là même s'opérerait une refonte des institutions sociales qui aboutirait au « socialisme », mais un socialisme qui serait alors non seulement « humain », mais encore « pneumatique ».

Toutefois, comme nous l'avons déjà fait remarquer, il faut que nous restions réalistes; l'égoïsme est implanté si profondément dans le cœur de l'homme et il exerce une telle influence sur l'ensemble de son comportement et de ses institutions, que aimer dans l'abnégation c'est pratiquement mourir : il n'y a de pro-existence véritable, d'engagement où l'on se dépasse soi-même, que là où l'on accepte de passer par sa propre mort. Aussi bien est-ce dans sa mort pour les autres que Jésus a donné à son engagement son expression en fin de compte la plus parfaite. Mais par là-même, il est maintenant possible que naisse un type de société, qui soit animé par l'Esprit, par la force du Ressuscité. Ce type de société, c'est le peuple de Dieu eschatologique auquel a été donné l'Esprit Saint, c'est l'Église. Celle-ci doit être une « fraternité » portée par l'amour et par l'Esprit du Christ (cf. 1. Pierre 2,17). Mais en tant que fraternité, l'Église est, « dans le Christ, en quelque sorte le sacrement, c'est-à-dire à la fois le signe et le moyen de l'union la plus intime avec Dieu et de l'unité de tout le genre humain » (Vatican II, *Lumen Gentium,* 1; cf. *Gaudium et Spes,* 42,3). « Car l'énergie que l'Église est capable d'insuffler à la société moderne se trouve dans cette foi et dans cette charité effectivement vécues... » (*Gaudium et Spes,* 42,3). Il est évident que, si l'Église doit apparaître comme un « signe » pour le monde en quête d'unité et de fraternité [34], il faudrait que la création d'une vie ecclésiale de caractère fraternel devienne l'objectif nouveau, à poursuivre avec un grand élan et beaucoup d'assiduité.

2° Nous devons rester réalistes en un sens beaucoup plus profond encore. Mais, tout bien considéré, il n'y a rien de plus réel que les « vraies utopies » (« Realutopien ») qui anticipent l'avenir et prennent ainsi une grande importance dans l'amé-

34. Cf. H. Schürmann, « Kirche als offenes System », dans I.K.Z. 1 (1972), pp. 306-323.

nagement de la société. C'est ainsi que, pour nous chrétiens, l'humanité unie, rassemblée dans le Christ par l'Esprit, représente une « vraie utopie ». Toutefois, cette humanité unie ne se construit finalement qu'au-delà de la mort (comme « communauté des saints »), lorsque cette mort est portée par la puissance de l'engagement transcendant de Jésus, c'est-à-dire par sa grâce. Ainsi grandit au-delà des frontières de la mort une réalité tout imprégnée du Christ : l'humanité unie dans l'amour purifiant et béatifiant de Dieu. C'est cette humanité en fin de compte qui est le but de l'évolution voulue par Dieu, le nouveau monde de Dieu, le monde de la vie éternelle par-delà la ruine et la mort. Le « Christ pro-existant » devient ainsi identique au Christ « social » et « cosmique », car le premier est l'âme du second. Le « Christ pro-existant » est le principe de l'évolution, tandis que le Christ « social » et « cosmique » en est le point de convergence.

2. *Le fondement trinitaire de la pro-existence de Jésus.*

Nous avons vu ci-dessus que dans l'engagement de Jésus, c'est Dieu qui s'engage et va chercher le monde pour le prendre avec lui. Dans la mort de Jésus, il y a la « mort de Dieu », et dans la pro-existence de Jésus, nous rencontrons le « Dieu avec nous ». Dans le comportement et le destin de Jésus, spécialement dans sa mort (et sa résurrection), Dieu se révèle à nous, dans l'économie du salut, comme un Dieu-Trinité.

Mais si c'est Dieu lui-même qui se révèle dans la vie et dans la mort de Jésus (et dans sa résurrection), une question se pose : quel est ce Dieu qui, en Jésus, se révèle à nous dans une attitude à ce point pro-existante et com-patissante, et comment est-il en lui-même? Si c'est Dieu que l'on découvre dans la mort de Jésus, il doit être conçu de telle sorte que l'on puisse le penser en relation avec, d'une part, la souffrance du monde (*b*) (qui apparaît tout spécialement dans la mort de Jésus où elle atteint son degré suprême) et, d'autre part, avec cette mort de Jésus (et avec sa résurrection) (*a*).

a) En ce qui concerne ce premier point, il faut ne jamais perdre de vue que la méthode qui consiste à aller de Jésus à

Dieu est finalement insuffisante; tout bien considéré, *Jésus n'est compréhensible qu'à partir de Dieu*[35]. Qu'il y ait là un cercle, soit! Mais lorsque la théologie se réduit à la christologie, la christologie se réduit au « jésuanisme ».

1° « Dieu est amour » (1 Jn 4,8) et c'est pourquoi il est tellement libre qu'il peut se donner par amour et même, selon le dynamisme de l'amour, se « sacrifier » (« aufgeben ») lui-même. « C'est par l'amour que la foi chrétienne définit le sens de l'être... Cela représente, par rapport à l'ensemble de la métaphysique antique, un renversement tel qu'il n'est pas possible d'en imaginer de plus radical. Maintenant, ce n'est plus la substance établie en elle-même et existant en soi qui est la réalité suprême, comme c'est le cas chez Aristote, mais ce qui, selon ce même philosophe, est la réalité la moins consistante, à savoir la relation, l'être-pour-les-autres, l'amour qui se donne lui-même [36]. » Cet amour de Dieu com-patissant

35. Sur ce point cf. Kl. REINHARDT, *Einzigartigkeit* (cf. n. 8) p. 223 : « Cette prise de conscience a donné naissance aujourd'hui, parallèlement à une nouvelle christologie ' à partir d'en bas ', à une nouvelle christologie ' à partir d'en haut ' qui prend son point de départ dans une réflexion sur Dieu et veut montrer que Dieu est si dynamique et si vivant qu'il peut vraiment se faire homme, souffrir et mourir, sans pour autant renoncer à être Dieu. » On trouvera un aperçu sur ces essais de K. Rahner, H. U. v. Balthasar, K. Barth, E. Jüngel, dans H. KÜNG notamment : *Menschwerdung Gottes,* Fribourg en Br., 1970, pp. 647-670, cf. aussi pp. 522-577... 622-631, 631-646 (Tr. *Incarnation de Dieu,* Paris-Bruxelles, DDB, 1973). Voir encore Ph. KAISER, *Die gottmenschliche Einigung in Christus als Problem der spekulativen Theologie seit der Scholastik,* Munich, 1968, pp. 264-290, 320-346; J. MOLTMANN, *Der gekreuzigte Gott,* Munich, 1972, (Tr. *Le Dieu crucifié,* « Cogitatio Fidei » 80, Paris, Éd. du Cerf, 1974).

36. Cf. W. KASPER, *Einmaligkeit* (cf. n. 8), p. 10 s.; ID., *Jesus Christus heute* (cf. n. 24), p. 217 : « Proclamer que Dieu est amour, c'est-à-dire que l'amour est le sens ultime de toute réalité... Cette conception de la réalité apportée par le christianisme représente une révolution telle qu'il est difficile d'en imaginer une plus grande. La perfection suprême maintenant n'est plus, comme dans la métaphysique grecque, celle de la substance qui se tient en elle-même et se suffit à elle-même, mais l'être pour les autres et avec les autres. Il s'ensuit une révolution dans la manière de comprendre Dieu : Dieu n'est plus le moteur immobile, mais bien plutôt Celui qui par nature est vie et amour et qui, dès lors, peut être aussi le Dieu des hommes et le Dieu de l'histoire. La notion de préexistence exprime d'une manière quelque peu maladroite la dimension temporelle; cette notion n'a rien de suspect en perspective biblique et, au point de vue théologique, elle se révèle adéquate. Elle fait donc ressortir à sa manière que l' ' être de Dieu ', est ' en devenir ' (E. Jüngel), que Dieu est le Dieu de l'histoire, le ' Dieu avec nous ', le Dieu qui non seulement a de la compassion pour ceux qui souffrent, mais qui partage lui-même leur souffrance. »

brille à jamais dans le comportement du Fils de Dieu, dans son *incarnation et sur la croix*[36a]. Pour reprendre les termes du théologien japonais Kazoh Kitamori : « La souffrance de Dieu : tel est l'arrière-plan le plus profond sur lequel se détache le Jésus de l'histoire. Si l'on ne tient pas compte de cet arrière-plan, tout ce que l'on peut enseigner sur Jésus manque totalement de profondeur[37]. » Cependant il faut comprendre son existence terrestre pré-pascale avec assez de profondeur : « La *venue* de Dieu dans notre monde signifie déjà sa mort. Ce n'est pas seulement l'heure de sa mort qui, pour Jésus, représente la souffrance de Dieu, mais déjà sa naissance[38]. » Dès lors, « notre tâche consiste à saisir la profondeur de l'amour du Christ en tant qu'il est souffrance de Dieu. C'est cette compréhension précisément qui est le vrai savoir, la sagesse, en même temps qu'elle témoigne d'une théologie qui est au service de la gloire de Dieu[39] ». Dieu, en tant qu'amour, est tellement don qu'il est capable de se « vider » de lui-même et de s' « abaisser » (« herabsteigen »)[40] (cf. Ph 2,6 ss.) jusqu'à l'incarnation, bien plus : jusque dans la mort, jusque dans l'enfer de notre péché où le Père « livre » son Fils à l'abandon de Dieu, tandis que le Fils, du sein même de cet abandon, se « donne » au Père.

En Ph 2,11 il s'agit, « du moins en arrière-plan, du tournant absolument décisif dans la manière de voir Dieu. Celui-ci n'est pas

36a Cf. W. KASPER, « Unsere Gottesbeziehung angesichts der sich wandelnden Gottesvorstellung » (1966), dans : *Glaube und Geschichte,* Mayence, 1970, pp. 101-119, spéc. 106-112 : « C'est sur la croix seulement que se révèle à nous l'être de Dieu en ses racines profondes, à savoir : cette liberté absolue, sans frontières, liberté jusqu'au dépouillement de soi-même pour devenir le contraire de ce que Dieu semble être, liberté jusque dans la mort. Dieu signifie liberté, liberté qui encore une fois embrasse la mort elle-même, la rend possible et par là même en délivre » (*ibid.*, p. 114).

37. K. KITAMORI, *Theologie des Schmerzes Gottes,* édit. japonaise 1943, [5]1958, Tr. all., Göttingen, 1972, p. 32. Cf. l'appréciation critique de cette étude par H. S. TAKAYANAGI, « Christologie in der japanischen Theologie der Gegenwart », dans : *Theol. Berichte* II (cf. n. 8), pp. 121-133.

38. *Ibid.*, p. 40.

39. *Ibid.*, p. 36.

40. La théologie du judaïsme tardif déjà a connu cet abaissement de Dieu et elle l'a médité, cf. P. KUHN, *Gottes Selbsterniedrigung in der Theologie der Rabbinen* (StANT 17), Münich, 1968; à la source de cette réflexion, il y a ces deux notions de l'Ancien Testament, que sont la création et l'histoire du salut.

d'abord ' puissance absolue ', mais ' amour ' absolu, et sa souveraineté se manifeste non dans le fait de retenir ce qui lui est propre, mais dans le fait de l'abandonner, de telle sorte que cette souveraineté se déploie au-delà de toute opposition, intérieure au monde, entre la puissance et l'impuissance. L'extériorisation de Dieu (dans l'incarnation) a sa condition de possibilité ontique dans l'éternelle extériorisation de Dieu, dans son don tripersonnel ». Le pré-supposé de cette compréhension est un concept précis de la personne : à partir de ce don, « la personne créée, elle aussi, ne doit plus être définie comme subsistance en soi, mais plus profondément (s'il est vrai qu'elle est créée à l'image et à la ressemblance de Dieu) comme retour à soi (*reflexio completa*) à partir de l'extériorité à soi-même et ' comme sortie hors de soi en tant qu'intériorité se donnant et s'exprimant ' [41] ». Des phrases comme celles-ci ont assurément besoin d'être étayées [42].

41. Cf. H. URS V. BALTHASAR, *Theologie der drei Tage,* Einsiedeln, 1969, p. 23 (= « Mysterium Paschale », dans *Mysterium salutis. Grundriss heilsgeschichtlicher Dogmatik,* édit. par J. Feiner et M. Löhrer, III/2, Einsiedeln, 1969, pp. 133-362) (= Tr. *Le mystère pascal,* dans *Mysterium salutis. Dogmatique de l'histoire du salut,* t. 12, Paris, Ed. du Cerf, 1972, pp. 13-275, p. 32. — H. MÜHLEN, *Die Veränderlichkeit Gottes als Horizont einer zukünftigen Christologie,* Münster, 1969, p. 31 ; dans un langage plus adapté à la notion traditionnelle de personne, H. M. écrit : « Le *einai* de Dieu, l'essence de son être, est le don de ce qui lui est le plus personnel (Eigensten). Ce don, il est vrai, se manifeste de deux manières totalement différentes, bien qu'il y ait égalité formelle de part et d'autre : la Sainte Écriture ne dit pas du Père qu'il se donne lui-même ou qu'il se livre; elle ne le dit que du Fils. A qui, en effet, le Père devrait-il se donner? Serait-ce au Fils ou bien à l'Esprit? L'absurdité d'une telle question montre que rien ne doit être changé dans le déroulement de l'économie du salut, tel que nous le présente la *paradosis;* que le Père donc, qui n'a pas d'origine, est l'origine au-delà de laquelle il n'est pas possible de remonter, du don divin, tandis que le Fils est justement celui qui se donne lui-même. » — Sur la « variabilité », le « devenir » et la « souffrance » de Dieu cf. J. MOLTMANN, *Gesichtspunkte* (cf. *infra,* n. 49), p. 346, nn. 1 et 2 (avec bibliogr.); H. SCHÜTZEICHEL, *Todesschrei,* (cf. n. 8) pp. 15 s (avec d'autres indications bibliogr. à la n. 68); E. SCHWEIZER, «Wer ist Christus? » dans ThLZ 99 (1974), pp. 722-731.

42. Cf. H. URS V. BALTHASAR, *Theologie* (Cf. n. 41), p. 24 : « Les concepts ' pauvreté ' et ' richesse ' deviennent dialectiques, ce qui d'ailleurs ne signifie pas que l'essence de Dieu soit en elle-même (univoquement) ' kénotique ', et donc qu'un même concept puisse englober le fondement divin de la possibilité de la kénose et la kénose elle-même. C'est ici que se situent bien des erreurs des théoriciens de la kénose. Mais — comme Hilaire cherchait à le montrer à sa manière — la « puissance » divine est ainsi constituée qu'elle peut ménager en elle la possibilité d'une extériorisation de soi, comme celles que représentent l'incarnation et la croix, et réaliser cette extériorisation jusqu'à l'extrême. »

Livré à l'abandon de Dieu (Mc 15,34 [43]), Jésus boit jusqu'à la lie « la perte de Dieu », le « ' manque ' de Dieu »; mais il y a davantage : en lui se réalise aussi la « mort de Dieu » dans la *kenosis* et la *tapeinosis* de l'amour de Dieu. L'incarnation et la mort de Jésus sont « les gestes extrêmes de Dieu »; ils nous montrent que « Dieu... porté par un amour gratuit... va à l'opposé de lui-même en allant à la rencontre de sa créature et en prenant sur lui son péché, son égarement et, par là même, cet abandon dans lequel Dieu la laissait... Dieu peut être mort sans cesser pour autant d'être la vie éternelle [44] ».

En fin de compte, la pro-existence de Jésus ne peut donc être rendue intelligible qu'à partir de la « mort de Dieu ». Celle-ci, bien sûr, ne doit pas être comprise à partir de la « théologie de la mort de Dieu » à la mode, qui n'est d'ailleurs pas unifiée [45]. Quoi qu'il en soit, la mort de Jésus atteint Dieu lui-même, car en définitive c'est à partir de la parole de Jean que l'amour doit être pensé : « Dieu a tant aimé le monde qu'il

43. Sur le cri poussé par Jésus en mourant cf. la bibliogr. dans J. GNILKA, « Mein Gott, mein Gott, warum hast du mich verlassen? » (Mc 15,34 par.), dans : BZ 3 (1959), pp. 294-297; dans H. SCHÜTZEICHEL, *Todesschrei* (cf. n. 8) p. 1, n. 1 et souvent.

44. H. URS v. BALTHASAR, *Klarstellungen,* Fribourg en Br., 1971, p. 45 (= Tr. *Points de repère. Pour le discernement des esprits,* Paris, Fayard, 1973) et, d'une manière plus détaillée, dans *Theologie* (cf. n. 41) pp. 19-23 : exposé sur l'histoire du kénotisme; voir aussi, sur le même thème, les développements (avec bibliogr.) de H. KÜNG, *Menschwerdung Gottes* (cf. n. 35), et de J. MOLTMANN, *Der gekreuzigte Gott* (cf. n. 35), spéc. pp. 184-267 (trad. pp. 225-324); J. M. dépend manifestement de H. URS V. BALTHASAR; mais il présente la pensée de ce dernier d'une manière unilatérale, influencé qu'il est par l'orthodoxie luthérienne; cf. *infra* n. 49.

45. Cf. l'exposé de J. BISHOP, *Les théologiens de la « mort de Dieu »*, Édit. du Cerf, 1967; E. JÜNGEL, « Vom Tod des lebendigen Gottes. Ein Plakat » (1968), dans ID., *Unterwegs zur Sache,* Munich, 1972, pp. 105-125; O. HEIDINGER, *Gottes Tod und Hegels Auferstehung,* Berlin-Hambourg, 1969. Dans une perspective historique, cf. H. KÜNG, *Menschwerdung Gottes* (cf. n. 35), spéc. pp. 207-222, 622-670, et les remarques critiques de J. MOLTMANN, *Der gekreuzigte Gott* (cf. n. 35), spéc. pp. 184-192. Voir aussi le point de vue plus fondé de K. RAHNER, « Der Tod Jesu als Tod Gottes », dans *Sacramentum Mundi* II (1968) pp. 951-952 : « La mort de Jésus fait partie de *l'expression* que Dieu donne *de lui-même* » (*Selbstaussage*). Autres données bibliogr. dans H. SCHÜTZEICHEL, *Todesschrei* (cf. n. 8) p. 2 n. 6, et R. PESCH : p. 32 n. 1 de l'ouvrage cité *supra* p. 80 n. 174. — O. BAYER, « Tod Gottes und Herrenmahl », dans le ZThK 70 (1973) pp. 346-363; avec Martin Luther et le NT, O. B. estime que le *Sitz im Leben* du discours primitif — et légitime — sur la « Mort de Dieu », est le Repas du Seigneur.

a donné son Fils unique » (Jn 3,16). Et on peut dire à la lumière de Rm 8,32 : « S'il n'a pas épargné son bien le plus personnel, son Fils, alors cette manière de ne pas s'épargner vaut pour le Père lui-même [46]. » C'est en ce sens que l'on peut chanter :

Et puisqu'on t'a crucifié, ô Christ
Dieu maintenant est mort.
Kyrie, eleison [47].

2° Au-delà de la « trinité économique » qui se manifeste dans l'événement du salut, il est possible de percevoir la *vie intratrinitaire de Dieu :* « L'extériorisation de Dieu (dans l'incarnation et la mort de Jésus) a sa condition de possibilité ontique dans l'éternelle extériorisation de Dieu, dans son don tripersonnel [48]. » Ainsi la mort de Jésus comme événement de salut n'est compréhensible finalement qu'à partir de l'événement intratrinitaire : comme l'amour de Dieu s'extériorisant lui-même en allant du Père au Fils et inversement. « Le Père... subit la mort du Fils par la douleur de son amour... Puisque la mort du Fils est autre chose que cette douleur du Père, on ne peut pas parler, en un sens théopaschite, de la ' mort de Dieu '... *Le Père* est celui qui abandonne et livre; le Fils est celui qui est abandonné par le Père et il est aussi celui qui se livre lui-même. De cette histoire provient l'*Esprit* de don et d'amour, qui relève les hommes abandonnés [49]. »

46. H. MÜHLEN, *Veränderlichkeit* (cf. n. 41), p. 31.
47. « Hymnus zur Non », dans *Neues Stundengebet 1*, Leipzig, 1971, p. 23.
48. H. URS V BALTHASAR, *Theologie* (cf. n. 41), p. 23; W. KASPER dans A. SCHILSON-W. KASPER, *Christologie* (cf. n. 4), pp. 144 ss., 146-151.
49. J. MOLTMANN, « Der ' gekreuzigte Gott ' », dans *Conc.* 8 (1972), pp. 407-413, ici p. 411 (= édit. fr. Le ' Dieu crucifié ', dans *Conc.* n° 76, pp. 27-37, ici pp. 33-34). Malheureusement, dans le livre signalé *supra* n. 35 et qui porte le même titre, les guillemets sont tombés; on y lit p. 192 : « La mort de Jésus ne peut pas être comprise « comme mort de Dieu », mais seulement comme mort *en* Dieu »; ID., « Gesichtspunkte der Kreuzestheologie heute », dans EvTh 33 (1973), pp. 346-365, ici p. 395 : J. M. pense qu'il est permis de parler « d'un *Patricompassionismus* dans la vie trinitaire ». Voir aussi ID., « Die Verwandlung des Leidens », dans : EvKomm 5 (1972), pp. 713-717. — Remarques critiques sur J. Moltmann dans W. KASPER, « Revolution im Gottesverständnis? », dans : ThQ 153 (1973), pp 8-14; H. KÜNG, « Die Religionen als Frage an die Theologie des Kreuzes », dans : EvTh 33 (1973), pp. 401-423; H. SCHMIED, « Gotteslehre als trinitarische Kreuzestheologie », dans ThdG 16 (1973), pp. 246-251. Cf. la

Ainsi on peut dire avec H. Mühlen[50] : « Dans l'histoire du salut, la nature de l'être de Dieu s'exprime par ' livrer ' ou ' se livrer '. Ici le *einai* divin se montre vraiment comme *agapè*. La structure *trinitaire* de cet événement apparaît nettement en ceci que le Père est celui qui livre son Fils, le Fils celui qui se livre lui-même et l'Esprit est l'*acte* même *de livrer*, strictement identique dans le Père et dans le Fils. »

b) Si vrai soit-il que le don de Dieu fait de lui-même ne peut être pensé, en définitive, que dans le contexte trinitaire et qu'à proprement parler il se manifeste dans la mort et la résurrection de Jésus, il n'en reste pas moins vrai pourtant qu'en un certain sens on en trouve déjà des traces dans la *création* également :

1° Dans la création Dieu assume la responsabilité d'un monde qui est beau certes[51], mais en même temps imparfait, marqué par le malheur, la souffrance et la mort[52]; ce double

réponse de J. Moltmann à W. Kasper : « ' Dialektik, die umschlägt in Identität ' — was ist das? Zu Befürchtungen W. Kaspers », dans ThQ 153 (1973), pp. 346-350.

50. H. MÜHLEN, *Veränderlichkeit* (cf. n. 41), p. 33 s.

51. Cf. K. KITAMORI, *Schmerz* (cf. n. 37), p. 36 : « Les lis des champs et les oiseaux du ciel (Mt 6,25 ss.) symbolisent certainement l'amour de Dieu fondé sur la douleur... C'est à travers la douleur de Dieu qu'est rétabli et que reprend vie l'amour direct de Dieu. » Dès lors, c'est « dans le cadre de l'amour de Dieu fondé sur la douleur » que, selon Kitamori, est connue « la beauté de la nature » en ce qu'elle a de propre, car selon lui « l'amour de Dieu qui surmonte la colère... c'est « la douleur de Dieu ».

52. Cf. E. JÜNGEL, *Tod*, Stuttgard-Berlin, 1971, spéc. pp. 138-144 : La mort et Dieu : « Ce qu'Aristote défendait expressément à l'être de Dieu, à savoir de se laisser mouvoir par un autre, du fait de son amour pour l'autre (et de se laisser mouvoir même jusqu'à en souffrir); ce que l'Ancien Testament excluait tout naturellement du comportement de Dieu, à savoir : qu'il se mette en peine des morts (et à plus forte raison d'aller jusqu'à s'identifier à un mort) : il faut que cela soit affirmé en régime chrétien, si l'on veut réellement parler de *Dieu* et en parler en vérité. » « En *éprouvant* la morsure de cet aiguillon, en *assumant* cette négation dirigée contre lui, Dieu a enlevé à la mort son pouvoir, et c'est par là, d'abord, qu'il s'est manifesté comme Dieu : Dieu est amour pour les hommes et c'est pourquoi il souffre pour eux. L'homme peut souffrir jusqu'à un certain point. Dieu, lui, n'est pas celui qui peut échapper à toute souffrance, mais celui qui peut souffrir *à l'infini* et qui, à cause de son amour, souffre infiniment. *Tel* est le vainqueur de la mort. » — Selon E. J., le Dieu de l'Ancien Testament ne se soucierait pas des morts, cf. là-contre P. STUHLMACHER, « Das Bekenntnis zur Auferweckung Jesu von den Toten und die biblische Theologie », dans ZThK 70 (1973), pp. 365-403.

aspect apparaît particulièrement dans la création d'êtres libres, dans laquelle il supporte des êtres virtuellement rebelles et pécheurs, qui le refusent lui-même et dont, à la fin, il aura à souffrir « dans son propre corps ». Si l'athéisme — qu'il soit tolérant comme dans le Bouddhisme ou militant comme l'athéisme occidental moderne — a une certaine justification philosophique et théologique, celle-ci réside dans la difficulté de concilier l'existence d'un Dieu parfait avec celle de la souffrance et du péché [53]; il n'est assurément pas possible de penser que le Dieu « a-pathique » des Grecs ou le Dieu indifférent et extérieur au monde du déisme soit en même temps lié de quelque façon à la souffrance et au péché [54]. On voit mal comment ce Dieu des philosophes pourrait encore être une étape du cheminement qui, de l'athéisme et de l'indifférence pour Dieu (Gottentfremdung) qui caractérisent notre temps, conduit au « dieu vivant » [55] de la Révélation. Seul le Dieu qui *est l'*amour (trinitaire) peut surmonter l'athéisme, car « il n'y a que l'amour qui soit digne de foi [56] ». Mais le Dieu qui, en 1 Jn 4,8, est conçu comme *l'*amour (et qu'aucune philosophie ne peut d'elle-même concevoir de cette manière), comme le Dieu com-patissant dans l'amour, n'est plus le Dieu « a-pathique » des Grecs et finalement du déisme.

2° Ainsi, à travers la création déjà on peut percevoir des signes de cet amour qui porte Dieu à se dépouiller de lui-même, à s'abaisser et à se risquer dans le néant; amour qui s'accommode de toutes les déviations de la création : la souffrance et le péché, et qui, nous pouvons le pressentir, finira par lui être livré en rançon. A partir de là nous pouvons, non pas sans doute comprendre la loi fondamentale de la création, mais observer — comme un tableau qui lui ferait pendant — que toute montée évolutive doit passer par la mort et qu'à la fin — c'est-à-dire au niveau des êtres personnels — l'amour qui se

53. Cf. L. Kolakowski, *Geist und Ungeist christlicher Traditionen*, Stuttgart, 1971, p. 25 : « Seule (?) la connaissance de la personne de Jésus oblige à concilier ces deux vérités, à savoir : ' que Dieu existe et que nous sommes dans la misère '. »

54. Cf. J. Moltmann, *Der gekreuzigte Gott* (cf. n. 35), spéc. pp. 205-214, 236-243.

35. Cf. R. Guardini déjà, *Vom lebendigen Gott*, Mayence, 51957 (= Tr. *Le Dieu vivant*, Paris-Colmar, Alsatia, 1956).

56. Cf. H. Urs v. Balthasar, *Glaubhaft ist nur Liebe*, Einsiedeln, 1963, (= Tr. *L'amour seul est digne de foi*, Paris, Aubier, 1966).

sacrifie est davantage encore la loi fondamentale de l'évolution. Cela étant, nous pouvons supposer que l'amour, qui porte Dieu à s'abandonner lui-même en la personne du Christ, est l'origine et le but de l'évolution en même temps que sa force motrice, le « *concursus divinus* » qui porte la création, non pas une création statique mais évolutive.

L'engagement de Dieu, réalisé dans l'engagement de Jésus jusqu'à la mort et dans sa résurrection, tel est donc en fin de compte le principe ultime de la création et de l'évolution. C'est de cette manière précisément que le « Christ pro-existant » fait comprendre le « Christ évolutif ».

3. *Une conséquence spirituelle : la vie de foi comme existence pour les autres.*

Dans le bouleversement universel que nous connaissons, une image nouvelle du Christ est née : le Jésus de l'engagement dans lequel nous rencontrons l'engagement de Dieu, le Christ pro-existant dans lequel nous rencontrons le « Dieu-avec-nous ». Cette image du Christ n'est pas seulement un reflet des tendances et des besoins des temps nouveaux; il faut aussi tenir compte du phénomène inverse car les images du Christ, qui ont changé au cours des temps, ont toujours exercé une grande influence sur l'histoire et sur la société. Dès lors il faut maintenant nous demander, en conclusion, quelles répercussions spirituelles et sociales découlent d'une référence au Christ ainsi marquée par l'engagement de Dieu en Jésus. Ici encore, il n'est pas possible de présenter davantage qu'une esquisse et elle sera forcément très hypothétique. A une époque où « Dieu est perdu » (Pascal), la spiritualité et le style de vie des chrétiens aura une dimension contemplative au plan personnel (*a*) et un aspect actif au plan social (*b*).

a) Au point de départ de toute philosophie, il y a l'étonnement. L'étonnement provoqué par l'abaissement de Dieu, qui apparaît dans la croix de Jésus, donne naissance à une nouvelle forme de piété. Qu'il nous soit permis ici de citer une fois encore K. Kitamori [57] : « Nous sommes très troublés par

57. K. KITAMORI, *Schmerz* (cf. n. 37), p. 41.

le fait que le message de la mort du Fils de Dieu en croix ne suscite plus aucun étonnement. Et n'est-ce pas cela justement qui est étonnant au plus haut point?... Il n'y a rien de plus urgent pour l'Église d'aujourd'hui, et pour la théologie, que de retrouver cet étonnement. Pour pouvoir le provoquer de nouveau, toutefois, il faut que l'Évangile soit présenté d'une manière nouvelle [58]. »

Celui que Dieu a touché par son engagement au service de l'amour, celui qui est atteint dans son cœur par cet amour qui porte Dieu à « descendre » et à « se vider de lui-même » — cet amour qui, en la personne du Christ, vient le chercher dans la souffrance et le péché — celui-là accède à un nouveau mode d'existence, il est comme recréé dans l'engagement de Dieu. Et son existence devient d'autant plus nouvelle qu'il a été atteint plus profondément. Les témoins de l'Ancienne Alliance disent souvent : « Qui voit Dieu, meurt. » Les témoins de la Nouvelle Alliance devraient dire : celui qui voit la « mort de Dieu » dans la mort de Jésus devrait en mourir lui aussi. Ou bien, pour reprendre les termes de K. Kitamori [59] : « Les yeux qui ont vu la douleur de Dieu ne devraient-ils pas se figer?... Si l'on n'est pas prêt à affronter la mort, on ne peut pas voir la douleur de Dieu. Cette expression : ' douleur de Dieu ', l'homme doit la prononcer comme s'il ne pouvait le faire qu'une seule fois dans toute sa vie. Celui qui a vu la douleur de Dieu n'a plus l'envie de bavarder sur ce sujet. Si toutefois il lui arrive d'en parler, c'est parce que le désir de témoigner le brûle. Parce que la ' douleur ' est en même temps l' ' amour ', celui qui a vu la douleur de Dieu peut continuer à vivre, sans mourir... »

La consternation (Betroffenheit) provoquée par l'engagement de Jésus jusqu'à la mort se présentera la plupart du temps sous une forme obscure, non imagée. Voici le témoignage personnel de I. F. Görres [60], qui pourrait bien être caractéristique de toute une époque : « Nous parlons toujours d'abord de l'image. En réalité, il s'agit bien pourtant de Lui-même,

58. Sur ce point voir encore K. KITAMORI, *Schmerz* (cf. n. 37) p. 149 : « La théologie de la souffrance n'a pu » — et ne peut ! — « être pratiquée que parce que nous, qui pratiquons cette science, participons à la souffrance de Dieu par notre *propre souffrance*. Notre souffrance nous enlève tout repos. »

59. Cf. K. KITAMORI, *Schmerz* (cf. n. 37), p. 169.

60. I. F. GÖRRES, *Winter* (cf. n. 1), p. 26 s.

de la personne; c'est Lui qui est ' présenté à notre foi ', quelle que soit l'image qu'on s'en fasse... ' se représenter '! — Depuis des dizaines d'années, je ne puis plus me faire de Lui aucune ' image intérieure '; la plupart des images qu'on peut voir me sont insupportables, tant leur non-conformité s'impose à ma conscience d'une manière criante. » Le chrétien d'aujourd'hui, s'il n'a pas encore trouvé le tabernacle discret devant lequel il voudrait s'agenouiller, prie souvent mieux devant un mur nu que devant une image du Christ ou un crucifix. Mais le Christ qui vient à notre rencontre d'une manière existentielle dans la foi est une réalité extraordinaire : « Je sais bien, je vois comment il s'adresse aux hommes à la ronde, les appelle, pose la main sur eux et tout simplement se les associe — exactement, très exactement comme cela se passe dans l'Évangile : ' il appela ceux qu'il voulait '. Et ces hommes sont ensuite liés, mains et pieds liés, aussi fortement que dans le mariage; plus rien d'autre n'existe pour eux que Lui. Ils sont des millions... »

Il n'y a pas seulement l'abandon de Jésus sur la croix où nous rencontrons l'obscurité de Dieu; cette obscurité peut aussi envelopper des époques entières de l'histoire de l'Église; il n'y a pas de doute en tout cas que ce soit là, dans une grande mesure, la situation de l'Église d'aujourd'hui, de nos communautés et de beaucoup de croyants qui vivent dans la nuit des sens et de l'esprit. La situation de l'Église aujourd'hui est semblable à celle qui nous est décrite en 1 R 8,11 s., lorsque Salomon voulut consacrer le Temple nouvellement construit : « A cause de la nuée, les prêtres ne purent pas faire leur service, car la gloire du Seigneur remplissait la Maison. Alors Salomon dit : le Seigneur a déclaré vouloir habiter dans l'obscurité. » Celui qui dans l'obscurité de la foi a été touché par « Jésus abandonné », deviendra par le fait même libre à l'égard de toutes sortes d'idéologies, mais libre également à l'égard des « images du Christ » traditionnelles et des spiritualités « estampillées » (geprägt) qui sont liées au passé et qui, si elles sont modernes, ne sont pas suffisamment ouvertes pour accueillir *cette* référence au Christ que détermineront la spiritualité, la théologie et la structure ecclésiale de demain. Lorsque la détresse de l'Église et notre propre obscurité dans la foi sont vécues comme une participation à l'abandon du Seigneur, alors Dieu fait lever dans la terre obscure des germes qui demain grandiront et porteront des fleurs. Lorsque Dieu éteint la lumière dans la maison de l'Église, c'est uniquement parce qu'il veut dans l'obscurité renouveler les meubles de la maison et la moderniser en vue de l'avenir. Il faut accepter l'obscurité et la supporter comme une participation à l'abandon de Jésus [61].

Il faudra que les chrétiens de demain assument dans une attitude existentielle le don du Christ pour les autres et qu'ils en mesurent toutes les exigences :

Venez, affrontons la ténèbre en chantant
dans laquelle il est suspendu
afin que nous y découvrions
le soleil qui nous entoure.
Kyrie, eleison [62].

Voici la promesse : les chrétiens de demain vivront avec le Christ dans un monde enveloppé par la ténèbre de Dieu, mais au cœur de cette ténèbre « ils verront le soleil ». Leur piété sera une piété de kénose contemplative qui, dans la souffrance, soutiendra l'épreuve de la ténèbre de Dieu sur le monde et en sortira victorieuse.

b) Nous venons donc de mettre en lumière l'aspect contemplatif et existentiel de la piété de demain, cette espèce de bouleversement intérieur provoqué par l'engagement de Dieu. Cela étant fait, nous pouvons maintenant présenter aussi son aspect *actif* dont le modèle est l'engagement de Jésus pour nous : « A ceci nous avons connu l'amour : celui-là a donné sa vie pour nous ; nous devons donc, nous aussi, donner notre vie pour nos frères (1 Jn 3,16). » Il est certain que le chrétien de demain devra s'engager d'une manière extrêmement active ; c'est à cette condition seulement qu'il pourra faire face aux tâches séduisantes découvertes par l'utopie, et en même temps, aux possibilités insondables et pleines de danger que nous offre le monde. Il peut tenter cette aventure car il sait dans la foi que, par le Christ et en Lui, il est devenu libre pour imiter cette abnégation dont Jésus nous a donné l'exemple par son

61. Cf. H. SCHÜRMANN, « Und Finsternis legte sich über das ganze Land... » (Mc 15,31). Ein Rekollektionsvortrag über die Situation der Kirche heute, dans BuLit (1969), pp. 145-149.

62. Cf. « Hymnus zur Non » (Cf. n. 47).

« existence-pour-les-autres ». Une telle foi rend capable d'affronter l'échec dans l'engagement, et malgré l'échec, de s'engager encore [63]. Celui chez qui l'engagement de Dieu, la mort de Jésus, a creusé cet « espace d'accueil » (« Hohlraum ») qui est la caractéristique du cœur de Jésus, c'est par lui que l'engagement de Dieu déferlera sur le monde comme un fleuve. Cet engagement se situera toujours « au cœur du monde [64] ». Mais c'est la « dernière place » qu'il y cherchera [65], car c'est l'amour de Dieu s'abaissant et se dépouillant lui-même qui se répercute dans l'engagement du chrétien. Un tel engagement, vécu et voulu, à la dernière place [66], est tout autre chose que cet activisme dominateur qui, dans les domaines de l'industrie et la vie sociale, bâtit des châteaux en Espagne, mais ne donne aux hommes ni logement ni pain.

Les chrétiens de demain, dans leurs tentatives pour se solidariser avec tous et chacun, seront largement désavoués, mais même alors ils resteront toujours conscients d'être solidaires de tous et de chacun. Selon la remarque de K. Kitamori [67] : « Il nous faut, à cet égard, ne jamais perdre de vue le fait que l'Évangile a toujours été marqué par ce caractère d'être ' dehors, devant la porte ' (He 13,12), même lorsqu'il passe dans la réalité... La réalisation de l'Évangile ne signifie pas qu'il franchit la porte et pénètre au cœur de la cité... La théologie de la douleur de Dieu ne doit jamais devenir cette théologie qu'on a appelée ' dominatrice '. » Il y a

63. Cf. H. SCHÜRMANN, « Der gesellschaftliche und gesellschaftskritische Dienst der Kirche und der Christen in einer säkularisierten Welt », dans : H. PEUKERT (éd.), *Diskussion zur « politischen Theologie »*, Mayence, 1969, pp. 145-161. — J. MOLTMANN, *Der gekreuzigte Gott* (cf. n. 35), pp. 306-312; J. M. essaie de montrer comment la liberté conquise dans la pro-existence engage à rompre ces cercles infernaux que sont la pauvreté, la violence, l'aliénation raciste et culturelle, la destruction de la nature par l'industrie, ainsi que le cercle de l'absurde et de l'abandon par Dieu; elle y engage et elle en rend capable.

64. C'est le titre de la traduction allemande d'un ouvrage de R. VOILLAUME, Fribourg en Br., [4]1959 (= Tr. de : *Au cœur des masses. La vie religieuse des petits frères du P. de Foucauld*, Paris, Éd. du Cerf, 1950.)

65. Cf. le titre du petit volume de CH. DE FOUCAULD « *Aufzeichnungen und Briefe* » (Sigillum 8), Einsiedeln, 1957.

66. Cf. le titre du livre de H. URS V. BALTHASAR, *Im Einsatz Gottes leben*, Einsiedeln, 1972, (= Tr. *Dans l'engagement de Dieu*, Paris, Apostolat des Éditions, 1973).

67. Cf. K. KITAMORI, *Schmerz* (cf. n. 37), pp. 150 s.

une victoire dans la ruine, un triomphe dans la souffrance; la foi qui porte son regard sur la croix du Christ sait cela. Il existe dans l'*establishment* des forteresses qui ne peuvent en fin de compte être renversées que par la souffrance dans la patience. En tant que « compagnon de tribulation, de royauté et de constance en Jésus » (Ap 1,9), le chrétien reste faible parmi ses frères faibles, manipulé auprès des manipulés, délogé auprès de ceux que l'*establishment* a délogés; mais c'est ainsi qu'il proclame dans le monde la victoire du Christ. L'engagement le plus fort est celui des martyrs et des pauvres.

Celui qui veut participer à l'engagement de Dieu en Jésus Christ, se décide pour une vie dans la gêne et la pauvreté. Mais il se décide aussi pour la fraternité de l'Église qui deviendra toujours davantage, dans toutes les parties du monde, une fraternité opprimée et pauvre. C'est seulement en prenant parti au plus profond de lui-même pour les frères pauvres et opprimés que le chrétien peut vivre son engagement. Avoir part à l'engagement de Dieu, c'est donc : dire *oui* à l'Église de notre temps, dans sa détresse et sa pauvreté spirituelle, à l'Église telle qu'elle est. Au cœur de cette détresse et de cette pauvreté nous voyons briller l'image du Christ qui est mort et s'est fait pauvre pour nous.

En guise de conclusion à cette méditation théologique, nous voudrions une fois encore insister sur un point : l'image du Christ évolutif n'aura une influence sur la spiritualité à venir que dans la mesure où l'image du Christ pro-existant sera son « âme »[68]. Cette image du Christ de l'avenir, telle que nous la

68. Cf. aussi l'étude éclairante au point de vue dogmatique de W. Breuning, « Aktive Proexistenz — Die Vermittlung Jesu durch Jesus selbst », dans : TThZ 83 (1974), pp. 193-213 : « La tâche la plus importante de la christologie aujourd'hui me semble être... de retrouver la dimension de ce que Heinz Schürmann a appelé la ' pro-existence active de Jésus' (Mélanges offerts à J. Schmid [1973] pp. 325-363; cf. *supra* pp. 21-81)... La pro-existence active est... vraiment l'élément permanent (das Kontinuum) de la christologie; il jaillit de la vie active de Jésus et passe dans sa mort qui devient ainsi une mort active et salutaire. C'est cela que veut dire le ' pour nous '. La proexistence active est également l'élément permanent qui relie la vie terrestre avec ce qui a commencé comme résurrection et continue depuis lors à se produire. Elle est aussi l'*eschaton* qui attire activement et s'incorpore toutes choses, en ce sens qu'elle nous fait agir sous la poussée de l'amour, comme nous l'avons montré plus amplement ci-dessus. Lorsque nous présentons notre relation actuelle au Christ comme une vie de foi, cela ne signifie pas autre chose que l'activation de cette vie par la pro-existence de Jésus... Chez lui, la foi et l'amour — que nous, nous

pressentons, n'est peut-être pas tout à fait incroyable, car elle est conforme au sens profond de la révélation du Christ à l'époque néotestamentaire et elle se situe dans le droit fil du développement de la foi au cours de l'histoire de l'Église (cf. *supra* pp. 148 ss.). La vie vécue comme participation à l'engagement de Dieu devrait devenir toujours davantage une « vie fondée sur l'expérience ». Il faudra recueillir des expériences individuelles qui puissent apporter un certain dynamisme aux groupes. Et il faudra faire aussi des expériences de groupes qui puissent aider l'individu à entrer dans l'engagement de Dieu et à le maintenir dans cette voie.

La connaissance de « l'amour du Christ qui surpasse toute connaissance » (Ep 3,19) n'a jamais été épuisée dans toute sa richesse, ni par l'époque néotestamentaire ni par les deux mille ans de l'histoire de l'Église. Mais le monde dans lequel nous vivons, parce qu'il a des dimensions qu'aucune autre époque peut-être n'a atteintes, nous donne aussi la chance de faire l'expérience de « la largeur, la longueur, la hauteur et la profondeur » (Ep 3,18) de la « plénitude du Christ » (Ep 4,13), en y découvrant des dimensions nouvelles. A condition, bien sûr, que Dieu nous en juge dignes.

devons distinguer en nous à cause de lui — étaient absolument unifiés dans l'unité indissoluble de sa pro-existence ' pour ' Dieu et ' pour ' nous (c'est sa pro-existence pour Dieu, qui fonde le sens du deuxième *pour*). Mais dans les deux cas, c'est le même amour qu'exprime le ' pour '... Jésus en croix ne fut pas l'occasion du pardon paradoxal de Dieu; la pro-existence active du Christ, en effet, en tant qu'elle est une action où se rencontrent Dieu et l'homme, ' est ' la preuve que ' Dieu est amour ', parce que cet amour est devenu événement dans l'action du Christ » (pp. 211 s.). — Voir aussi R. PESCH, *Kontinuität* (cf. p. 80, n. 174), p. 83. L'une ou l'autre des questions abordées ici peuvent être éclairées maintenant, d'un point de vue dogmatique, par les développements de W. KASPER, *Jesus der Christus* (cf. ci-dessus p. 80, n. 174; trad. *Jésus le Christ*, « Cogitatio fidei » 88, Éd. du Cerf, 1976) où sont indiqués également d'autres travaux théologiques parus après l'achèvement de notre ouvrage; il ne nous a pas été possible d'utiliser ici cet ouvrage de W. Kasper.

TABLE DES MATIÈRES

ACHEVÉ D'IMPRIMER LE
25 FÉVRIER 1977 SUR LES
PRESSES DE L'IMPRIMERIE
BUSSIÈRE, SAINT-AMAND (CHER)

— N° d'édit. 6687. — N° d'imp. 1601. —
Dépôt légal : 1er trimestre 1977.
Imprimé en France

COLLECTION LECTIO DIVINA

4. C. Spicq	Spiritualité sacerdotale d'après saint Paul.
6. L. Cerfaux	Le Christ dans la théologie de saint Paul.
8. L. Bouyer	La Bible et l'Évangile.
11. M.-E. Boismard	Le Prologue de saint Jean.
12. C. Tresmontant	Essai sur la pensée hébraïque.
13. J. Steinmann	Le prophète Ezéchiel.
14. Ph. Béguerie, J. Leclercq, J. Steinmann	Études sur les prophètes d'Israël.
15. A. Brunot	Le génie littéraire de saint Paul.
16. J. Steinmann	Le livre de Job.
19. C. Spicq	Vie morale et Trinité sainte selon saint Paul.
20. A.-M. Dubarle	Le Péché originel dans l'Écriture.
22. Y. Congar	Le mystère du Temple.
23. J. Steinmann	Le prophétisme biblique des origines à Osée.
24. F. Amiot	Les idées maîtresses de saint Paul.
25. E. Beaucamp	La Bible et le sens religieux de l'univers.
26. P.-E. Bonnard	Le Psautier selon Jérémie.
27. G.-M. Belher	Les paroles d'adieux du Seigneur.
28. J. Steinmann	Le livre de la consolation d'Israël et les Prophètes du retour de l'exil.
29. C. Spicq	Dieu et l'homme selon le Nouveau Testament.
30. M.-E. Boismard	Quatre hymnes baptismales dans la première Épître de Pierre.
32. J. Dupont	Le discours de Milet.
33. L. Cerfaux	Le chrétien dans la théologie paulinienne.
34. C. Larcher	L'actualité chrétienne de l'Ancien Testament d'après le Nouveau Testament.
35. A.-M. Besnard	Le Mystère du Nom.
36. B. Renaud	Je suis un Dieu jaloux.
37. L.-M. Dewailly	La jeune église de Thessalonique.
39. L. Legrand	La virginité dans la Bible.
40. A.-M. Ramsey	La gloire de Dieu et la Transfiguration du Christ.
41. G. Baum	Les Juifs et l'Évangile.
42. B. Rey	Créés dans le Christ Jésus.
43. P. Lamarche	Christ vivant.
44. P.-B. Bonnard	La sagesse en personne annoncée, et venue, Jésus-Christ.
45. J. Dupont	Études sur les Actes des Apôtres.
46. H. Schlier	Essais sur le Nouveau Testament.
47. G. Minette de Tillesse	Le secret messianique dans l'Évangile de Marc.
48. Milos Bic	Trois prophètes dans un temps de ténèbres.